Guy Paine Gautt
08/2002 .

MADONNA

ANDREW MORTON

MADONNA

traduit de l'anglais par
Anne Bleuzen et Karine Laléchère

l'Archipel

Ce livre a été publié sous le titre
Madonna
par Michael O'Mara Books Limited, Londres, 2001.

Si vous désirez recevoir notre catalogue
et être tenu au courant de nos publications,
envoyez vos nom et adresse, en citant ce
livre, aux Éditions de l'Archipel,
34, rue des Bourdonnais, 75001 Paris.
Et, pour le Canada,
à Édipresse Inc., 945, avenue Beaumont,
Montréal, Québec, H3N 1W3.

ISBN 2-84187-358-7

1

Le rêve américain

En arrivant à l'aéroport JFK de New York, un coup d'œil
sur l'interminable file d'attente des taxis vous convainc
d'accepter une proposition que vous déclineriez en d'autres
circonstances. Après un vol de sept heures depuis Londres,
vous déboursez sans problème les 40 dollars pour vous
rendre à Manhattan en limousine blanche. C'est également
l'avis de quelques Canadiens, Français et New-yorkais qui
ont fait le voyage avec moi. « Servez-vous à boire », propose généreusement le chauffeur. L'ambiance tourne rapidement à la fête : le toit s'ouvre, les néons de la limousine
se mettent à briller. Dans le soleil couchant, l'horizon scin-
tille, chargé de promesses. Vingt ans plus tôt, sur ce même
trajet, une chanteuse en herbe, Madonna Louise Veronica
Ciccone, s'allongeait dans une limousine comme celle-ci et
annonçait à son amie Erika Belle : « Un jour, cette ville
m'appartiendra. » L'ancienne pom-pom girl du Midwest
n'avait pourtant pas toujours été si sûre d'elle. Notre limousine longe le Lincoln Center, où l'adolescente solitaire s'est
un jour assise près de la fontaine pour pleurer, doutant de
jamais réussir dans cette ville. Nous passons ensuite devant
l'imposant immeuble de la 64e Rue Ouest où elle vit désormais, devant le restaurant où on lui prépare sa salade « special Caesar » et nous atteignons Central Park, où elle a
rencontré le père de son premier enfant. Après cette visite
éclair impromptue dans la vie de Madonna, le chauffeur
nous dépose à Colombus Circle. En haut d'un immeuble de

7

briques marron, un néon rouge fait la promotion d'une émission de télévision. Un mot s'enflamme dans le ciel noir : « BIOGRAPHIE. »

Un biographe est un enquêteur face à une personnalité, un détective privé qui cherche des indices, vérifie des alibis et rassemble les preuves qui vont aider à faire la lumière sur un personnage qui a marqué son temps. Les premières enquêtes menées à New York donnent une image de Madonna qui laisse perplexe. Peu de témoins font d'abord mention de sa carrière de chanteuse ou d'actrice. Une étudiante de l'Arizona, pourtant pas une midinette, avoue qu'avant de prendre une décision difficile elle se demande ce que Madonna ferait à sa place. Elle n'est pas la seule. Dans le roman d'India Knight, *Ma vie sur un plateau*, une jeune fille qui tombe accidentellement enceinte se pose la même question. Pas la peine d'essayer d'utiliser les méthodes conventionnelles pour disséquer le sujet Madonna ; tous ces professeurs émérites qui débattent depuis vingt ans de son influence sur le racisme ou les relations entre hommes et femmes dans la société postmoderne en sont toujours à rechercher Madonna désespérément... Une chose est certaine. Nous n'avons pas ici affaire à l'une de ces étoiles filantes de la planète pop. Notre sujet enregistre un nombre ahurissant de succès : plus de *singles* numéro 1 au hit-parade que les Beatles ou Elvis Presley, seize films, quatorze albums et cinq tournées à guichets fermés, plus de cent millions d'albums vendus à ce jour. Sans parler des disques d'or et de platine, assez nombreux pour recouvrir des murs entiers, ni de ses multiples Grammy Awards. Elle a même reçu un Golden Globe pour son rôle dans la comédie musicale *Evita* – qu'elle a mis de côté dans une de ses résidences, à New York, Londres ou Los Angeles. Tout ce qu'elle touche se transforme en or. Et des « receleurs » de premier plan comme Sotheby's et Christie's ont récemment vendu quelques-uns de ses souvenirs aux enchères : sa signature est partie pour 200 dollars et un soutien-gorge de Jean Paul Gaultier, datant du Blond Ambition Tour, s'est arraché 20 000 dollars. Et puis il y a les chasseurs de primes : on a proposé jusqu'à 350 000 dollars pour la première photo de sa fille Lourdes ; l'année dernière, un paparazzi d'un nouveau genre est même allé jusqu'à se cacher dans la charpente de la cathédrale de Dornoch, en Écosse, pour filmer le baptême de Rocco, son fils.

En se penchant sur son dossier, il est clair que Madonna a rêvé d'être célèbre depuis l'enfance, de manière obsessionnelle. « Je provoque les gens depuis que je suis toute petite. J'aime séduire », a-t-elle un jour confessé. Comme bon nombre de divas du show-biz, tout a commencé par des petits riens : elle parade pendant les réunions de famille, elle monopolise l'attention aux concerts de l'école, elle est toujours le centre des regards pendant les spectacles de danse à l'université…

A l'époque où elle part vivre à New York, elle est sur la pente glissante et abandonne rapidement l'admiration euphorisante de ses camarades de classe pour goûter une came un peu plus dure, le succès. Assez vite, elle met de côté sa carrière de danseuse pour un fixe de gloire, et ne redescend jamais vraiment après que son premier *single* se classe en tête des meilleures ventes. Elle devient alors littéralement accro et gravit les échelons : starlette, chanteuse et actrice reconnue, superstar et, finalement, icône universelle. Bien entendu, comme toujours, il y a eu des victimes. Dans le village mondial, elle choque les anciens en se promenant à demi nue, encourageant les autres filles à lui emboîter le pas ; sa sexualité non dissimulée et ses provocations scandalisent les puritains aux idées courtes. Experte en controverses, elle a tout de même ses partisans, surtout parmi les Noirs, les homosexuels et les jeunes femmes.

Il n'est pas facile de dresser un portrait précis de la véritable Madonna. Elle maîtrise parfaitement l'art du camouflage et s'est toujours intelligemment cachée derrière plusieurs masques, s'enveloppant dans le mystère de sa propre mythologie. « Si elle était un tableau, ce serait un

Picasso, dit l'un de ses anciens amants, la star du rap Vanilla Ice. Elle a tellement de visages… » Quand certains jugent son attitude vraiment insultante, comme à la sortie de son livre *Sex*, en 1992, elle trouve toujours une réponse. Elle a soutenu qu'on la critiquait parce qu'elle était une femme, que personne n'avait perçu *l'ironie* sous-jacente. A chaque fois qu'un de ses projets capote – un échec cinématographique, par exemple –, elle désigne un coupable. Voilà deux décennies qu'elle sème le désordre en toute impunité ! Pourtant, elle s'est plutôt bien sortie de ses années d'agitation culturelle : la fille qui taguait autrefois les murs de « l'establishment » est aujourd'hui une riche propriétaire. Mais, même si elle semble s'être métamorphosée d'iconoclaste en institution, Madonna aime à croire qu'elle est toujours une rebelle. Et peut-être l'est-elle encore…

Un coup d'œil dans son appartement new-yorkais fournit quelques indices sur sa personnalité. Recroquevillée sur un élégant sofa, Madonna n'a pas vraiment l'air d'être la femme publique n° 1. Un mètre soixante-trois, des yeux qui vous hypnotisent, une bouche insolente, les dents du bonheur, une fine peau d'albâtre. Les expressions de son visage, souvent photographié, varient en un instant : sexy, intelligent, lassé ou amusé. Même vêtue d'un jogging à 20 dollars et de tongues bon marché, son attitude suggère l'autorité et le contrôle, le tempérament d'une femme habituée à être aux commandes, à être responsable d'elle-même et des autres. Parler avec elle ne fait que renforcer cette impression. Madonna va droit au but et recentre toujours le propos. « Alors, Bert, qu'est-ce que tu as ? On fait du bon boulot ? », disait-elle à son ancien manager Bert Padell, en se moquant de son accent de Brooklyn. N'ayant pas de temps et n'éprouvant aucun intérêt pour les bavardages, elle se concentrait sur le business et le bombardait de questions tout en grignotant des galettes de riz. Factuelle, efficace : les témoignages concordent. « Il y a une intensité en elle », se souvient Dan Gilroy, son ancien compagnon, qui lui a fait découvrir la musique. « Elle pose une question pour obtenir une réaction, pas pour bavarder. » Questions, questions, questions... Madonna cherche sans cesse des pistes vers la nouveauté, le révolutionnaire. Même quand elle écoute de la musique – Ella Fitzgerald, musique orientale ou samples électroniques –, elle n'est jamais au repos ; elle analyse les sons, les paroles, en quête d'une idée à creuser, et prend des notes dans un carnet de papier marbré. Son esprit de création ne fait jamais de pause ; elle puise dans sa vie privée et dans celle des autres pour trouver l'inspiration.

« Vogue », son *single* qui s'est le mieux vendu, est ainsi né au hasard d'une conversation avec sa meilleure amie, l'actrice Debi Mazar. Celle-ci avait remarqué l'engouement pour le « voguing », une danse qui s'était emparée des scènes gay et latino new-yorkaises à la fin des années 80. Quand elle a parlé à Madonna de cette chorégraphie calme, où les danseurs prennent des poses, leurs mains décrivant des mouvements hypnotiques, la chanteuse a compris son potentiel créatif et commercial. « Vogue » a été écrit en collaboration avec le producteur Shep Pettibone ; les paroles sont un hommage de Madonna aux stars d'une époque hollywoodienne révolue. Comme l'explique Ed Steinberg, qui a réalisé son premier clip, « elle sait très clairement ce qu'elle veut, mais elle accepte en même temps l'apport créatif des autres. C'est l'une des raisons pour lesquelles elle a tant de succès – elle n'est pas complètement égotiste. » Michael Musto, de *Village Voice*, commente : « C'est ça, son génie. Elle prend quelque chose qui est complètement dépassé dans le milieu branché new-yorkais et le fait connaître dans l'Iowa. Son talent, c'est de s'emparer d'une chose qui s'agite sous la surface et de la faire sienne. »

La facilité avec laquelle Madonna peut zapper d'un sujet à un autre est impressionnante. Elle passe sans aucun problème de la négociation d'un contrat de promotion aux arrangements de sa dernière chanson. Andy Paley, un auteur qui a beaucoup travaillé avec Paul Simon et Brian

Wilson, est allé plusieurs fois chez Madonna à Los Angeles lorsqu'ils travaillaient ensemble sur la bande originale du film *Dick Tracy*, réalisé en 1990 par Warren Beatty. Pendant quatre heures d'affilée, elle était entièrement concentrée sur son travail de création et refusait de voir quiconque. « Elle met des œillères quand elle bosse », explique Andy Paley. « Toutes les distractions extérieures sont oubliées. On s'asseyait au piano et elle donnait le rythme. Elle veut sentir qu'elle peut danser sur toutes les chansons qu'elle enregistre. C'est son test. » Paley et d'autres auteurs, dont Mark Kamins, son premier producteur, considèrent que Madonna est l'une des meilleures dans son domaine, une musicienne et parolière largement sous-estimée. « C'est la personne avec laquelle j'écris le plus facilement, explique Paley. Elle a des idées très claires. » Mais cet aspect du personnage a été voilé par la controverse – largement autogénérée – qui a enveloppé la carrière de Madonna. Artistiquement, par ailleurs, son écriture est souvent éclipsée par ses vidéos, qui sont très fortes. Plusieurs d'entre elles, considérées comme des œuvres d'art modernes, ont été diffusées dans des musées, notamment au Centre Georges-Pompidou à Paris. Ce remarquable sens visuel n'a rien d'étonnant. Madonna a passé beaucoup de temps à étudier la photographie, les chefs-d'œuvres du cinéma noir et blanc et la peinture. « Elle est le parfait exemple de l'artiste visuelle », remarque Fab Five Freddie, graffeur et critique culturel, qui a vu s'épanouir Madonna pendant ses années new-yorkaises. « Aujourd'hui, vous ne pouvez pas prétendre faire long feu dans le monde de la pop sans un sérieux sens de l'image. Elle l'a, et va beaucoup plus loin que les gens ne le pensent. Combien de chanteurs pop ont déjà entendu parler de Frida Kahlo, par exemple, et encore moins envisagé de lui consacrer un film ? »

Dans son appartement new-yorkais, les visiteurs sont accueillis par *My Birth*, un tableau de l'artiste mexicaine. Une sorte de test pour Madonna : si un visiteur n'apprécie pas l'œuvre, ce ne sera jamais un ami. Sa collection, constituée avec soin depuis plus de vingt ans, lui tient tellement à cœur qu'elle préférerait que l'on se souvienne d'elle comme d'une Peggy Guggenheim moderne plutôt que d'une actrice ou d'une chanteuse. « La peinture est mon jardin secret et ma passion. Ma récompense et mon péché mignon », explique-t-elle. Les œuvres de sa collection témoignent des nombreux paradoxes de sa personnalité. Dans *My Birth*, par exemple, Frida Kahlo a mis en scène sa propre naissance sans intervention masculine. Elle relègue ainsi au second plan l'image traditionnelle de la femme matrice au profit de celle d'une femme indépendante, autonome et forte : thèmes que l'on retrouve dans l'œuvre des deux artistes. Comme elle le montrera au cinéma, particulièrement dans *Evita*, Madonna semble comprendre le monde qui l'entoure de manière exclusivement égocentrique. Par exemple, elle ne se contente pas d'apprécier les tableaux de Frida Kahlo : elle compare sa vie à celle, tragique, de l'artiste qui se considérait en marge de la société conventionnelle. « J'adore les peintures de Frida Kahlo parce qu'elles sont empreintes de sa douleur et de sa tristesse », explique Madonna, qui admire les beautés fortes, l'artiste Georgia O'Keefe, Marlene Dietrich et Greta Garbo. De la même manière, la vie de l'artiste art déco Tamara de Lempicka, dont les portraits érotiques de sybarites ornent son appartement, la touche vraiment. Elle partage le point de vue du biographe de Lempicka, qui considère que sa place au panthéon des artistes modernes a été niée à cause de son mode de vie : bisexuelle et libidineuse, elle était considérée comme sexuellement et politiquement incorrecte. Madonna se reconnaît, nécessairement peut-être, dans le refus de l'artiste de se conformer aux normes sexuelles.

Madonna, dont l'exploration incessante des rôles traditionnellement dévolus aux hommes et aux femmes a contribué, par exemple, à lever le tabou de l'homosexualité féminine, s'identifie aussi à ceux qui n'ont pas voix au chapitre dans la société. Une photographie d'Irving Penn représentant Joe Louis, boxeur et petit-fils d'esclaves de Detroit – la ville de Madonna –, ainsi qu'un petit buste en bronze de Mohammed Ali témoignent de la compassion qu'elle ressent pour les peuples opprimés d'Amérique. Quand Ali, au côté duquel elle s'est battue en faveur des droits des Noirs américains, est venu chez elle un soir, elle était très impressionnée. Elle voue également une grande admiration à Elvis Presley, mort le jour de son anniversaire. Elle voit dans ses débuts, à l'époque où il choquait l'Amérique puritaine des années 50 en se déhanchant sur scène, le reflet de son propre combat pour imposer sa vision d'une femme puissante qui ne renonce pas pour autant à sa féminité et à sa vie sexuelle.

Le nom qu'elle a donné à sa société de production, Maverick[1], est révélateur : elle se considère comme une rebelle, une marginale qui a su revendiquer son indépendance face à sa famille, à l'Église, à l'école et à la société. Pourtant, paradoxalement, cette femme qui, non sans romantisme, estime être une artiste incomprise, est aussi la parfaite incarnation du rêve américain. Son histoire elle-même incarne ce mythe : une pom-pom girl du Midwest qui vient à New York chercher gloire et fortune, puis tente de rejoindre l'élite hollywoodienne pour faire carrière dans le cinéma. Comme elle se considère davantage actrice que chanteuse, sa plus grande déception est que ses talents dramatiques n'aient pas été encore vraiment reconnus. Malgré cela, un simple symbole montre à quel point Madonna s'est hissée au firmament des stars : alors qu'elle rêvait d'un premier mariage dans le « style Grace Kelly », elle portait le jour de ses secondes noces un diadème ayant appartenu à la princesse. Ce qui plaît en Madonna, c'est qu'elle ressemble aux gens que l'on peut croiser tous les jours aux États-Unis ; elle est le vivant archétype des bouleversements sexuels et sociaux qui ont transformé l'Amérique depuis vingt ans.

Son ambition et sa philosophie très volontaristes ne seraient pas déplacées dans un contexte d'entreprise

---

1. Littéralement : anticonformiste, indépendant, dissident. *[Toutes les notes ont été établies par les traductrices.]*

classique. Parmi tous les visages que Madonna présente – danseuse, chanteuse, femme de scène, actrice, artiste –, il en est un qu'elle essaie tant bien que mal de cacher : celui de femme d'affaires émérite. Elle aurait dit un jour : « L'une des raisons de mon succès, c'est que je suis une *business woman* avisée, mais je ne pense pas qu'il soit nécessaire que les gens le sachent. » « Sortez ! », a-t-elle ordonné au réalisateur Alek Keshishian quand ses cameramen ont voulu filmer une réunion d'affaires pendant le tournage de *In Bed with Madonna*[1], un documentaire sur le Blond Ambition Tour (1990). Elle, qui est arrivée à New York avec une poignée de dollars en poche, est ou a été éditrice, star de la chanson, magnat du merchandising, productrice de films... et l'une des femmes les plus riches du monde, avec une fortune estimée entre 300 et 600 millions de dollars. « C'est une femme d'affaires exceptionnelle », assure Seymour Stein, dont la maison de disques fut la première à signer Madonna. « Elle est très intelligente et fait confiance à ses instincts, qui sont très bons. » Son succès a impressionné le monde des affaires. Alors que politiciens, féministes et autres commentateurs débattaient du contenu sulfureux des photos du livre *Sex*, des enseignants de la Harvard Business School ont accouru : ils voulaient connaître son secret pour vendre 1,5 million d'exemplaires d'un livre à 50 dollars en quelques jours. Elle a finalement décliné leur invitation à intervenir devant les étudiants. Si elle avait accepté de faire cette conférence, comme elle en avait l'intention, ils auraient compris que, mis à part les remous et les controverses que suscite sa carrière, Madonna est tout simplement comme eux : une incarnation de cette culture de l'effort, de l'esprit d'entreprise qui a nourri le rêve américain. Elle est en tous points le modèle du *self-made « man »* : prudente dans ses investissements, regardante dans ses dépenses, elle contrôle chaque élément de son empire de

---

1. Ce documentaire est sorti sous le nom de *Truth or Dare* aux États-Unis.

15

multimillionnaire. « Parfois, vous aviez l'impression de traiter avec General Motors », explique sir Tim Rice, cocréateur d'*Evita*. Madonna est une capitaliste très classique. Elle respecte toutes les règles et ne fait jamais de faux pas. Sa vie est réglée comme du papier à musique. Comme n'importe quel chef d'entreprise, elle est la première à arriver le matin et la dernière à partir, emploi du temps saturé, journées bien organisées. Chaque soir, elle fait religieusement le point sur les objectifs du lendemain. La controverse organisée autour de sa carrière artistique contraste avec l'ordre qui règne dans sa vie de femme d'affaires. Pourtant, l'argent passe après la création. « Elle n'est pas seulement une *business woman*, c'est une créatrice, une innovatrice, souligne Bert Padell. L'argent vient au second plan, la création reste première. » Son sens de l'humour ferait également son effet autour de la machine à café. « Je t'en donne soixante », dit-elle à Padell un matin au téléphone. Alors qu'il se lance dans un long exposé financier, la ligne est soudain coupée. Quand il la rappelle, Madonna lui lance en riant : « Tu vois ? Je t'avais dit soixante secondes. Mon temps est précieux ! » Celle qui se nourrissait de pop-corn et s'habillait de fripes, à mille lieues de la spéculation et de l'extravagance, n'a aucune intention de dilapider sa fortune. « Elle n'a pas changé depuis la première fois où elle a débarqué sans le sou dans mon bureau, se souvient Padell. Qu'il s'agisse de 1 dollar ou de 10 000, peu importe : elle veut savoir de quoi il s'agit. » Madonna investit prudemment. Elle préfère la sécurité des bons du Trésor à d'incertains investissements boursiers. Elle n'est pas de ceux qui se sont brûlés les doigts au moment de la spéculation autour d'Internet, privilégiant les biens immobiliers et les œuvres d'art. Elle a même tellement tardé à s'intéresser au web qu'elle a dû engager un procès pour faire valoir ses droits sur le nom de domaine madonna.com ! Si la peinture est son « péché », comme elle dit, « financièrement, c'est un excellent investissement, et l'occasion d'admirer quelque chose de somptueux tous les jours ». Ce sens des économies l'a conduite à passer à côté de nombreuses toiles, pour lesquelles elle ne voulait pas payer le prix demandé. C'est aujourd'hui la même chose en matière d'immobilier. Quand elle s'est installée à Londres, les prix l'ont tellement étonnée qu'elle a dû renoncer à des maisons qui lui plaisaient : ses propositions financières étaient naïvement basses ! Mesurée comme elle l'est dans ses dépenses, elle aimerait bien rayer « Material Girl » de son répertoire. Madonna a toujours regretté d'avoir enregistré ce titre. L'argent n'est pour elle qu'un moyen, qu'elle utilise à des fins souvent artistiques, mais pas un but en soi.

Comme d'autres millionnaires qui ont construit leur propre richesse, elle croit en la valeur du travail, un credo étayé par son récent intérêt pour la kabbale. Aussi n'est-elle pas du genre à surprotéger ses amis et sa famille. Cela ne l'empêche pas d'envoyer chaque mois de l'argent à sa grand-mère maternelle, Elsie Fortin, et de lui avoir offert, comme à d'autres parents âgés, télévision et autres équipements de confort. Elle aime donner l'image d'une dure à cuire mais son côté maternel est indéniable, au-delà de l'adoration qu'elle porte à ses deux enfants. Quand Gianni Versace a été assassiné, Madonna a été la première à appeler sa sœur Donatella pour la soutenir. Elle a aussi payé la cure de désintoxication de nombreux proches. Beaucoup de ses contributions restent discrètes. Si on connaît bien son engagement au côté des associations de lutte contre le sida, on parle moins de ses dons à une œuvre contre le cancer du sein, la maladie qui a emporté sa mère. Et, chaque vendredi qui suit Thanksgiving[1], la chanteuse rend visite aux enfants malades dans des hôpitaux de Harlem et de Manhattan, pour leur distribuer des cadeaux. Sean Penn et son amie Debi Mazar l'ont déjà accompagnée lors de cette visite rituelle. Elle ne pose qu'une seule condition : que ces rencontres soient absolument privées. Pendant l'une de ses

---

1. Thanksgiving est célébré le quatrième jeudi de novembre.

visites, un petit garçon atteint de leucémie, en phase terminale, refusait de quitter son lit. Déprimé, il semblait avoir abandonné son combat pour la vie. Son père était à ses côtés, incapable de le convaincre de continuer de s'accrocher. Madonna est entrée dans sa chambre et l'a provoqué : « Hé! Sors de ton lit. Tu te prends pour qui? » Elle a ensuite passé une demi-heure à parler et à jouer avec lui, jusqu'à ce qu'il quitte son lit pour aller rejoindre les autres enfants. « Tout le monde avait les larmes aux yeux », se souvient un témoin.

Sa compassion ne l'empêche pas d'avoir l'esprit de compétition, et ses ambitions ressemblent parfois à celles de n'importe quel millionnaire. Pendant plusieurs années, elle a ainsi caressé l'idée de posséder sa propre équipe de basket-ball. Bien que fervente supportrice des New York Knicks, l'offre qu'elle leur a faite a finalement été refusée. Elle voulait être un investisseur actif, impliqué dans les décisions. Les propriétaires du club préféraient un simple associé et les discussions en restèrent là. Elle qui peut aujourd'hui se permettre de dépenser des millions de dollars pour un tableau ou une maison n'a pas eu de mal à adopter la mentalité des nantis. « Mais je suis fauchée! », entend-on bien souvent. La reine de la pop, comme la reine d'Angleterre, n'a jamais d'argent sur elle. Son garde du corps ou son chauffeur reçoivent 300 dollars pour les dépenses quotidiennes. Madonna emploie aussi femmes de chambre et cuisiniers, mais les vieilles habitudes ont la vie dure. Elle, qui se faisait payer ses repas par ses amis ou des connaissances, n'a pas changé outre mesure! Quand elle sort, Madonna est rarement la première à s'emparer de son carnet de chèques. Elle attend plutôt de voir qui prend l'addition et, en dernier ressort, fait les comptes pour que chacun règle sa part. Jimmy Albright, son ancien garde du corps et amant, se souvient qu'il payait fréquemment pour tout le monde, bien qu'il fût le moins riche de tous! « Je lui disais souvent qu'elle était tellement près de ses sous qu'ils allaient finir par l'étouffer!

Elle pense que les gens vont essayer de profiter d'elle parce qu'ils savent qu'elle a beaucoup d'argent. Mais elle s'en sort très bien. » Son côté pingre a interloqué le major-dome australien de sa maison londonienne de Notting Hill. Elle n'a pas manqué de lui reprocher sévèrement son extravagance le jour où il a dépensé 600 dollars pour acheter des fleurs, dont des lis tigrés, ses préférées. A New York elle ne se déplace pas en limousine pour éviter les dépenses inutiles. Et elle fuit tous ceux qui pensent pouvoir l'arnaquer… En tournée, elle négocie elle-même les prix auprès des hôtels, vérifie les factures et refuse de payer si la note de téléphone ou de fax est trop salée. Cette obsession du contrôle va bien plus loin que ce que préconisent les manuels de gestion.

Même pendant les rares vacances qu'elle s'accorde, elle travaille, paroles de chansons ou projets divers. Toujours en mouvement, elle n'a aucun moment de tranquillité. Si elle a refusé de chanter l'hymne américain au Superbowl, ce n'est pas par manque de patriotisme, c'est parce qu'elle ne pouvait pas contrôler la lumière et le son… Son patriotisme, elle l'a en effet démontré en étant la première personnalité à donner de l'argent aux victimes des attentats du World Trade Center et du Pentagone, le 11 septembre 2001. Elle a versé près de 1 million de dollars pour les orphelins – la recette de trois concerts à Los Angeles – et invité à la prière les vingt mille personnes venues l'écouter chanter. Quand on s'oppose à elle, elle se contente souvent de répondre : « On n'est pas en démocratie ! » Exigeante envers elle-même, elle l'est tout autant envers ceux avec qui elle travaille. Le « boss » Madonna a été capable de faire pleurer son ancienne secrétaire, Caresse Henry-Norman (aujourd'hui son manager), qui cherchait une paire de chaussures égarée dans son appartement new-yorkais ; ou de rabrouer son attachée de presse, Liz Rosenberg, qu'elle appelle « Momola », quand elle a sorti le bulletin scolaire de l'artiste juste avant qu'elle n'entre sur le plateau de l'émission *Saturday Night Live*. Manifestement, elle n'avait pas envie qu'on lui rappelle son passé au moment où elle se concentrait sur sa prestation télévisée.

Près de son lit, une photo donne un autre indice sur son besoin de maîtriser le « côté abject » de la vie, comme elle dit. Cette photographie en noir et blanc représente sa mère, qui s'appelait aussi Madonna, décédée d'un cancer du sein quand sa fille aînée avait tout juste cinq ans. Sa mort tragique a emporté avec elle tout sentiment intime de sécurité pour Madonna. Depuis, elle est en proie à d'interminables cauchemars liés à la mort. Malgré des bilans de santé réguliers, pour prévenir notamment le cancer du sein, Madonna se sent engagée dans une course contre le temps et cherche à tout prix à aller au bout de ses envies : « Je dois lutter pour avancer, parce que j'ai des démons. Je ne vivrai pas éternellement et, quand je mourrai, je ne veux pas que les gens oublient que j'ai existé. » La mort prématurée de sa mère l'a également privée de la seule personne dont elle pouvait peut-être attendre un amour inconditionnel. Cela s'est-il traduit par un traumatisme affectif durable ? Madonna semble avoir passé sa vie à chercher l'amour, rejetant ou se séparant continuellement de ceux qui l'ont aimée, de peur d'une nouvelle blessure. Elle dirige parfaitement sa carrière mais a très souvent perdu le contrôle de sa vie amoureuse. Contrairement à l'image de femme très sûre d'elle qu'elle donne en public, Madonna est souvent indécise dans ses relations privées. « Elle est capable de subjuguer quatre-vingt mille personnes dans un stade. Mais, hors de la scène, je ne connais pas de femme qui manque plus d'assurance », explique son ancien amant Jim Albright.

Si l'image de sa mère offre un aperçu de la complexité de Madonna, c'est aussi le cas d'une autre photo en noir et blanc accrochée au mur de la chambre de ses enfants : un portrait de son père, Tony Ciccone, et de la jeune Madonna. Toute sa vie, elle a recherché l'approbation de son père, tout en rejetant son conformisme et sa vie bien rangée d'employé de l'industrie de la défense. Tony Ciccone est un catholique fervent ; Madonna est à la fois fascinée et dégoûtée par le catholicisme. Ce qui sépare Madonna de son père ne s'est jamais mieux exprimé que lors de la publication de *Sex*, en octobre 1992. Elle en a parlé comme d'un acte de rébellion envers son père, l'Église et le monde en général. De manière prévisible, quand ils ont fêté Noël ensemble cette année-là, le sujet n'a pas été abordé. Il n'est pas surprenant que son père, qui lui a donné le sens de l'effort, de l'indépendance et des économies, ait toujours fermement refusé ses cadeaux, que ce soit une nouvelle maison, une voiture ou un terrain de vingt-cinq hectares dans le nord du Michigan, où il possède désormais un vignoble. « Il ne voulait pas de son argent, à cause de la manière dont elle l'avait gagné », explique Ruth Dupack Young, une ancienne amie d'école de Madonna, qui a travaillé dix ans avec Tony Ciccone chez General Dynamics. « C'était vraiment l'impression qu'il donnait. Il se débrouillait tout seul et ne voulait pas entendre parler de son argent. C'est un catholique rigoureux qui a obéi aux règles, et il a mal vécu que sa fille n'en fasse pas autant. Ce n'était pas facile de subir les plaisanteries de ses collègues de travail. Il est fier d'elle mais, dans le même temps, elle le consterne. Il y a un moment dans la vie où vous vous demandez jusqu'où vous pouvez aller, rien que pour la gloire. »

La dynamique de sa vie personnelle, la perte de sa mère, le conflit avec son père, le péché et la religion, l'érotisme et le romantisme, l'amour et la solitude ont influencé l'œuvre de Madonna et constitué les fondements de son succès. Plus qu'aucun autre artiste, sa vie est son œuvre ; elle est à la fois le peintre et la toile de cette création exceptionnelle : elle-même. Elle voulait dominer le monde, mais pas le changer. Elle a fini par faire un peu les deux. Voici son histoire.

2

Le Nouveau Monde

Mal rasé, ébouriffé, ébloui par le soleil de mai, Gaetano Ciccone n'a pas l'air très fringant quand il sort du *Presidente Wilson*, amarré dans l'Hudson, à deux pas de la statue de la Liberté. Pas plus d'ailleurs que les mille deux cent trente autres passagers qui ont traversé l'Atlantique entassés en troisième classe. Tous les deux mois, le *Presidente Wilson* embarque à Patras, Naples et Trieste son quota de Grecs, d'Italiens et d'Européens de l'Est en quête d'une seconde chance dans le Nouveau Monde. Le 19 avril 1920, Gaetano Ciccone fait partie des quelques centaines d'hommes, jeunes pour la plupart, pendus à leur baluchon sur le quai du port de Naples, attendant patiemment que se profile le paquebot de douze mille cinq cents tonnes. Certains d'entre eux retournent en Amérique après avoir rendu visite à leur famille. Mais la plupart, comme Gaetano, en sont à leur premier voyage ; excités et angoissés d'embarquer pour une nouvelle vie, et conscients que peu d'entre eux reverront jamais les leurs. A dix-neuf ans, Gaetano est un peu plus jeune et, du « haut » de son mètre quarante-huit, un peu plus petit que les autres passagers. Mais il ressent les mêmes sentiments confus en quittant ceux qu'il aime pour un avenir incertain. Il est marié depuis peu à une fille de son village – évidemment –, la brune Michelina di Ulio, son amour d'enfance. Ses parents, Carmen et Constantine, sont des amis de la famille. Ceux de Gaetano, Nicola Pietro et Anna Maria, ont non seulement béni leur union mais encouragé leur fils à quitter Pacentro, un village poussiéreux de mille huit cents âmes dans les Abruzzes, au nord-est de Rome, sachant bien que son avenir y serait aussi sec que la terre du pays.

Depuis des siècles, le clan Ciccone mène une existence modeste, ouvriers agricoles ou petits agriculteurs longtemps exploités par les règles féodales de la famille Caldora, dont le château du xve siècle domine la vallée. Poussés par une vague de fléaux – notamment une rude sécheresse, de mauvaises récoltes à répétition, l'épidémie de grippe de 1918 et les privations de la Première Guerre mondiale –, bien des membres du clan Ciccone ont décidé de partir vers l'Ouest. De nombreux hommes ont quitté le village, séduits pour certains par les récits, toujours exagérés, des merveilles du Nouveau Monde. Les lettres et les discours enjoués de ceux qui se sont déjà installés là-bas en attestent : tous témoignent qu'il y a du travail en abondance dans les aciéries autour de Pittsburgh et dans les mines de charbon de Virginie occidentale. Plus d'une jeune fille désireuse d'échapper à la misère est parvenue à convaincre ses parents de la laisser s'embarquer pour les États-Unis, partant de l'hypothétique principe qu'un mari l'attendait de l'autre côté de l'Atlantique.

Trois mois après le départ de Gaetano, son oncle Michele, sa tante Maria et son cousin Giustino font à leur tour le voyage jusqu'à Naples, pour une traversée de deux semaines vers l'Amérique à bord du *Giuseppe Verdi*. Comme Gaetano, ils ne sont que des numéros dans la plus grande migration organisée de l'Histoire. Entre 1880 et 1930, plus de vingt-sept millions de personnes arrivent aux États-Unis ; dix-sept millions d'entre elles transitent par Ellis Island, principal bureau d'immigration de New York, entre 1892 et 1924. Beaucoup, comme Gaetano, sont des « migrants à la chaîne », comme on les appelle : les hommes viennent d'abord chercher du travail, puis invitent leur femme et leur famille à les rejoindre. Comme tant d'autres immigrants, la première impression de l'Amérique qui

s'offre à Gaetano est la légendaire silhouette de New York…
puis il se retrouve écrasé parmi cinq ou six mille personnes
dans le tohu-bohu de la salle de réception en briques
rouges, à Ellis Island. La marée humaine, anxieuse, s'avance
en piétinant vers une rangée d'agents de l'immigration.
Pareils à de sévères professeurs derrière leurs bureaux en
bois, ils s'apprêtent à contrôler les nouveaux arrivants. Tout
en répondant grâce à un interprète aux questions que lui
pose William Geder, l'un de ces agents, Gaetano aperçoit le
petit escalier en bois qui va le conduire vers la liberté et,
espère-t-il, les bras accueillants de son oncle Ciccarelli, qui
a prévu de faire le voyage depuis Aliquippa en Pennsylvanie. Là-bas, une chambre et peut-être même un travail
attendent le jeune Gaetano. Avant, toutefois, il lui faut
répondre aux questions de Geder. Les jours sont loin où
presque n'importe qui pouvait entrer en Amérique, à part
les malades et les handicapés mentaux. Les animosités
réveillées par la Première Guerre mondiale et la révolution
communiste en Russie ont fait naître, dans la plupart des
États, un climat hostile et malsain de suspicions xénophobes
envers les nouveaux arrivants. Après avoir confirmé qu'il
savait lire et écrire – ce qui n'était pas le cas de beaucoup
d'Italiens de son milieu –, Gaetano fait non de la tête
quand on lui demande s'il est anarchiste ou partisan du
renversement du gouvernement par un coup d'État ou une
révolution. Ces questions ne sont pas vaines ; l'année
passée, une vague d'émeutes raciales, de grèves et d'attentats anarchistes ont mis l'Amérique en état d'alerte maxi-
male. Le ministre de la Justice, Mitchell Palmer, a même
annoncé dans l'hystérie que la révolution communiste allait
commencer en Amérique le 1er mai 1920 – quarante-huit
heures avant l'arrivée de Gaetano – avec une série d'attentats et d'assassinats ! A la fin de l'interrogatoire, Gaetano
sort de sa poche une liasse de billets défraîchis. Il veut
prouver qu'il a non seulement payé sa traversée, mais aussi
économisé 40 dollars pour se nourrir et se loger jusqu'à
ce qu'il trouve un travail. Sceptique, Geder demande que

l'argent soit recompté. Il notera dans ses papiers d'arrivée que Gaetano a seulement 30 dollars sur lui. Dans la hâte, Michelina, sa femme restée en Italie, se voit rebaptisée « Michela ». Finalement, Gaetano peut s'en aller, après une éprouvante bien que classique admission dans la nation de l'espoir, de l'initiative et de la liberté. Comme des millions d'autres, il va découvrir qu'il a échangé une forme de servitude contre une autre.

En 1920, Aliquippa est une ville-entreprise ordinaire : l'usine sidérurgique Jones & Laughlin possède et contrôle à peu près tout – les maisons, l'eau, le gaz et l'électricité, les banques, les bus et les commerces. Son histoire est récente ; en 1907, l'entreprise, qui veut étendre son activité au-delà du sud de Pittsburgh, achète l'emplacement de l'ancien parc d'attractions de Woodlawn et construit une grande usine moderne et des logements pour trente mille personnes. La ville est baptisée Aliquippa, du nom d'une ancienne princesse indienne – la population locale l'affuble d'un autre nom, « Petite Sibérie », en raison de l'isolement et des réglementations très strictes de l'entreprise. Quoi qu'il en soit, on ne tiendra pas rigueur à Gaetano d'avoir pensé, la première fois qu'il a vu Aliquippa, qu'il arrivait non pas dans un camp de prisonniers en Arctique, mais dans une variante industrielle de l'Enfer de Dante ! Décrites comme « l'enfer à ciel ouvert », les cheminées d'Aliquippa crachent un flot continu de fumée grise et noire qui enveloppe l'horizon à perte de vue. Au-dessus de la ville, le ciel est teinté de couleurs orangées, rouges et jaune-gris. Gaetano s'habituera rapidement à l'envahissante odeur d'œuf pourri du soufre. L'âpreté de la vie quotidienne fait écho à ce paysage dénaturé. Pittsburgh détient le record mondial de mortalité due à la fièvre typhoïde, et la tuberculose y est endémique. Les cimetières occupent plus de place dans la ville que les lieux de détente. Les pauvres et les immigrants croupissent dans une misère noire qui n'a rien à envier à l'Ancien Monde.

On ne sait pas très bien si Gaetano et d'autres membres de son clan ont été emmenés là par les fameux *padroni* (ou patrons) : ces Italiens déjà installés en Amérique agissent comme des intermédiaires sur le marché du travail, entérinant une servitude en bonne et due forme. Ce qui est plus probable, en tout cas, c'est qu'il ait dû donner au chef d'équipe de l'usine quelques-uns des dollars qu'il avait mis de côté pour obtenir un boulot dans les hauts-fourneaux. Rapidement, il se joint au défilé des ouvriers qui se rendent aux usines Jones & Laughlin. Il emporte avec lui son déjeuner, dans un seau en métal. Pendant ses premiers mois dans la pension où sont rassemblés quatre mille deux cents immigrés italiens, Gaetano partage certainement son lit avec un ouvrier dont les cycles de travail sont complémentaires des siens. Au bout de quelque temps, il se fait au rythme de la communauté ; les privations de la campagne italienne ont laissé place à la rigueur de fer de la fonderie.

Le journal local – évidemment contrôlé par le patron de Jones & Laughlin – publie régulièrement des papiers traitant les organisations syndicales de « sangsues » et de « chiens enragés », qui doivent être combattus avec violence. En 1892, pendant la « bataille » des aciéries de Homestead Steel Works (filiale de Carnegie Steel Company), près d'Aliquippa, seize personnes ont été tuées et des centaines d'autres blessées, après la décision des dirigeants d'envoyer trois cents détectives de l'agence Pinkerton[1] enrayer la grève organisée par l'Amalgamate Association of Iron, Steel and Tin Workers. Suite à cette grève, on instaurera le travail non syndiqué, et il faudra attendre le milieu des années 30 pour que les syndicats soient reconnus dans l'industrie sidérurgique. Pendant la grève nationale de l'acier en 1919, un an avant l'arrivée de Gaetano, des responsables syndicaux ont été refoulés par la police qui les attendait à la

---

1. Célèbre agence de détectives privés aux États-Unis fondée par Alan Pinkerton et dont la devise est *« We never sleep »* (« Nous ne dormons jamais »).

gare d'Aliquippa. Une autre fois, un responsable syndical a été arrêté par la police pour être interné dans un hôpital psychiatrique.

L'entreprise a volontairement cherché à recruter des immigrants, en sachant qu'ils n'auraient pas de velléités syndicales, qu'ils seraient faciles à contrôler et qu'ils accepteraient de faire le sale boulot. Slovaques, Grecs, Italiens, Irlandais et Européens de l'Est nouvellement arrivés travaillent les uns à côté des autres. L'absence de langue commune empêche toute conversation, et a fortiori les manigances. Par ailleurs, chaque groupe ethnique est assigné dans un quartier distinct et découragé d'aller traîner dans les autres secteurs. Parmi le personnel règne un ordre hiérarchique basé sur la nationalité et la race. Un charpentier italien, par exemple, s'est entendu signifier qu'il ne pouvait pas prétendre à un travail plus qualifié parce que « la carte de l'Italie se *[lisait]* sur son visage ». Les Italiens sont en effet en bas de l'échelle, et les paysans italiens comme Gaetano en dessous de tout. Dans l'ombre de la Mafia, ils subissent non seulement la discrimination des autorités mais aussi celle des autres groupes ethniques, qui les traitent de « Dagos », une déformation de « Diego », qu'on peut aussi comprendre comme un dérivatif de *day laborer* (« journalier »). En Amérique, entre 1874 et 1915, trente-neuf Italo-américains sont pendus pour des crimes présumés, et les Italiens sont souvent les premiers soupçonnés en cas de trouble. Le climat de haine est tel que l'Italie suspend même ses relations diplomatiques. Un commentaire du *New York Times* traduit bien l'esprit de cette période : « Ces Siciliens sournois et lâches, descendants de bandits et d'assassins *[...]*, sont de la vermine sans circonstances atténuantes. » Les Ciccone, comme des millions d'autres Italiens, refusent de se laisser intimider. Ils ne veulent pas baisser les bras et travaillent dur pour gagner leur vie. C'est à croire que Gaetano a appris par cœur un guide pour la survie des immigrants en Amérique, paru en 1891 – et l'a ensuite transmis de génération en génération : « Tenez bon, c'est le plus important en

Amérique. Fixez-vous un but et poursuivez-le de toutes vos forces [...]. Vous passerez par des moments difficiles, mais, tôt ou tard, vous y parviendrez [...]. Ne vous reposez jamais. Courez. » La célèbre petite-fille de Gaetano serait certainement d'accord avec l'une des recommandations de ce livre : « Vous aurez besoin d'une suprême vertu en Amérique – l'audace [...]. Ne dites jamais "je ne peux pas, je ne sais pas". »

En raison du racisme ambiant et des règles strictes de l'entreprise, Gaetano s'accroche beaucoup aux siens. Des archives montrent qu'en 1925, sa jeune épouse Michelina l'a rejoint et qu'ils ont fondé une famille. Ils auront six garçons : l'aîné se prénomme Guido, suivi de Rocco, Neilo, Pete, Guy et Silvio, né le 2 juin 1931 (son nom sera par la suite anglicisé en Tony). Cette grande famille s'installe dans une modeste maison au 420 Alleghny Avenue, à deux pas de l'église catholique Saint-Joseph, où se rendent régulièrement Gaetano, sa femme et leurs enfants ainsi que trois autres familles Ciccone voisines. La vie est loin d'être facile. Les femmes font des lessives et du repassage pour joindre les deux bouts. Les Ciccone cultivent des légumes dans leur jardin et Gaetano élève son propre vin – une activité dont Silvio ferait un jour un business. Il n'est pas certain que Michelina ait fait partie de ces épouses italiennes intraitables qui allaient intercepter la paie de leur mari à l'usine, de peur qu'il ne dépense cet argent au café – Madonna a évoqué l'alcoolisme de ses grands-parents paternels.

Peu à peu, la rébellion monte dans la communauté : la nuit du 12 mai 1937, les ouvriers décident de se révolter contre des années d'exploitation impitoyable. En juillet 1935, le fameux National Labor Relations Act a été voté. Plus connu sous le nom de Wagner Act, son but est de garantir aux employés « le droit à l'auto-organisation, le droit de créer, rejoindre ou aider des organisations ouvrières, de négocier collectivement par l'intermédiaire de représentants de leur propre choix et de s'engager dans des actions concertées pour les besoins de la négociation collective ou de la protection mutuelle ». Bien sûr, de nombreuses grandes entreprises s'y opposent. Le président de Jones & Laughlin, Horace E. Lewis, traîne des pieds après un jugement mémorable de la Cour suprême qui le contraint de réintégrer les ouvriers licenciés pour avoir créé un syndicat. Presque toute la population, femmes et enfants compris, se rassemble alors, déterminée à protester dans le calme devant l'entrée des usines. Les chuintements, les bourdonnements de l'aciérie se sont tus et, pour la première fois, la vallée n'a pas rougeoyé cette nuit-là. C'est une grève de courte durée. En quarante heures, l'entreprise capitule. « Nous étions vraiment heureux, vraiment heureux ! », se souvient une vieille femme dans un documentaire télévisé commémorant cette victoire historique. « On a défilé ; je vous assure que la rue était pleine de monde, les gens faisaient la fête, ils criaient ! » (Ils ont eu de la chance ; lors d'un autre rassemblement syndical à Chicago le dernier lundi de mai 1937, jour de Memorial Day, la police massacre hommes, femmes et enfants en tirant à l'aveugle sur une foule désarmée.) A Aliquippa, ces moments décisifs transforment la vie des protagonistes ; l'histoire de ceux qui ont victorieusement défié la puissance de la société sera transmise de génération en génération. Dix ans après la reconnaissance des syndicats, la ville entière est bouleversée, et la communauté remodelée. Comme le note l'historienne Lynn Vacca : « Pour la première fois, les travailleurs immigrés qui constituaient la majorité de la population d'Aliquippa ont commencé à se considérer comme d'authentiques citoyens américains qui pouvaient avoir recours aux droits civiques et économiques dont ils n'avaient jusqu'alors qu'entendu parler. »

Gaetano participe activement à la grève. Silvio, bien que très jeune, est forcément imprégné, consciemment ou non, par le changement d'ambiance dans la communauté. Comme des milliers d'autres enfants d'immigrés, il grandit peu à peu en marge de ses parents. Né en Amérique, il parle italien à la maison mais apprend l'anglais à l'école ; il participe à la traditionnelle fête italienne de la Saint-Rocco en août, mais joue au base-ball dans la rue avec ses amis. Petit garçon pieux, intelligent, studieux et déjà conformiste, Silvio va à l'église Saint-Joseph tous les jours et, avec ses frères, suit les cours de l'école catholique qui dépend de l'église. Comme beaucoup d'enfants de sidérurgistes, Silvio est doué pour les sciences, les mathématiques et la mécanique. Mais dans la communauté italienne, très unie, faire des études est perçu à la fois comme une malédiction et une grâce. Peu d'employés des aciéries souhaitent que leurs fils suivent leurs traces, néanmoins ils sentent aussi la menace que peut faire peser l'éducation, source de dangereuses idées cosmopolites, sur leurs traditions et leurs propres valeurs. A contrecœur, ils reconnaissent que seuls les bienfaits de l'instruction permettront à leurs enfants d'échapper aux aciéries. La plupart, comme Gaetano, ont appris à plus ou moins bien parler anglais, ils ont travaillé dur, éduqué leurs enfants, entretenu leurs églises, contribué à construire le mouvement ouvrier et continué de croire au rêve américain… qui s'est plutôt réalisé pour leurs enfants ou petits-enfants. Il est difficile de savoir dans quelle mesure la volonté de Silvio de poursuivre des études a été source de conflit chez les Ciccone. Madonna a expliqué les rêves et les désirs de son père : « Ce n'est pas vraiment qu'il avait honte, mais il voulait faire mieux. Je crois qu'il voulait qu'on ait une vie meilleure que celle qu'il avait eue. »

La réalité n'est pas si simple. La guerre de Corée est imminente, et avec elle la promesse que l'armée s'occupera de l'éducation d'un jeune homme : Silvio s'engage comme réserviste dans l'armée de l'air. Adolescent pendant la Seconde Guerre mondiale, il a vu ses frères partir sur le front – son frère Pete servait dans la marine – et il est impatient de pouvoir payer son tribut. Il gravit les échelons pour devenir sergent et, après un court séjour en Alaska, on l'envoie sur la base aérienne de Goodfellow, dans la banlieue de San Angelo, au Texas. Il travaille dans la tour de contrôle qui surveille les apprentis pilotes de chasse. Il met sagement son temps à profit et étudie au San Angelo

Junior College. En 1952, à la fin de son service militaire, il retourne chez lui en Pennsylvanie et fait la navette entre la maison de ses parents et le Geneva College, une institution catholique fondée en 1848, à Beaver Falls. Sérieux et déterminé, il reste très engagé dans sa foi catholique, va tous les jours à l'église et suit un enseignement sur la Bible ; dans le même temps, il entame un cursus de physique en trois ans. Il s'implique peu dans les activités extra-universitaires, contraint de travailler pour payer ses cours – il accepte plusieurs petits boulots à Aliquippa. Sa photo de fin d'études, prise en juin 1955, montre un jeune homme d'à peine vingt-quatre ans au regard doux, sérieux et intelligent, une bouche tombante un peu cruelle et un air ténébreux typique du jeune premier des années 50. Un peu plus de trois semaines après que cette photographie fut prise, il part vers le Nord, à Bay City, dans le Michigan, et épouse une jeune fille de trois ans sa cadette, Madonna Louise Fortin.

Les Fortin sont une des plus anciennes familles d'Amérique du Nord. Ils peuvent s'enorgueillir d'un pedigree qui remonte à trois siècles. En 1650, le Français Julien Fortin, vingt-neuf ans, embarque au Havre pour commencer une nouvelle vie dans la région qui s'appelait alors la Nouvelle-France. Trois mois plus tard, il arrive dans le petit port de Québec, où il trouve rapidement du travail. Il devient ensuite boucher, puis homme d'affaires prospère. Sa femme, Geneviève Gamache, qu'il a épousée le 11 février 1652, lui donne douze enfants, quatre filles et huit garçons. Leur descendance s'installe à travers le Canada, et tous ces gens vigoureux vont former la solide charpente de la nation naissante. Stoïques, tenaces et déterminés, les Fortin ont donné un nom au trait de caractère dominant de la famille : la « fortintude ». « C'est un mélange de détermination et d'entêtement à aller là où ils ont décidé d'aller », explique Claire Narbonne-Fortin. « En substance, à réaliser leurs rêves. Donc rien de ce que fait Madonna Junior ne nous surprend jamais. » Au fil des générations, ils occupent des postes très variés : capitaines de bateau, policiers, tenanciers de bar ou mécaniciens. Toutefois, la plupart des Fortin deviendront fermiers ou bûcherons. Aussi est-ce le plus naturellement du monde qu'Elsie Fortin naît, le 19 juin 1911, dans une chambre à l'étage de la ferme de son grand-père Nazaire, à Standish, dans le comté d'Arenac, au nord du Michigan. Elle grandit à Bay City, où son père Guillaume Henri, un ancien employé des chantiers navals désormais ouvrier agricole, et sa mère Marie-Louise se sont installés pour chercher du travail. C'est là qu'elle rencontre et épouse Willard Fortin[1], fils de bûcheron et futur dirigeant d'une entreprise de construction à Bay City. Fervents catholiques, Willard et Elsie inscrivent leurs huit enfants, deux filles et six garçons, à l'école de l'église de la Visitation puis à l'université Saint-Joseph. C'est dans cette école que Dale, leur fils aîné, rencontre pour la première fois la petite Katherine Gautier, huit ans, fille de Franco-canadiens. Tout excité, il annonce aux religieuses et à sa petite sœur, Madonna, qu'il épousera un jour cette écolière aux cheveux noirs. Il tiendra promesse.

C'est ainsi qu'en avril 1951 Katherine Gautier, sa mère, Elsie Fortin et Madonna se tassent dans la voiture de Leonard Besson, ami et témoin de Dale, pour se rendre à Goodfellow, au Texas, où est basé ce dernier, vétéran de la guerre de Corée et sergent de l'US Air Force. Il y est devenu ami avec Silvio Ciccone (qui se fait désormais appeler Tony), qu'il invite à sa messe de mariage. Une décision fatidique. Dans la petite chapelle de la base aérienne, Tony, dans son bel uniforme, regarde avec intensité les jeunes mariés échanger leurs vœux devant le chapelain Carlin, selon le rite catholique romain. Mais il n'a d'yeux que pour la demoiselle d'honneur, Madonna Fortin, dix-sept ans, dont la beauté sombre et radieuse est parfaitement mise en valeur par une robe jaune en dentelle et une

---

1. Willard et Elsie, qui portent le même nom, ont en fait un ancêtre commun.

pèlerine en organdi assortie. « Oh, c'était une vraie beauté, se souvient Katherine. Il est tombé fou amoureux d'elle. » Peu de temps après, son service militaire terminé, Dale retourne à Bay City où il s'installe et trouve un travail de vendeur de bois. Dès qu'il a une permission, Tony Ciccone lui rend visite ; il ne fait de doute pour personne qu'il a trouvé en Madonna la femme de ses rêves. « Ils étaient calmes tous les deux, se souvient Katherine. Il l'attirait parce que c'était un homme bien, très beau, toujours correct avec elle. » Le fait que Madonna ait un flirt depuis plusieurs mois avec un jeune benêt de Monroe, dans le Michigan, ne perturbe pas leur idylle naissante. Elle met bientôt fin à cette liaison et entame avec Tony une relation à distance qui va durer trois ans. Celui-ci poursuit alors ses études au Geneva College et Madonna commence à travailler comme manipulatrice auprès de deux radiologues de Bay City.

Le prêtre George Deguoy les marie le 1er juillet 1955 en l'église de la Visitation à Bay City, où les Fortin vont régulièrement. Cette fois, Dale est le témoin ; la demoiselle d'honneur est une amie d'enfance de Madonna, Geraldine « Chicky » Sanders. Naturellement, les parents des mariés sont présents et il est à noter que, sur l'acte de mariage, le prénom de Gaetano Ciccone est devenu Guy. Le jeune couple représente les valeurs et les rêves des années Eisenhower, une ère de plein emploi, de conventions et de conservatisme culturel, mais aussi d'optimisme effréné et de foi sans faille dans le rêve américain. Tony n'a pas seulement fait une croix sur son prénom, il a aussi laissé derrière lui une vie austère de col bleu à Aliquippa et trouvé une place d'ingénieur en systèmes optiques et défense chez Chrysler. Il passera toute sa vie professionnelle dans l'industrie de la défense et finira sa carrière avec un confortable salaire chez General Dynamics, travaillant avec Hughes Corporation sur la conception de chars.

A cette époque, toutefois, le jeune diplômé est encore en bas de l'échelle. Après un court séjour à Alexandria, en

Virginie, les Ciccone s'installent dans un modeste pavillon au 443 Thors Street, dans la banlieue de Pontiac (Michigan), à une quarantaine de kilomètres au nord-ouest de Detroit. Ils ont à peine fini de déballer les statuettes, crucifix et autres bondieuseries qui décoraient leurs précédentes résidences que Madonna tombe enceinte. Anthony naît le 3 mai 1956. Madonna et Tony prennent à la lettre l'injonction de l'Ancien Testament : « Croissez et multipliez » ; pendant toute la durée de son mariage, Madonna est enceinte ou relève de couches. Leur deuxième enfant, Martin, naît le 9 août 1957 et la troisième, Madonna Louise, vient au monde le matin du 16 août 1958. Les derniers temps de sa grossesse, sa mère est allée se reposer chez ses parents, Elsie et Willard, à Bay City, où elle accouche au Mercy Hospital. La petite fille brune est surnommée « Little Nonni » par sa famille, pour ne pas la confondre avec sa mère que l'on appellera dès lors « Big Madonna ». Bébé, Madonna est sans doute dorlotée en tant que première fille de la famille, mais ce privilège ne dure pas longtemps. Une autre fille, Paula, naît un an plus tard, suivie de Christopher en 1960 et de Mélanie en 1962.

Madonna se distingue tout de même des autres. A l'inverse de ses frères et sœurs affublés de prénoms anglo-saxons classiques, son prénom la rend tout de suite différente ; choisir l'image de la Vierge Marie pour nom de baptême relève autant de l'audace que de la religiosité. Pendant de nombreuses années, Madonna porte son prénom comme une croix. Non seulement il la distingue de ses frères et sœurs mais aussi de ses amis à l'école et, plus tard, quand elle s'aventurera dans les milieux branchés new-yorkais, il l'étiquettera sans ambiguïté catholique, d'origine étrangère et provinciale – une fille issue d'une modeste famille de la classe moyenne. Bref, une péquenaude tout droit de la cambrousse… En un sens, la tension entre l'acceptation et le reniement de ses origines, le conflit constant entre son éducation sévère et son instinct de création sont contenus dans ce simple mais emblématique mot de sept lettres : Madonna.

Aux dires de tous, c'est une petite fille intelligente et très expressive, pleine d'imagination. Elle adore que sa mère lui lise des livres avant de s'endormir ; son préféré raconte l'histoire d'un jardin habité par des légumes qui parlent et de gentils lapins. Comme beaucoup de gamins, elle a peur dans le noir et se souvient qu'elle allait se blottir dans le lit de ses parents ; le contact avec la chemise de nuit en soie rouge de sa mère lui permettait à chaque fois de trouver le sommeil. Si ses parents, en particulier sa mère, représentent la sécurité, ses frères et sœurs sont souvent bien pénibles. Les aînés, Tony et Martin, ne cessent de l'embêter tandis que l'arrivée de ses deux sœurs, Paula et Mélanie, est la source d'une autre forme d'inquiétude : elles lui volent sa mère. « Elle aimait retenir l'attention de sa famille, et généralement elle y parvenait, se souvient sa grand-mère Elsie Fortin. J'avais de la peine pour Paula. » Comme un oisillon dans un nid trop plein, elle sait qu'elle ne peut avoir l'affection dont elle a tellement besoin qu'en criant plus fort et plus longtemps que les autres. On peut attribuer le besoin de choquer qu'elle exprimera plus tard, sa rébellion compulsive, à l'inextinguible soif d'amour et d'admiration ressentie alors.

Naturellement, le premier objet de son amour est sa mère, dont elle se souvient avec tendresse. Madonna se rappelle « une femme angélique et belle », d'une patience à toute épreuve, qui faisait le ménage, priait et préparait à manger. Mais Big Madonna était aussi une danseuse émérite et avait une telle passion pour la musique classique que les Fortin se demandent souvent si, eût-elle vécu, les talents de sa fille aînée ne se seraient pas exprimés à travers le classique plutôt que la pop. L'autre amour de la courte vie de Madonna senior est la religion. Membre de la Roman Catholic Altar Society, sa foi est très profonde – un dénominateur commun à toute la famille. Pendant le Carême, elle s'agenouillait sur des grains de riz et dormait sur des cintres pour faire pénitence ; on dit même qu'elle recouvrit ses nombreuses statues religieuses le jour où un ami qui portait un jean à fermeture éclair vint à la maison !

Cette foi l'aidera à affronter avec courage les derniers temps de sa maladie. Enceinte de Mélanie, en 1962, elle apprend qu'elle a un cancer du sein. Ses amis et sa famille, une fois la terrible nouvelle acceptée, mettront sa maladie sur le compte de son expérience de manipulatrice en radiologie : à cette époque, le tablier enduit de plomb, aujourd'hui obligatoire, était rarement utilisé.

Fait décisif, le traitement ne démarre qu'après la naissance de Mélanie. Dès lors, les médecins mènent une bataille perdue d'avance. Pendant que Madonna senior se rend régulièrement à l'hôpital pour subir des séances de radio-thérapie douloureuses qui l'affaiblissent, les enfants – perplexes même s'ils ne se doutent de rien – sont souvent confiés à la famille. Madonna, qui a alors quatre ans, séjourne souvent à Bay City, chez sa grand-mère mater-nelle. Pendant les visites matinales à l'église, les prières se font plus ferventes, on égrène le chapelet avec ardeur. Tout le monde prie pour qu'un miracle se produise. Alors que Mélanie est encore un nourrisson, Big Madonna se démène pour élever sa petite famille. Bien souvent, elle s'effondre dans le canapé du salon, épuisée, tandis que ses enfants l'as-saillent, veulent qu'elle joue avec eux, lui demandent, en pleurs, de résoudre les disputes ou, tout simplement, réclam-ent un câlin. Interprétant le manque d'énergie de sa mère comme un rejet, la petite Madonna redouble d'efforts pour attirer son attention. Une fois, de frustration, elle frappe des poings le dos de sa mère, trop fatiguée pour jouer avec elle. Elle se souvient très bien des moments où sa mère fondait en larmes et comme elle la prenait alors dans ses bras, ins-tinctivement, comme le font les enfants, pour la réconfor-ter. Little Nonni se rappelle qu'elle se sentait plus forte que sa mère, que c'était elle qui la consolait. « Je pense que cela m'a fait mûrir rapidement », explique-t-elle.

L'état de santé de Madonna senior se détériorant, elle passe plus de temps à l'hôpital. Les enfants perçoivent la bonne humeur forcée et les sourires blafards, le désespoir silencieux de leur père – Madonna ne se souvient l'avoir vu pleurer qu'une seule fois – et l'optimisme de rigueur des adultes autour d'eux. Pourtant ils se rappellent aussi de leur mère riant et plaisantant toujours avec eux, si bien qu'ils ont hâte de retourner la voir à l'hôpital. Même au cours des dernières semaines, incapable de garder des aliments solides, elle reste joyeuse. Sa foi et sa « Fortintude » lui donnent la force d'affronter l'inéluctable. La dernière nuit, le 1er décembre 1963, ses six enfants autour de son lit, Madonna senior demande qu'on lui apporte un hamburger, tant elle tient à préserver les apparences. Une heure après qu'on eut fait sortir les enfants de la chambre, elle était morte.

Ce tableau allégorique du stoïcisme, digne d'une sainte, fait désormais partie de l'histoire familiale et la scène presque biblique du dernier repas contribue à fixer le souvenir de Madonna senior. Et, dans un sens, cette histoire que l'on raconte souvent dans la famille emprisonne autant qu'elle ne libère ; la manière très prosaïque, presque joviale, dont Madonna s'en est allée masque le tragique de cette scène : une jeune femme de seulement trente ans, disant un dernier au revoir à six jeunes enfants – l'un d'eux encore bébé, l'aîné n'ayant même pas huit ans – alors qu'elle devrait préparer Noël. Ce n'est pas seulement les Ciccone, mais toute l'Amérique qui porte le deuil, le président John F. Kennedy, ayant été assassiné neuf jours plus tôt à Dallas. La convergence de ces tragédies, l'une nationale, l'autre familiale, est accablante pour les Ciccone et les Fortin. Elle marque le terme d'une ère d'innocence.

Ce n'est que le jour de ses funérailles, à l'église de la Visitation de Bay City, où Madonna senior s'est mariée huit ans plus tôt, que sa fille aînée, alors âgée de cinq ans, commence à appréhender le bouleversement qui affecte sa vie. La célébration est chargée d'émotion, les pleurs et les gémissements font écho aux chants et aux prières. Il n'est pas difficile d'imaginer que, pour une enfant aussi sensible et imaginative que la petite Madonna, ce raz de marée émotif est traumatisant. Elle voit sa mère étendue dans un cercueil ouvert, très belle et comme endormie. Puis elle remarque que sa bouche, selon ses propres mots, « a l'air drôle ». Il lui faut un peu de temps pour se rendre compte qu'elle est en fait cousue. A ce moment, elle comprend qu'elle l'a perdue pour toujours. La dernière image de sa mère, à la fois paisible et grotesque, la hante aujourd'hui encore. Les enfants Ciccone réagissent différemment à cette disparition. Martin et Tony, les deux aînés, expriment leur désespoir en devenant agressifs : ils jettent des pierres, mettent le feu ou, tout simplement, importunent le voisinage. A l'inverse, Madonna se replie sur elle-même ; elle vomit si elle doit tant soit peu quitter sa maison, seul refuge au sein d'un monde où elle a perdu ses repères. Elle fait souvent des cauchemars. Partageant sa chambre avec Paula, elle finit souvent la nuit dans le lit de son père, pas seulement pour qu'il la réconforte, mais aussi pour laisser sa petite sœur se reposer.

Naturellement maternelle et attentionnée, des qualités souvent négligées quand on analyse sa personnalité, Madonna s'occupe beaucoup de ses jeunes frère et sœurs, en particulier de la petite Mélanie. Mais ils ne pourront jamais combler le vide laissé par la disparition de leur mère. Pour une petite fille sensible, qui a déjà montré son profond besoin d'amour et d'affection, la perte d'une personne qui lui a donné un amour constant et inconditionnel va changer à jamais sa relation avec le monde extérieur en la rendant plus forte et autonome, malgré un insatiable besoin d'amour qui n'a d'égal que la peur de l'engagement. Elle a donné une fois son amour à une personne en qui elle avait toute confiance, et celle-ci s'en est allée. Il lui faudra bien des années avant de pouvoir s'engager pleinement auprès de quelqu'un d'autre. En fait, sa quête d'amour inconditionnel va façonner sa manière d'être, en privé comme en public, et c'est cette même demande de reconnaissance qui la propulsera vers la gloire universelle.

New York, des années plus tard. Madonna a tout juste vingt ans, elle est au seuil de sa carrière musicale. Elle s'abandonne à une rêverie matinale, couchée dans l'appartement qu'elle partage avec son petit ami, Dan Gilroy. Le magnétophone tourne, Madonna s'enregistre. Elle parle d'une femme, une Coréenne avec qui elle s'est liée d'amitié et qui a voulu l'adopter. La rencontre a manifestement réveillé tous les souvenirs liés à sa mère. D'une petite voix plaintive, elle dit : « J'ai besoin d'une mère, je veux une mère. Je cherche ma mère tout le temps et elle ne se montre jamais. Je veux une mère pour la serrer dans mes bras ». Les larmes aux yeux, elle répète : « Je me suis fait avoir, je me suis fait avoir, je me suis fait avoir... »

3

« This used to be my playground »

En un sens, tout est de la faute d'un groupe de pop des années 80, A Flock of Seagulls. Journaliste musical à New York, Neil Tennant, aujourd'hui membre des Pet Shop Boys, doit rencontrer ces stars éphémères. Ils ne viennent pas au rendez-vous. En rogne, Tennant se rabat sur une jeune chanteuse appelée Madonna. Il l'appelle et lui donne rendez-vous dans un café. A l'époque, elle a deux ou trois *singles* à son actif, mais elle est encore bien loin d'être une star.

Madonna arrive à l'heure, soucieuse de faire bonne impression. Elle sait que de bons articles l'aideraient à se hisser vers la gloire et la fortune. Bien sûr, pour vraiment sortir du lot, il faut qu'elle donne de la matière au journaliste ; elle raconte alors des anecdotes sur sa vie – particulièrement sa vie sexuelle. Quitte à broder et à exagérer un peu. Après tout, elle n'est qu'une jeune chanteuse ambitieuse parmi d'autres, complice du pacte tacite liant ceux qui cherchent la célébrité à tout prix et ceux qui ont le pouvoir de la leur offrir. « J'ai toujours été une mauvaise fille », ajoute-t-elle. Le dictaphone enregistre mécaniquement ses mots, mais pas les gestes ironiques ni les clins d'œil entendus qui les accompagnent. « J'ai à peine ouvert la bouche, se souvient Tennant. Je ne pouvais plus l'arrêter. » Son interview de rechange fait finalement un très bon papier dans un numéro largement diffusé du magazine *Star Hits*, en novembre 1983. Son contenu, ainsi que d'autres interviews données par Madonna à cette période, ont été repris dans des articles de fond, des films et des biographies. Les anecdotes qu'elle racontait à cette époque ont été tellement réutilisées qu'elles sont aujourd'hui un peu comme des galets patinés par le temps. Quand on ajoute à sa propre propagande les efforts de certains chroniqueurs, notamment ceux qui ont mis l'accent sur l'aspect sulfureux du personnage, on voit bien comment est né le mythe Madonna : enfance étouffante ; écolière rebelle ; Lolita dragueuse qui se transforme en athlète sexuelle ; Cendrillon maltraitée par sa méchante marâtre ; artiste incomprise. Forcément, tout cela donne un discours un peu confus. On apprend ainsi à un moment que son institutrice, une religieuse, l'a frappée à la tête avec une agrafeuse ; ailleurs, une autre institutrice écrit sur son bulletin scolaire : « 01/12/63. Sa mère est morte. Très grand besoin d'amour et d'attention. » Ensuite nous avons l'image de la petite fille taquine, cinq ans, qui apprend à un petit garçon à faire le fou sur un disque des Rolling Stones ; et, juste à côté, l'image de l'adolescente horrifiée par le mot « pénis » lorsque sa belle-mère essaye de lui apprendre les choses de la vie.

Pour un biographe, pas facile de s'y retrouver entre les inventions, les demi-vérités et les exagérations, qui ne sont pas toutes le fait de Madonna. Pourtant, en réfléchissant bien aux premières années de sa vie, en se penchant sur les éléments les moins éculés, une histoire plus plausible, à la fois plus complexe et plus irréfutable, se dégage, une image différente apparaît. Histoire qui aide à comprendre le thème central de ce livre : Madonna est une immense artiste qui s'est servie de sa sexualité et de ses propres codes sociaux et sexuels comme autant d'armes au service de ses choix. Image qui est à mille lieues de celle qu'on lui colle d'amazone sexuelle, accessoirement chanteuse et actrice occasionnelle.

Curieusement, durant toute sa jeunesse, deux traits de caractère contradictoires dominent : sa curiosité et son conformisme. Enfant, elle pose tout le temps des questions sur le monde qui l'entoure. Son corps, et plus tard la découverte de sa sexualité, la fascinent. « Pourquoi ? » est une interrogation qui revient souvent. Le « pourquoi pas ? » est tout aussi récurrent : « Pourquoi je ne peux pas mettre un pantalon pour aller à l'église, pourquoi je n'ai pas le droit se sortir jouer, et si Dieu est bon, pourquoi m'a-t-il pris ma mère ? » Parfois, sa curiosité sans bornes lui joue des tours. En voiture avec son père, un jour, elle refuse de croire que l'extrémité rouge de l'allume-cigares est brûlante. Elle va s'en rendre compte en y posant le doigt...

Les religieuses, qu'elle a fréquentées dans trois établissements (à Saint Frederick, à Saint Andrew et à la Sacred Heart Academy), l'ont toujours fascinée. Curieuse de savoir si ces mystérieuses créatures sont vraiment humaines, elle passe un jour par-dessus le mur du couvent avec une amie pour essayer de découvrir ce que les sœurs portent sous leurs robes. Elles en reviennent bouleversées : les religieuses ont donc des cheveux sous leur cornette ! Malgré toutes ces bizarreries, comme beaucoup de petites filles catholiques, Madonna caresse l'idée – qui ne dure probablement pas longtemps – de devenir elle aussi un de ces êtres éthérés. En dépit de la désillusion qu'elle éprouvera plus tard à l'égard du catholicisme et de ses dogmes vieux jeu et sexistes, Madonna est fascinée par la magie de la foi. La liturgie grandiloquente, les rituels baroques, le péché et la rédemption, la faute et la confession, la certitude d'une vie après la mort : autant de notions excitantes pour une jeune imagination parfois aussi mélodramatique que morbide. « J'avais pleinement conscience que Dieu regardait tout ce que je faisais », confesse-t-elle au magazine *Time* en 1985. « Jusqu'à mes onze ou douze ans, je croyais que le diable était dans la cave et je montais les escaliers à toute vitesse pour ne pas qu'il m'attrape par les chevilles ! » Nous ne sommes certes pas très loin de l'image du croque-mitaine qui effraye les petits enfants athées, mais il est évident que la tradition catholique dans laquelle Madonna a baigné très jeune l'a profondément marquée. Sa fascination est telle que, le jour de sa confirmation, elle choisit pour troisième prénom Veronica, du nom de la sainte qui a essuyé le visage du Christ portant sa croix et emporté le linceul maculé de son sang et de sa sueur. La mort n'est jamais loin des pensées de Madonna. Voici une de ses comptines préférées, qu'elle adore réciter aux adultes :

> Les vers s'immiscent et ressortent
> La fourmi joue aux cartes dans ton museau
> Tes yeux se creusent, tes dents pourrissent
> Ne pleure pas, ne pleure pas, ne pleure pas.

Les enfants, surtout s'ils sont sensibles à la religion, ont toujours été à la fois repoussés et attirés par le mystère de la mort, comme par tout ce qui touche à l'horreur. A l'âge de cinq ans, Madonna y a déjà personnellement été confrontée. Encore très marquée par la mort de sa mère, elle dit un jour à son père que, s'il mourait, elle voudrait être enterrée avec lui. Dans ses rêveries, elle s'imagine parfois orpheline, ses parents morts dans un accident de voiture. Ces pensées se bousculent dans ses cauchemars ; rêves de mort et de décomposition qui la poursuivent une fois adulte. Dans l'un de ses cauchemars récurrents, elle se voit enterrée vivante, prisonnière dans un cercueil étroit, incapable de bouger tandis que des insectes, des rats et d'autres créatures rongent sa chair. La symbolique de cet épouvantable scénario n'est pas seulement alimentée par sa peur de la mort, mais aussi par l'angoisse tout aussi forte d'être enfermée. Il ne s'agit pas de claustrophobie, mais d'un esprit libre qui lutte constamment contre ce qui le bride. Parmi ces entraves, les règles imposées par son père, les préceptes de la religion et tout ce qui peut gêner ses relations, qu'elles soient sexuelles, sociales, professionnelles ou affectives. Si on ajoute à cela ses sentiments sur la vie, la mort et le catholicisme, on peut dire que Madonna est à la fois repoussée et attirée par ce qu'elle appelle le « côté abject » de la vie. Elle se souvient d'une chamaillerie avec une petite fille qui lui avait donné un pissenlit. Madonna l'avait jeté, expliquant bien plus tard qu'elle préférait que les choses soient le produit d'une culture – en un mot, sous contrôle. D'autres versions de cette histoire rapportent que Madonna s'est jetée sur la fille, une réaction extrême qui, si elle est vraie, est à l'opposé de la notion de « contrôle ».

Le chaos moite de la vie n'a jamais été aussi perceptible qu'à travers les relations sexuelles. A l'âge où la notion de sexe et les différences physiques entre hommes et femmes commencent à poindre dans son esprit, Madonna, comme beaucoup de ses amies, en ressent plutôt du dégoût. Les enseignements de la religion, les mises en garde de sa grand-mère Elsie Fortin concernant les ennuis qui ne manquent pas d'arriver aux jeunes filles qui ne sont pas chastes, et une conscience très confuse de l'acte sexuel font que l'adolescente trouve tout cela « dégueulasse ». Elle est répugnée quand elle aperçoit la nudité de ses frères. « Je les trouvais dégoûtants », se souvient-elle, et elle est « horrifiée » en apprenant l'affreuse réalité du sexe. Elle se rappelle aussi un cours de biologie où elle devait disséquer une souris avec l'un de ses camarades, un garçon de son âge. Incapable de soutenir la vision du cadavre empestant le formol, elle quitte la classe. A son retour, son binôme avait presque entièrement disséqué la souris, la laissant terminer l'exercice sur le pénis de l'animal... Elle fut épouvantée !

Les images des hommes et des femmes tirées de la Bible lui paraissent beaucoup moins effrayantes. « Je pense que j'ai forgé mes premiers sentiments érotiques et sexuels en allant à l'église », a-t-elle confié à l'écrivain Norman Mailer. Si c'est vrai, elle avait tout de même une drôle de notion de l'érotisme et de la sexualité... Elle admet cependant qu'elle trouvait le Christ et ses disciples bien androgynes, avec leurs cheveux longs et leurs robes (... et malgré leur barbe, sans doute). Pour elle, ce sont les poupées Barbie de leur époque, des personnes asexuées et rassurantes qu'on aurait très bien pu voir dans une pub pour une marque de jeans. Tout cela est très loin du personnage de croqueuse d'hommes que Madonna va se construire. Et ça ne correspond pas non plus à son image conventionnelle de jeune libertine impatiente. En fait, on a trop souvent assimilé la conscience plutôt précoce qu'elle avait de son corps à de la légèreté sexuelle (elle s'amusait à courir après les garçons de son âge ou plus jeunes dans la cour de l'école). Madonna est une jeune fille paradoxale ; sa curiosité aiguë et son imagination fertile sont contrebalancées par le fait que, enfant, elle s'efforce non seulement de se conformer aux règles, mais aime aussi se sentir intégrée. C'est une jeune Américaine tout à fait classique, que ce soit à l'école – elle fera partie de la chorale, sera surveillante, pom-pom girl… – ou à la maison, où elle joue à la poupée avant de se soucier de son look et de commencer à se maquiller. C'est Madonna qui dénonce ses frères et sœurs et raconte les forfaits de ses camarades de classe ; c'est encore elle qui est la première à lever le doigt et revient de l'école avec de bonnes notes, motivée par les 50 cents que lui donne son père à chaque fois qu'elle obtient un A. En fait, le désir de son père de la voir suivre des études de droit correspond à son personnage de l'époque : intelligente, bien organisée, volubile, Madonna aurait certainement fait une excellente avocate. Malgré l'image d'Épinal d'une « Madonna-la-méchante », les rebelles seraient plutôt ses frères et sœurs, tandis qu'elle, selon ses propres mots, est « une petite sainte ». A l'école, l'attitude antisociale de ses frères aînés, Anthony et Martin, donne du fil à retordre à tout le monde : leur père, leurs professeurs et leurs camarades de classe. Alors qu'ils sont encore à l'école, les deux frères commencent à tâter de la drogue et participent en cachette à des beuveries. Ils ne se contenteront pas de cette première approche, et l'expérience ne leur sera pas bénéfique. Quelques années plus tard, Anthony rejoindra la secte Moon et Martin passera plusieurs mois dans un centre de désintoxication, le coût de ses séjours étant souvent acquitté par sa petite sœur. En ce qui la concerne, elle est restée bien à l'écart de telles dérives. Nancy Ryan Mitchell, alors conseillère d'orientation, se souvient : « Je m'occupais beaucoup plus des frères et sœurs de

Madonna que d'elle-même. » Il n'est donc pas étonnant que les souvenirs d'adolescence de Madonna relatifs à ses frères ne soient pas très tendres. Ils la tourmentaient, permanence et elle déclamait ses lamentations à qui voulait bien l'entendre. « Une salope », voilà comment Martin l'a décrite dans une interview. Madonna se souvient qu'une fois ses frères lui avaient craché dans la bouche parce qu'elle les avait dénoncés. Elle raconte aussi une histoire assez invraisemblable : un jour, ils auraient attaché leur petite sœur — pesant une bonne vingtaine de kilos — par le pantalon au fil à linge. Quelles que soient les horreurs que lui font subir ses frères, elle résiste comme elle le peut. Pour le trio, tout est prétexte à se chamailler, depuis le partage des tâches ménagères jusqu'à l'utilisation du tourne-disque. Fan de musique pop traditionnelle, Madonna se rappelle très bien le jour où ses frères ont délibérément cassé son disque adoré de Gary Puckett and the Union Gap pour pouvoir écouter leur rock psychédélique, qu'elle détestait.

Dans cette maison agitée, Christopher, Paula et Mélanie se débrouillent bon an, mal an C'est peut-être Paula qui vit le plus mal cette période. Moins jolie, moins débrouillarde que Madonna, elle reste dans l'ombre de sa grande sœur. Garçon manqué de la famille, elle se range souvent du côté de ses frères. Christopher est calme, de tempérament artistique ; la petite dernière, Mélanie, avec son unique mèche blonde dans sa chevelure brune, est — c'est souvent le cas — la plus gâtée. Comme dans beaucoup de familles nombreuses, les six enfants de Tony Ciccone passent leur temps à se battre — pour avoir de l'espace, du temps et, les filles surtout, pour retenir l'attention de leur père. Une compétition que Madonna se doit de remporter, tant elle est à l'affût de la moindre miette d'affection. Comme elle l'a dit elle-même : « Je voulais être la prunelle des yeux de mon père. Je crois que toute la famille s'en rendait compte. Et je sortais du lot. » Si gagner l'assentiment de son père signifiait participer aux tâches ménagères — son père en accrochait la liste sur le réfrigérateur presque chaque semaine —, l'accompagner à la messe à 6 heures du matin, avant l'école, ou encore s'occuper des petits, Madonna s'en accommodait. Elle se sert aussi d'autres arguments. Consciente très tôt de son corps, elle sait mettre à profit sa ruse enfantine pour gagner les faveurs paternelles : elle monte sur la table de la cuisine pour se mettre tout à coup à danser comme Shirley Temple ; elle fait en sorte de courir plus vite que les autres pour s'asseoir sur ses genoux, et ainsi être la première à lui raconter ce qui s'est passé à l'école. Entre aveu et vantardise, elle dira : « J'étais la préférée de mon père. Je savais comment le mettre dans ma poche. Je savais qu'il y avait d'autres moyens que de dire "non, je ne vais pas faire ça", et j'utilisais ces techniques. » Sans aucun doute, à l'époque, son besoin obsessionnel d'être le centre du monde était-il aussi déroutant pour son père qu'énervant aux yeux de ses frères et sœurs. Calme et même timide, Tony Ciccone travaille ardemment pour subvenir seul aux besoins de ses six enfants. Le fait que son père ne puisse ou ne veuille pas donner à Madonna toute l'attention qu'elle lui réclame sera pendant de nombreuses années une source de conflit entre eux, surtout alimenté par elle. « Plus que tout, j'ai besoin de l'approbation de mon père, que je veuille bien l'admettre ou pas », a-t-elle dit, tout en reconnaissant que son père était « très affectueux » envers elle. Son besoin d'amour et de reconnaissance semble être à ce point enraciné qu'on peut se demander si sa mère elle-même aurait réussi à l'apaiser. Cet appétit émotionnel semble faire partie de sa personnalité depuis sa naissance, tout comme sa curiosité innée, que son éducation a ensuite modelée. Comme le souligne l'une de ses amies proches, « il faut qu'elle soit au centre de l'attention, coûte que coûte ».

Comme une autre star d'Hollywood, Barbra Streisand, dont l'audace et la détermination lui ont permis de surmonter les obstacles sur le chemin de la gloire, il semble que Madonna soit née star, et non qu'elle le soit devenue. Comme Madonna, Barbra Streisand a perdu très jeune l'un de ses parents et a réclamé l'amour de sa mère toute sa petite enfance. Puis le monde s'est écroulé quand celle-ci a épousé un autre homme. Barbra a essayé de gagner l'affection de son beau-père, mais il ne l'aimait pas. Dans le cas de Madonna, c'est une jeune femme mince et blonde, Joan Gustafson, qui volera sa place dans le cœur de son père. Joan entre chez les Ciccone en 1966 en tant que gouvernante. Plusieurs autres l'avaient précédée mais, six mois plus tard, Tony et elle se marient. Depuis la mort de sa femme, trois ans plus tôt, Tony Ciccone a fait de son mieux pour jongler entre un emploi à plein temps et les exigences de sa vie de père de six enfants. Bien sûr, les autres membres de la famille lui donnent un coup de main : les enfants passent des vacances chez leurs grands-parents à Aliquippa et à Bay City, ou dans la famille de Dale Fortin, le beau-frère et ami de Tony. Son frère aîné, Guy Ciccone, se souvient : « Silvio venait avec toute la famille passer des vacances en été ou pour les mariages et les réunions de famille. » Madonna aidait son grand-père, Gaetano, à s'occuper du jardin et faisait son numéro de danse pour le plus grand plaisir des adultes. « Madonna était une petite fille si mignonne, elle adorait danser », se rappelle Betty Ciccone, sa tante, ajoutant : « Silvio était aussi très bon danseur ! »

Les Fortin se sont à peine remis de la mort de leur fille qu'une autre tragédie les frappe. En 1966, Dale meurt d'une leucémie, laissant sa femme Katherine seule avec sept enfants, trois garçons et quatre filles. « J'ai dû me débrouiller », admet-elle. « Une grande volonté et beaucoup de détermination, voilà ce qu'il m'a fallu. Ce n'était pas facile, mais dans un sens, c'était pire pour Tony. » Tony a sûrement agi de la même façon quand le malheur s'est abattu sur lui et sa jeune famille. Strict en matière de discipline, doté d'un sens aigu du bien et du mal, il a fait de son mieux pour élever ses enfants dans le respect de ses principes moraux. Ainsi, il rationnait les heures de télévision et les bonbons, et tous devaient, à tour de rôle, participer aux tâches ménagères. Dans ce monde balisé, il ne lui échappe pas que ses enfants ont besoin d'un repère dans leur vie. Bien sûr, personne ne pourra remplacer Big Madonna, mais une autre femme dans la maison pourrait leur apporter une éducation, des conseils, auxquels notamment les filles seraient sensibles. En résumé, Tony Ciccone a besoin d'une épouse, tant sur le plan personnel que, pratiquement, pour le bien de sa famille. Madonna, alors âgée de huit ans, est centrée sur elle-même, comme seuls peuvent l'être les enfants, et le mariage de son père représente à ses yeux une trahison. Son père a non seulement remplacé sa mère par une autre femme, mais sa nouvelle belle-mère lui vole sa place de « petite princesse ».

Peu importe la réalité, la vérité telle que Madonna la perçoit est ainsi et elle va agir en conséquence. Elle sent, peut-être inconsciemment, qu'elle ne peut plus retenir l'attention de son père en restant dans le rang. La petite fille sage et coquette devient alors une enfant « difficile », rebelle. Madonna considère dès le début sa belle-mère comme une ennemie et refuse de l'appeler « maman », comme le souhaiterait son père. L'hostilité qu'elle ressent à l'égard de Joan ne s'est jamais tarie. Quelques semaines après leur mariage, Joan Ciccone tombe enceinte. Elle donne naissance à une fille, Jennifer, en 1967, et l'année suivante à un fils, Mario. Comme si ce n'était pas suffisant, Tony Ciccone décide que la maison devient trop petite pour cette grande famille qui compte désormais dix membres. Il est temps de tirer un trait sur le passé et de quitter ce quartier miteux de Pontiac, où Madonna se souvient avoir passé de bons moments à danser dans les arrière-cours avec ses copines blacks. Les Ciccone déménagent dans la banlieue de Rochester toute proche, mais bien plus huppée – et exclusivement blanche. Leur nouvelle maison, au 2036 Oklahoma Street, cadre avec la vie tranquille que mène la petite-bourgeoisie de province : style colonial, revêtement de bois et de briques rouges… Joan Ciccone y dirige aujourd'hui une garderie pour enfants, dans un garage aménagé. Juste en bas de la rue se trouve l'église Saint-Andrew, nouvelle paroisse de la famille, et son école, où seront scolarisés les enfants Ciccone.

Les nouveaux camarades de classe de Madonna sont impressionnés par la pétulante petite fille, cette jolie brune qui sort du lot. Les Ciccone arrivent à Rochester en même temps que les Twomey. Le petit Nick, dix ans, se lie immédiatement d'amitié avec Madonna. C'est un athlète en herbe, et elle sa fervente admiratrice : les deux amoureux se courent après dans la cour de l'école et se taquinent en classe. Comme elle, Nick est né au milieu de nombreux frères et sœurs, et il comprend parfaitement comment fonctionne Madonna. « Nous étions tous les deux des esprits narcissiques, avec un besoin infini d'être remarqués. Quand vous faites partie d'une grande famille, que tout le monde est occupé et que chacun réclame de l'attention, vous faites ce que vous pouvez pour sortir de la masse. Elle est comme les autres, il y a en elle un énorme besoin d'amour et de reconnaissance. » Énergiques et volubiles, ils sont tous les deux considérés comme des meneurs par leurs camarades, Nick, du fait de ses prouesses athlétiques, Madonna en raison de son attitude en classe. « Elle était intelligente et s'exprimait très bien, se souvient Nick. Quand elle racontait quelque chose, elle ne se limitait jamais à énoncer les faits, elle portait toujours attention à la forme, elle aimait qu'on la remarque, elle aimait faire rire. » Vu sa nature extravertie, il est assez étonnant qu'elle se soit liée d'amitié à cette époque avec Ruth Dupack (aujourd'hui Ruth Dupack Young), une petite fille timide, tellement taciturne à l'école qu'il est arrivé que les religieuses appellent ses parents pour leur demander si tout allait bien. Avec son caractère à l'opposé de celui de Madonna, elle n'est pas une rivale, plutôt un faire-valoir. « C'était une fille joyeuse, se souvient Ruth, jamais de mauvaise humeur. Elle était très audacieuse et sûre d'elle, toujours prête à prendre des risques. » Les deux copines aiment dormir l'une chez l'autre, écouter les derniers disques du label Tamla Motown appartenant à Ruth, qui se souvient que Madonna préférait danser plutôt qu'écouter de la musique. Ensemble, elles font les magasins et se défoulent comme toutes les filles de leur âge. En découvrant la famille Ciccone, Ruth se rend compte que Madonna ne se distingue pas seulement de ses camarades de classe. Elle dénote aussi du reste de la famille. Sa personnalité démesurée, son besoin compulsif d'être remarquée n'ont rien à voir avec le caractère de son père, de sa belle-mère et de ses frères et sœurs. Cette singularité se matérialise de façon aveuglante dans la manière dont Madonna se comporte avec sa belle-mère.

Ruth et d'autres proches, comme Carol Belanger, sont tout à fait conscients de l'animosité qu'entretient Madonna envers Joan. « J'étais désolée pour sa belle-mère », confesse Ruth. « C'était dur pour elle. Elle a toujours soutenu Madonna, elle ne s'en est jamais plainte. Mais personne n'était dupe quand on les voyait se quereller. Madonna était toujours sur son dos, comme une gamine. C'était une rébellion profonde, un conflit de longue haleine. » Le maquillage et les vêtements sont un fréquent sujet de discorde. Joan ne veut pas que sa belle-fille se maquille et, en réaction à une de ses provocations, lui ordonne de porter des habits qui ressemblent à ce qu'on met normalement pour aller à l'école, et pas en boîte de nuit. Madonna part alors à l'école chaque matin habillée comme le décrète sa belle-mère. Toutefois, à peine arrivée, elle file dans les toilettes et échange sa tenue « raisonnable » contre une jupe courte ou un petit haut minuscule qu'elle a discrètement emportés. Une fois changée, elle commence à se maquiller. A la fin de la journée, elle remet son ancienne tenue, enlève son maquillage et rentre à la maison. L'antipathie de Madonna pour Joan se ressent largement chez les Ciccone. En 1972, Madonna revient de ses vacances d'été chez sa grand-mère à Bay City en pensant être devenue une vraie jeune fille. Là-bas, elle a appris à fumer des cigarettes, elle portait des jeans serrés, se maquillait et allait écouter le groupe de rock de son oncle Carl répéter dans le garage. Son nouveau look n'amuse pas spécialement Joan Ciccone, qui se dit que son père va être horrifié en voyant sa fille habillée comme une « pouffiasse ». Qu'importe! Plutôt que de se ranger, Madonna et ses amies continuent de s'habiller comme des « pouffiasses ». Elles rembourrent leur soutien-gorge, mettent des pulls moulants et forcent sur le maquillage et le rouge à lèvres. Avec toute la mauvaise foi de la jeunesse, et un sens du mélodrame développé, Madonna en arrive à se prendre pour la Cendrillon de la famille Ciccone, qui balaye et lave pendant que ses grands frères fuient leurs responsabilités et que ses amis s'amusent dehors. Des années plus tard, dans une interview accordée à Carrie Fisher, de *Rolling Stone*, elle dira que son père ne l'a jamais frappée, mais que Joan Ciccone la giflait souvent ; qu'elle a même saigné du nez une fois à cause d'elle, ce qui avait tâché sa robe et l'avait empêchée d'aller à l'église (elle avait environ douze ans). Un autre grief s'ajoute aux autres : sa belle-mère lui aurait interdit de mettre des tampons, considérant cette forme de protection équivalente à un rapport sexuel, et donc exclue avant le mariage. D'autres reproches ne doivent être mis que sur le compte de colères d'adolescente. Quand Joan a confectionné des robes identiques aux trois filles Ciccone, avec le même tissu et le même motif, Madonna s'offusque d'un tel manque d'originalité. Mrs Ciccone conteste vivement l'avoir frappée ou avoir été si bornée au sujet des protections féminines ! Après tout, le jour où dans la cuisine, cette même femme a essayé d'apprendre les choses de la vie à Madonna, l'adolescente est partie en courant, horrifiée !

En revanche, il est certain que Madonna s'oppose par principe à presque tout ce que sa belle-mère ou son père peuvent dire. Son attitude en devient parfois grotesque. Par exemple, malgré son don évident pour le piano, Madonna monte sur ses grands chevaux quand on lui parle de prendre des leçons. Elle racontera bien des années plus tard à Neil Tennant qu'elle préférait se cacher dans un fossé près de la maison de son professeur plutôt que d'assister à ses cours. Pour une fille qui passera, quelques petites années plus tard, des heures et des heures à apprendre à jouer de la guitare et de la batterie, voilà un bel exemple d'automutilation… dans le seul but de contrarier ses parents ! Finalement, Madonna prend des cours de danse : claquettes, jazz, danses de salon et exercices de majorette. Elle assure ainsi sa place dans l'équipe de pom-pom girls de Adams High et prépare les bases de sa future carrière. Presque tous les samedis, elle est à son cours ou participe à des concours de danse. Que Madonna le reconnaisse ou non, sa « méchante belle-mère » est auprès d'elle dans tous ces moments. Elle l'encourage, la félicite pour ses succès et la console de ses éventuelles déceptions. « Malgré tout ce qu'elle a enduré, Mme Ciccone la stimulait tout le temps, se souvient Ruth Dupack Young. Elle voulait absolument être danseuse et était très déçue quand elle ne gagnait pas les compétitions. Mme Ciccone était toujours là pour lui remonter le moral. » Ruth ne peut s'empêcher d'ajouter : « C'est quelqu'un de bien qui a fait en sorte que personne n'oublie la mère de Madonna. Quand des gens allaient leur rendre visite, elle montrait des photos de la première femme de Tony. Elle était très à l'aise avec ça. » Pourtant, ce n'est pas le genre de souvenirs qu'en garde Madonna, quel que soit l'écart entre la réalité et sa propre vérité. « Je ne pense jamais à ma belle-mère comme à une mère. C'est juste quelqu'un qui m'a élevée, une femme dominante dans ma vie », a-t-elle déclaré un jour. « J'ai passé mon adolescence pour ainsi dire en l'ignorant… Je me considère comme une enfant qui n'a pas eu de mère et je suis sûre que cela n'est pas étranger à mon ouverture d'esprit. »

En 1970, Madonna achève sa scolarité à Saint Andrew et entre au collège public de West Junior High. Alors qu'elle a treize ans, elle et ses camarades de classe préparent un spectacle pour les parents d'élèves et les professeurs. Voilà des semaines qu'ils répètent. Ruth Dupack et Nancy Baron, une autre amie, mettent au point une chorégraphie de gymnastique. Madonna, elle, répète un numéro de danse solo dans lequel elle est habillée en détective privé. Vêtue d'un long manteau et d'un chapeau à bord large, elle danse sur le générique d'une émission télé, *Secret Agent*. A la fin de sa prestation, qui dure trois minutes, des coups de feu éclatent dans la salle. Tout se passe comme prévu pendant les répétitions. Le professeur de théâtre de Madonna est assez impressionné par ce numéro original, mais ne se doute pas qu'elle prépare une surprise... Le soir du spectacle, tout se déroule parfaitement jusqu'au final. Alors que les coups de feu retentissent, elle enlève brusquement son manteau, sous lequel elle ne porte qu'un simple justaucorps noir. Le public en a le souffle coupé. Tony Ciccone est furieux ! Cette petite démonstration inattendue vaudra à Madonna d'être privée de sorties pendant deux semaines. Naturellement, elle n'obtient aucune récompense ce soir-là, le premier prix étant attribué à Ruth Dupack et Nancy Baron. Quoi qu'elle ait voulu dire à travers cette provocation, Madonna a réussi à faire jaser. A la sortie du spectacle, on parle d'elle comme d'une adolescente « effrontée ». « Les gens disaient : "Mon Dieu, quelle attitude pour une gamine de treize ans !" », se souvient Ruth. Cet incident peut paraître étonnant, mais il ne faut pas chercher à l'expliquer par le soi-disant libertinage de Madonna. C'est son besoin maladif de susciter l'intérêt des autres qui en est à l'origine. Tout comme ses tee-shirts moulants sont un signe de rébellion envers sa belle-mère, son attitude sur la piste de danse ce soir-là a réussi à attirer l'attention de son père... même au prix de la colère.

En 1972, Madonna rejoint Tony et Martin à Adams High School, à Rochester. Malheureusement, sa réputation de fille facile l'y a précédée. Adams High est un immense complexe scolaire, à quelques kilomètres au nord du célèbre théâtre en plein air de Meadowbrook et du campus principal de l'université d'Oakland. Non loin de plusieurs parcours de golf et de centres commerciaux, Adams High ressemble un peu à un club de loisirs. Sentiment renforcé par le fait que les étudiants sont en large partie issus d'une classe moyenne aisée, majoritairement blanche. On est assez loin de ce que laissera entendre Madonna dans ses premières interviews, à savoir que son école était en plein cœur d'un ghetto noir. Pendant ses quatre années à Adams High, elle n'a croisé qu'un seul étudiant noir ! Quant au « ghetto », il était fréquenté par Cindy Kresge, l'une des héritières des magasins Kmart, et les frères Caratos, qui feraient plus tard la une des journaux en raison de leurs activités mafieuses. Bien que Madonna soit l'une des plus jeunes de sa classe, beaucoup d'étudiants plus âgés la connaissent, ses frères étant déjà dans l'établissement. Vive et suscitant la sympathie, elle s'intègre bien. Dès la première année, elle passe avec succès les auditions pour faire partie de l'équipe junior de pom-pom girls. Elle participe pleinement à la vie de l'école : elle est membre du club de français et de la chorale, bénévole sur un programme d'aide pour les enfants et maître nageuse au club de natation. « Elle était créative, se souvient Lucinda Axler, qui faisait aussi partie de l'équipe de pom-pom girls. Une vraie rigolote en classe. Elle s'est parfois attiré quelques ennuis mais elle profitait de la vie, c'était un tempérament joyeux. Madonna a toujours eu de l'audace, du courage et de la jugeote. » Elle se fait beaucoup remarquer pendant les matchs de football. « Elle était très douée, très expressive, ajoute Lucinda. Elle savait se faire remarquer. Elle avait une grande gueule et elle savait bouger. » Dès le début, Madonna impose sa différence. Elle suggère à son équipe un morceau du groupe rock Uriah Heep pour leur numéro de danse, au lieu d'une des chansons niaises à la mode. Leur prestation connaît un franc succès : elles parviennent à déchaîner les applaudissements des spectateurs et – plus important encore ! – l'équipe senior se montre jalouse... Peu à peu, tout le monde reconnaît que Madonna a une certaine longueur d'avance et qu'elle en fait toujours un peu plus pour se distinguer. Une autre pom-pom girl, Carol Stier, se souvient de leurs séances de shopping à Rochester, Madonna choisissant toujours des vêtements originaux pour se démarquer. « C'était important pour elle d'être au centre des regards. Elle se débrouillait très bien, du reste, pour que les gens aient envie de lui parler et parlent d'elle », ajoute Carol.

Néanmoins, en apparence, c'est une adolescente typique du Midwest – elle gagne même le concours annuel de hula-hoop! –, qui échange du maquillage avec ses copines dans les toilettes de l'école et se rend au café Las Pumas ou au McDonald's du coin. Et, comme les autres filles, elle commence à s'intéresser à ces étranges et fascinantes créatures que sont les garçons. « Ses centres d'intérêt? Comme nous toutes: les garçons », se rappelle Lucinda Axler. « Si Madonna voulait un mec, elle captait son attention. Elle pouvait gagner le cœur de n'importe qui. »

Son ancien amoureux, Nick Twomey, qu'elle a élu garçon le plus attirant, remarque que Madonna a changé lorsqu'il arrive à son tour à Adams High. « Quand je l'ai revue, elle était on ne peut plus dragueuse. Elle faisait ce qu'il fallait pour que les garçons la regardent, mais je ne pense pas qu'elle couchait avec tout le monde. C'est une légende. » Une fois, elle s'était arrangée pour rester chez son amie Ruth Dupack. Les deux jeunes filles avaient prévu de passer la nuit sous une tente dans le jardin. Madonna et Ruth se sont rapidement esquivées pour aller à une soirée, à deux kilomètres de là. « J'étais très nerveuse, mais je crois qu'elle l'avait prémédité », se souvient Ruth. « Une fois, on est sorties avec le même garçon. Mais les petits copains ne duraient jamais longtemps, elle passait de l'un à l'autre. » La conscience qu'elle a de son corps, son besoin d'attirer l'attention et la liste grandissante de ses admirateurs ne tardent pas à alimenter la rumeur sur sa sexualité. « Madonna a toujours eu la réputation d'être une de ces filles… plutôt faciles », explique Lia Gaggino, première de sa classe et aujourd'hui pédiatre. Madonna est au courant de sa réputation de « nympho », à l'époque. Elle lui reste toujours en travers de la gorge. A propos de ses relations avec les garçons, elle s'étonne : « On se pelotait comme tout le monde. Alors je ne comprenais pas d'où ça venait. J'entendais des mots comme "salope". » Elle a eu une fois une altercation avec une fille, à l'extérieur de l'école, qui a fini par la gifler. L'adolescente était persuadée que Madonna, dont elle connaissait la réputation, tournait autour de son copain. En fait, sa première expérience sexuelle sérieuse a été aussi banale que prosaïque : la pom-pom girl batifole avec un footballeur à l'arrière d'une voiture (une Cadillac bleue de 1966, pour les curieux). Mais c'est avec Russel Long qu'elle ira « jusqu'au bout ». Après être sortis ensemble pendant six mois, ils passent à l'acte chez les parents du jeune homme. Elle a alors quinze ans, Russell est une star à l'école. « J'étais tellement nerveux que je n'arrivais pas à dégrafer son soutien-gorge », se souvient le galant Mr Long, aujourd'hui chauffeur chez UPS. Ils continuent à se voir pendant quelques mois. Madonna fait souvent des frayeurs à son petit copain en se demandant tout haut si elle doit raconter ou non sa performance à son père.

Bien qu'elle soit toujours obsédée par le fait de gagner les faveurs de son père, Madonna a changé. Elle n'est plus la petite fille soucieuse de plaire, mais une adolescente insolente. Elle ne se soumet plus à l'autorité de Tony Ciccone comme avant. Ni à celle de l'Église. L'Amérique connaît alors une période de bouleversements sociaux largement alimentés par l'attitude et les idées de la jeunesse. Sous l'apparente normalité de la vie dans ce lycée du Midwest, au début des années 70, il existe des tensions. Elles reflètent l'air du temps et l'état d'esprit d'un pays en proie au trouble dans lequel, pour beaucoup de gens, les cheveux longs représentent le rejet de l'ordre ancien. Alors que le président Nixon tente de sauver sa carrière politique suite à l'affaire du Watergate, la télévision montre des images de jeunes hommes, à peine plus vieux que les étudiants de Adams High, qui, au Vietnam, se battent désespérément dans une guerre meurtrière. Moins loin, les livres et les articles de féministes comme Germaine Greer et Gloria Steinem commencent à faire leur effet auprès de toute une génération de femmes. L'écho de ces mouvements de résistance, de contestation et parfois de véritable rébellion se fait sentir jusqu'au cœur de l'Amérique. « Je me souviens quand Nixon a retiré les troupes du Vietnam [en 1973];

tous les étudiants ont poussé un grand soupir de soulage-
ment, admet Nick Twomey. La peur d'aller là-bas était
presque palpable. » Comme bien d'autres adolescents,
Madonna commence son propre voyage exploratoire. Mais
pour elle, il s'agit bel et bien d'une quête pour la connaissance de soi. L'actualité bouillonnante du moment est relé-
guée dans un coin de son esprit. Au centre, il y a toujours
la relation difficile qu'elle a avec son père et les sentiments
irrésolus qui l'habitent depuis la mort de sa mère. Le destin
l'attend au tournant.

Le matin de ce dimanche de Pâques 1970, John Michael
Tebelak, un étudiant aux cheveux longs, est arrêté par un
policier en uniforme dans la cathédrale Saint-Paul de Pittsburgh. Le policier le fouille pour chercher de la drogue.
Tebelak est déjà, à ce moment, plutôt perplexe devant la
cérémonie à laquelle il vient d'assister, qu'il décrit comme
« dénuée d'émotion ». De retour au Carnegie Mellon College, l'étudiant en Beaux-Arts demande s'il peut écrire une
comédie musicale adaptée de l'Évangile selon saint Mat-
thieu pour sa thèse de fin d'année. Inspiré par ce qui lui
est arrivé ce dimanche fatidique, il conçoit l'ébauche de
l'une des comédies musicales les plus célèbres de tous les
temps. *Godspell* est une adaptation contemporaine des sept
derniers jours du Christ. Jésus est maquillé comme un
clown et porte un costume de Superman. Ses disciples sont
habillés en hippies. Les chrétiens modérés sont consternés,
les fondamentalistes outrés par cette interprétation à leur
sens scandaleuse des Évangiles. Pourtant, le spectacle, plus
imaginatif qu'irrévérencieux, semble avoir bien saisi l'air du
temps. Il se jouera à guichets fermés dans le monde entier
pendant plus de deux mille sept cents représentations.

L'association théâtrale d'Adams High, que Madonna a
contribué à créer, décide de monter une adaptation de *Godspell*. Madonna est toute trouvée pour le rôle de Sonia. Le
parolier du spectacle, Stephen Schwartz, la décrit comme
une personne « insolente et un peu cynique, la plus citadine

du groupe. La plus sexy aussi, mais il y a beaucoup de mise en scène dans son côté sexy, à la Mae West ». Madonna a déjà joué une très honorable Morticia dans une représentation de *La Famille Addams* à l'école. Elle a aussi eu des rôles de premier plan dans *My Fair Lady* et *Cendrillon*. Le rôle de Sonia est taillé sur mesure pour elle. Aussi, quand l'école annonce un concours amateur quelques semaines plus tard, décide-t-elle de faire un solo sur la chanson « Turn Back, O Man » tirée de *Godspell*. Pendant des semaines, elle rentre dans la peau de Sonia, répétant sans cesse sa chorégraphie et les paroles de la chanson. Son travail est payant ; sa prestation devant le public rassemblé dans le gymnase de l'école est en tous points parfaite. Habillée d'un pantalon de satin noir et d'une chemise en satin gris, elle émerveille tout autant les étudiants que les professeurs. Son numéro est impeccable et sexy. Quand elle termine, elle a le droit à une *standing ovation*. La salle explose en une cacophonie de sifflements et de cris de joie. « Je n'oublierai jamais ce moment, se souvient Carol Stier. Nous *[les amis de Madonna]* étions à la fois choqués et impressionnés, parce que nous n'étions pas conscients de son talent. C'est plutôt difficile d'épater des adolescents, qui entre eux préfèrent se moquer de l'autre plutôt que de lui reconnaître un succès. Alors le fait d'avoir obtenu une telle réaction montre bien à quel point sa prestation était extraordinaire. » Selon Nick Twomey, « ça a été une bombe pour Madonna. Elle a totalement séduit le public, les professeurs et moi inclus. Ce n'était pas violemment érotique, mais Madonna était Madonna, déjà à l'époque, et elle savait déchaîner la foule ». En saluant, Madonna est en larmes. La tension nerveuse se mêle à l'excitation d'être le point convergent de tous les regards. Une fois les applaudissements passés, elle se sent comme transformée. Elle ne parvient pas à mettre des mots sur ce sentiment, mais dira plus tard que c'était un peu comme de « se retrouver chez soi ». Elle est sur le point de voir s'accomplir son destin et son rêve.

4

Née pour danser

Sarcastique, capable de se montrer brutal, voire sadique, Christopher Flynn est à tout point de vue la caricature de l'ancien danseur classique frustré. Lui qui, dans une autre vie, a dansé avec le Joffrey Ballet et nourri des rêves de gloire se retrouve, à la quarantaine, à donner des cours du soir à une bande de pimbêches dans un studio poussiéreux d'une ville inconnue du Midwest. Difficile de savoir ce qu'a pu penser cet homosexuel haut en couleur, qui semble parfois prendre un malin plaisir à humilier ses élèves, en voyant arriver, au 404 Main Street, à Rochester, une gamine de quinze ans plutôt douce. Certainement pas qu'elle deviendrait bientôt sa petite protégée ni qu'il pleurerait le jour où elle le quitterait. Madonna lui explique nerveusement qu'elle veut prendre des cours de danse classique avec lui, comme Mary-Ellen Beloat, qui appartient à la même école et à la même équipe de pom-pom girls qu'elle. Il lui a fallu tout son courage pour franchir le seuil du studio et formuler cette requête plutôt anodine. C'est que la réputation du professeur l'a précédé. Et Madonna prend un grand risque personnel. Elle a déjà fait des claquettes, du jazz et participé à des concours de danse, mais là c'est d'un autre défi qu'il s'agit. La danse classique exige une discipline physique incessante qui décourage parfois même les plus doués et les plus déterminés. Madonna en fait une affaire personnelle : son talent et ses capacités physiques seront-elles à la hauteur de son ambition? En prenant ce pari, elle s'oblige à affronter sa plus grande crainte, la peur de l'échec.

Les mois suivants, elle s'attelle à la tâche et danse deux heures chaque soir. Il lui arrive de terminer les pieds en sang. « Les cours pouvaient être très durs, se souvient Mary-Ellen. Si vous faisiez quelque chose de travers, Christopher vous frappait avec sa baguette. » Pendant un exercice où les filles doivent tourner la jambe sur le côté, il leur pince l'intérieur de la cuisse pour les forcer à s'étirer davantage. Sa torture favorite, que Madonna a souvent subie, est de placer un crayon pointu entre leur gorge et leur menton pour qu'elles gardent la tête bien droite en dansant. Toutefois, ses mots constituent son arme principale. Au-delà de ses moqueries, son discours puise largement dans l'imagerie sexuelle. Parmi ses fréquents conseils : « Imaginez, quand vous faites un plié, que vous vous asseyez sur une antenne de radio et qu'elle s'enfonce complètement en vous. » Déçu par la vie, frustré même, ses diatribes et ses insultes cinglantes font souvent pleurer ses élèves. « Il nous disait que la danse devait passer avant toute le reste », continue Mary-Ellen. Madonna et ses compagnes s'estiment heureuses quand elles sortent des cours avec seulement quelques bleus et quelques pinçons.

Pourtant, aussi dur qu'il puisse être, Flynn est un être stimulant. Son enthousiasme pour la danse inspire ceux qui lui confient leurs talents. Madonna, qui ne souffre aucune remarque de son père et de sa belle-mère, se révèle une élève attentive. Elle accepte les plus dures critiques et en redemande. Privée de l'amour et de l'attention de son père – c'est du moins ce qu'elle pense –, elle quémande des miettes de compliments là où elle peut en trouver. Or Flynn peut aussi se montrer flatteur, et ses compliments sont d'autant plus savoureux qu'il est très exigeant et sévère. Elle se souvient encore du jour où Flynn, après le cours, l'a regardée et lui a dit qu'elle était belle, qu'elle avait le visage d'une antique statue romaine. Le compliment est précieux pour cette fille qui trouve qu'elle ressemble à « un chien ». « Personne ne m'avait jamais dit ça », confessera-t-elle des années plus tard. « Il m'a dit que j'étais "spéciale" et il m'a appris à aimer la beauté – pas la beauté au sens conventionnel, mais vraiment la beauté de l'esprit. » Pour faire naître chez sa jeune élève ce sens du beau, il l'emmène faire une sorte de « minitour d'Europe » à l'américaine : à Detroit, ils visitent les musées et les galeries et assistent à des concerts. Ils parlent de poésie, de livres et d'art. Christopher est ravi de transmettre ses connaissances et ses idées à Madonna, qui se révèle une élève curieuse. Alors que les cours de danse explorent les limites physiques de son corps, leurs excursions à Detroit – à quelques kilomètres seulement au sud de Rochester – sont pour elle l'occasion de découvertes artistiques exaltantes qui repoussent les frontières de son esprit. A l'époque, son goût est celui d'une adolescente sensible et enflammée, attirée par les poètes romantiques, les préraphaélites, les romans de Steinbeck et de Scott Fitzgerald, les poètes tragiques comme Sylvia Plath, les films de James Dean. Grâce à Flynn, l'horizon s'élargit. Comme des milliers d'adolescents avant elle en proie à une angoisse existentielle, Madonna trouve chez les modernistes, pour qui l'artiste est un antihéros marginal, l'expression de ses pensées et de ses pulsions ; elle découvre la tradition humaniste qui célèbre l'individu au sein de la société et prône l'être humain responsable. Cela cadre parfaitement avec son ras-le-bol de l'Église, qui enseigne la soumission de l'homme à la volonté du Tout-Puissant, et son implication de plus en plus forte dans la danse, royaume du moi physique.

Sans aucun doute, cette démarche personnelle vers la connaissance, familière à tous les artistes et intellectuels, a susbstantiellement changé sa relation aux autres. Comme elle en était venue à se considérer à part dans sa famille, pendant sa dernière année à Adams High, Madonna se sent très éloignée des préoccupations de ses camarades. Christopher Flynn lui a ouvert les portes du monde de l'art. Madonna le dira publiquement : « C'était mon mentor, mon père, mon amant imaginaire, mon frère, tout! Il me comprenait. » Pour ses amis, en tout cas, ce changement d'attitude est aussi saisissant que troublant. Ce nouvel horizon, semble-t-il, ne veut pas être partagé. Carol Stier se souvient du choc qu'elle a éprouvé en voyant la « nouvelle » Madonna : « Le jour de la rentrée, je suis arrivée en cours d'anglais ; je me souviens avoir vu cette personne et m'être dit "tiens, une nouvelle". Elle avait un bandana imprimé autour de ses cheveux courts, une salopette en jean et de grosses boots qui lui arrivaient aux chevilles. Elle n'était pas maquillée mais quand même jolie. Et puis j'ai réalisé que c'était Madonna. Ça m'a sciée ! Elle avait beaucoup changé. Elle ne prenait plus la peine de nous parler, ça ne l'intéressait plus d'être amie avec nous. Pendant les cours, elle était calme, studieuse. Fini les vannes ! » Madonna n'est pas la seule du groupe à avoir subi une métamorphose. Après avoir un peu flirté avec la drogue, Nick Twomey, son ancien amoureux, a rencontré la foi. Sa conversion est si profonde qu'il se débrouille pour ramener toutes les conversations à Dieu, que ce soit avec les professeurs ou les autres étudiants. Twomey, aujourd'hui pasteur évangélique à Traverse City, se rappelle la transformation de celle après qui il courait dans la cour de l'école : « J'ai fait l'expérience d'une profonde conversion spirituelle et, alors que ma vie partait dans un sens, la sienne partait dans l'autre. Madonna était presque devenue une bohémienne. Elle a quitté le groupe d'amis avec qui nous sortions et, quand je la voyais, je lui rebattais les oreilles avec Jésus. Elle n'a jamais été agressive envers moi, mais je me souviens qu'elle me demandait de baisser d'un ton, de me calmer ! »

Le changement de Madonna n'est pas seulement spirituel ou intellectuel. Conformément à son nouveau look bohème, elle ne se rase plus les jambes ni les aisselles, et ne s'embête plus à s'épiler les sourcils. « Ma petite sœur Morisa avait vraiment peur d'elle ! Madonna l'avait emmenée à un cours de natation et elle ne s'était pas rasé les aisselles », se souvient Lia Gaggino. « Elle n'avait pas peur d'être différente et, à cet âge, c'est difficile de l'être sans se soucier de ce que les autres peuvent penser. » Au cours du premier trimestre de sa dernière année à Adams High, elle n'essaye plus d'être le centre d'attention et se contente de passer son temps toute seule. Elle qui allait au McDonald's, comme tous ses amis, est devenue végétarienne et mène une vie ascétique. Son amie Ruth Dupack se souvient : « Ce fut un véritable revirement. Les gens se demandaient ce qui lui était arrivé. Finalement, je ne comprenais pas Madonna mais j'étais contente pour elle. » En aparté, Ruth ajoute quand même : « C'était cependant plus facile de parler à sa belle-mère qu'à elle ! »

Face à cette nouvelle Madonna, qui se tient à l'écart, les rumeurs vont bon train : on entend bientôt dire qu'elle aurait une liaison avec son prof de danse. Qu'elle ait eu une brève aventure avec Flynn ou non, elle passe en tout cas le plus clair de son temps avec lui. Il lui fait découvrir les clubs gays de Detroit, à des années-lumière des cafés et des boîtes de nuit que fréquente une fille de son âge. Dans ces endroits, le disco est roi et l'ambiance au beau fixe – un savant mélange d'énergie et de joie de vivre. Au milieu de centaines d'homosexuels, Madonna ne ressent pas la connotation sexuelle d'ordinaire associée à la danse. Là, aucun rituel amoureux : la danse n'est plus que l'expression de l'amour du mouvement. Des années plus tard, Christopher Flynn confiera à l'écrivain Chris Andersen : « Elle adorait ça et, mon Dieu, elle était formidable ! Il n'y avait plus personne sur la piste, on larguait les amarres, tout le monde l'aimait. Elle ne faisait pas son show, elle aimait juste danser et ça jaillissait d'elle. » Malgré la drogue et la débauche sexuelle, les hommes qui fréquentent les boîtes gays n'effraient pas Madonna. Elle les trouve amusants et pleins de vie. Plus encore, elle les considère comme elle : des marginaux méprisés par l'Américin moyen coincé. Et puis c'est aussi, bien sûr, une manière de se rebeller contre son père. Avant Flynn, la dernière fois qu'elle était allée à Detroit, c'était pour le concert de David Bowie, à Cobo Hall. Tony Ciccone, furieux, l'avait privée de sortie à son retour. L'engouement manifeste de Madonna pour un homosexuel en âge d'être son père est pour lui une nouvelle cause d'inquiétude. D'autant qu'elle encourage son jeune frère Christopher à prendre lui aussi des cours de danse à Rochester. A dire vrai, l'expression « cause d'inquiétude » est un peu faible ; d'après Madonna, son père était « terrifié » par son amitié avec un homosexuel.

En 1976, c'est sur l'insistance de Christopher Flynn que la jeune fille de dix-sept ans décide de quitter l'école un semestre avant la fin des cours pour essayer de décrocher une place à l'université du Michigan, qui propose un cursus de danse. Flynn a lui-même obtenu un poste d'enseignant là-bas : ils s'encouragent mutuellement. Flynn y voit bien sûr son intérêt. Malgré la différence d'âge, il trouve son élève fougueuse, désireuse d'apprendre. Il aime sa compagnie et l'adoration qu'elle lui voue. Malgré son cynisme, il commence à vraiment s'attacher à Miss Ciccone. Avec son aide enthousiaste, elle demande une bourse, qui lui est accordée, preuve de son talent, de son potentiel, et source de grande satisfaction.

En dépit de ses prétentions intellectuelles et artistiques, et malgré ce que Flynn lui a appris, Madonna reste dans le fond quelqu'un de simple et de naïf. Quand on regarde des photos d'elle à dix-sept ans, on se rend compte qu'elle n'a rien de cette femme dont la sexualité débridée marquerait une génération. C'est une jeune fille dont la carapace d'indifférence à l'égard du monde extérieur trahit un profond sentiment d'insécurité. Ce qui apparaît nettement dans ses relations avec les autres. Son côté mondain un peu cynique s'efface quand elle montre ses sentiments, de manière aussi maladroite que généreuse. En 1974, dans le trombinoscope d'Adams High, la jeune Madonna écrit à Mary-Ellen Beloat : « Tu es la personne la plus folle que je connaisse. Je t'aime. » Quelques années plus tard, en 1976, elle a les mêmes élans envers son professeur préféré, Marilyn Fallows : « Madame Fallows, je ne peux pas vous dire ce que je ressens pour vous et combien je chérirai toujours vos encouragements. Parfois j'ai l'impression que vous pourriez exploser, avec toute l'énergie qu'il y a en vous. Vous êtes folle et je suis amoureuse de votre folie et, bien sûr, de vous. » Pourtant, malgré ces déclarations, Madonna ne reviendra jamais à Adams High.

Selon la légende, aux premiers temps de la colonisation de l'Amérique, une jeune Française, Anne d'Arbeur, mena un groupe de colons égarés autour de l'Hudson en un lieu sûr où ils purent recouvrer leurs forces. Pour honorer son courage et son sens de l'orientation, les colons nommèrent « Ann Arbor » le hameau planté de chênes où ils s'établirent. Voilà pour la légende. Plus prosaïquement, le village a été fondé en 1824 par Elisha Rumsey et sir John Allen. Il doit son nom à l'épouse de ce dernier, Ann. C'est elle qui a choisi ce nom, préférant « Annarbour » (en latin, *arbor* signifie « arbre ») à Allensville ou Annapolis, comme le souhaitait son mari. Quand l'université du Michigan ouvre ses portes à Ann Arbor, en 1841, la ville, qui comptait cinquante habitants à l'origine, devient la capitale intellectuelle du Midwest. Ses habitants, blancs, anglo-saxons et protestants, sont adeptes d'une morale stricte. En 1916, ils votent la prohibition avant tous les autres citoyens américains (la loi sera adoptée en 1919). Avant l'interdiction de l'alcool dans le pays, les bars, où se rendent régulièrement les étudiants, font l'objet de toutes leurs critiques. Il n'est pas difficile d'imaginer ce que les pères fondateurs auraient pensé d'Ann Arbor quelques années plus tard, avec le Queer Aquatic Club « réservé aux gays, aux lesbiennes et aux bisexuels », l'Aut Bar, qui tient sa « nuit du cuir » tous les vendredis soir… Sans aucun doute, en cet automne 1976, Ann Arbor, avec ses festivals artistiques et ses scènes gay et underground, fait découvrir à Madonna une tout autre vie que celle qu'elle menait dans la banlieue de Rochester. Malgré ce que Flynn lui a fait découvrir de l'art et de la littérature, en dépit de leurs incursions dans les clubs gays, elle est toujours une lycéenne que recouvre un fin vernis de sophistication. Toutefois, ce sont les encouragements de ses professeurs de lycée qui l'ont poussée à sauter le pas. En avril 1976, Marilyn Fallows a écrit au département Musique de l'université du Michigan qu'elle trouvait Madonna « intelligente, sensible et créative ». Sa conseillère d'orientation, Nancy Ryan Mitchell, s'est montrée tout aussi enthousiaste : elle parle d'une jeune danseuse « très talentueuse, motivée, expérimentée et prête à progresser », qui possède « une brillante personnalité ». Bien sûr, Christopher Flynn, désormais professeur de danse à Ann Arbor, a également facilité l'obtention de sa bourse. Mais quel qu'ait été son rôle, c'est une belle réussite pour une adolescente qui n'a accompli en tout et pour tout que trois ans de danse classique. Le père de Madonna est fier de son succès, même s'il avait nourri l'espoir qu'elle ferait des études plus classiques, du droit par exemple. Il lui demande une chose avant de partir : trouver une chambre dans une pension pour jeunes filles.

En arrivant à l'université, Madonna reprend le rythme de Rochester : elle passe beaucoup de temps avec Flynn, suit ses cours et sort avec lui dans les clubs gays. Les autres étudiants voient bien qu'elle est dévouée à son mentor, dont elle exauce tous les souhaits. Certains d'entre eux se justifient : ils permettent aux jeunes danseurs de progresser et de mieux comprendre leur art. D'autres, en revanche, sont plus pervers. A cause d'une marotte de son professeur, Madonna – et d'autres certainement – met sa santé en danger. Au début de chaque cours, Flynn demande à ses élèves de se peser. Si la balance indique plus de 55 ou 57 kilos, il ne se prive pas d'humilier le dilettante et lui ordonne de se ressaisir ! Madonna le prend au mot. Elle, qui se nourrit de pop-corn et de crème glacée, impose à son corps pourtant svelte des exercices qui lui laissent de nombreux bleus. Son amie Linda Alaniz se souvient : « Elle n'avait vraiment pas une alimentation saine et je suis sûre qu'elle était à l'époque à la limite de l'anorexie. Mais elle voulait tellement faire plaisir à Christopher ! » Comme les autres étudiants, le planning de Madonna est très strict :

deux cours d'une heure et demie par jour, et encore deux heures d'entraînement au Power Center for the Performing Arts, pour les spectacles de la fac.

Même dans cette atmosphère de compétition, elle parvient à se distinguer, non seulement par ses talents de danseuse, mais aussi par son implication. Elle se consacre tout entière, corps et esprit, à la danse. Son enthousiasme déteint sur les autres étudiants. Gay Delanghe, qui dirigeait le département de Danse de l'université, se souvient d'une « petite jeune » qui a rapidement manifesté « d'excellentes capacités en danse ». « Elle avait la motivation et l'énergie pour ça », dit-elle. « Elle avait à la fois le corps et le mental pour être remarquée par les professeurs, les chorégraphes et les autres étudiants. Elle était capable d'apprendre un mouvement et de le faire ressembler à quelque chose. Il y a beaucoup d'appelés et peu d'élus. Elle faisait partie de la seconde catégorie. »

Dans le même temps, Linda Alaniz se souvient que les étudiants commençaient à remarquer son besoin constant d'attirer les regards, qui s'est manifesté pendant toute sa scolarité. « Elle arrivait au cours de danse classique en mâchant du chewing-gum, avec un justaucorps qui tenait par des épingles à nourrice. Elle avait un look de punk, mais c'était vraiment puéril. C'était une petite fille en mal d'attention. » Madonna semble prête à tout pour se faire remarquer. Une fois, alors que les élèves rentraient le ventre et gardaient la tête bien droite pour exécuter un plié, Madonna a lâché un énorme rot ! Cette recherche d'attention digne d'une adolescente peut prendre d'autres formes moins évidentes. Une autre amie, Whitley Setrakian, qui fut sa colocataire en deuxième année, a deviné en elle quelqu'un de plutôt perdu derrière son attitude provocante. « C'est la fille la plus affectueuse que j'aie rencontrée. Elle me prenait tout le temps dans ses bras. Mais on sentait que c'était un peu artificiel. Elle était en demande et il y avait quelque chose d'un peu fragile et de triste en elle. » Comme Mary-Ellen Beloat et Marilyn Fallows avant elle,

Whitley allait faire l'expérience de ce besoin affectif. A son retour de vacances de Noël, une lettre de six pages l'attend. Madonna lui écrit : « J'ai réalisé combien j'ai fini par compter sur toi pour que tu m'écoutes, que tu me donnes des conseils et que tu acceptes les miens. Je te considère comme la plus merveilleuse, la plus intime des amies qui soit dans le monde entier. »

Des photos de l'époque montrent bien les deux faces de Madonna : d'un côté l'étudiante sérieuse, de l'autre l'adolescente exhibitionniste et en manque d'affection. Linda Alaniz, qui avait choisi la photographie comme option à la fac, a demandé à Madonna de poser pour elle pour une série d'études. Ses photos en noir et blanc montrent une jeune femme équilibrée, sophistiquée et élégante. Elle est très féminine, l'image parfaite d'une ballerine du *Lac des cygnes* qui travaille son art avec détermination. D'autres photos de la même époque, prises par un ancien petit ami, Mark Dolengowski, révèlent au contraire une jeune fille exubérante et fêtarde. Elle pose devant l'objectif : bulles de chewing-gum, grimaces, poses provocantes. Ces deux séries de photos reflètent des fragments différents de la personnalité de Madonna, aussi déroutant que cela puisse paraître.

La manière dont Madonna a rencontré Mark est bien digne d'elle. Il était coiffeur sur le campus, elle, l'une de ses clientes. Un jour, pendant ses premiers mois à l'université, elle passe devant son salon et lui tire la langue. Quand il sort pour lui parler, elle l'invite à la rejoindre au Doley's, un bar de la fac où elle travaille de temps à autre. Comme il se doit, il lui offre un verre. A partir de ce moment, ils commenceront à se voir. Mark l'emmène danser et l'invite à dîner – c'est toujours lui qui paye, puisqu'elle n'a jamais d'argent – et ils entament une brève histoire d'amour. La fin de leur aventure ne fait que renforcer leur amitié : ils resteront en contact quand l'un et l'autre partiront à New York. « Elle s'investissait énormément dans la danse, avec beaucoup de discipline », se souvient Mark, qui a suivi un temps les cours de Christopher Flynn. « Madonna s'amusait bien, quand elle se le permettait. » Pour elle, s'amuser c'est danser, pendant les cours ou en boîte de nuit. Elle sort régulièrement avec Linda, Whitley et une autre amie, Janice Galloway. Elles dansent toute la nuit. C'est pendant l'une de ces soirées que Madonna croise un jeune homme qui aura une grande influence sur son avenir : Stephen Bray, qu'elle rencontre dans un bar, le Blue Frogge. Pour la première fois de sa vie, elle demande à un homme de lui offrir un verre. Sentimental, posé et doux, le serveur noir possède des qualités communes à beaucoup d'hommes qui compteront dans la vie de Madonna. Elle apprend qu'il est batteur dans un groupe local. Durant les quelques mois qui suivent, Madonna danse à ses concerts. Une fois sur deux, Linda, Whitley et Janice l'accompagnent.

La plupart du temps, quand Madonna et ses amies sortent, c'est pour le plaisir de danser et non pour lever un de ces dragueurs qui fréquentent les boîtes. Madonna et Linda s'amusent des insinuations de leurs prétendants, qui les croient lesbiennes parce qu'elles dansent souvent ensemble. Pour ne pas avoir à repousser les avances des garçons, elles sortent souvent dans les clubs gays et se délectent de la liberté qui y règne : elles peuvent pleinement profiter de la musique ! « On s'éclatait ! », explique Linda, bien que tout cela n'ait fait qu'alimenter les rumeurs autour de leur homosexualité. C'est à cette époque que Linda remarque chez Madonna un trait de caractère qui s'affirmera quand la jeune danseuse s'approchera de la gloire : son ambition a toujours primé, devançant le plaisir de s'amuser et même la provocation. Pour elle, sa carrière de danseuse est un passeport pour la célébrité. Comme le rappelle Linda, « on rentrait tard mais elle avait une discipline incroyable. Elle était toujours prête pour les cours à 8 heures du matin. Elle n'en a pas manqué un seul ». Madonna sent clairement qu'elle est appelée vers quelque chose de plus grand – et le plus tôt sera le mieux. C'est à New York qu'elle compte réaliser son rêve. Elle ne met pas longtemps à critiquer le rythme de vie, trop calme à son goût, d'Ann Arbor ; elle voit déjà

son avenir un peu plus à l'est. Dans une lettre, elle écrit :
« Il faut que j'aille à New York. Je me rends compte aussi
que mes chances de percer dans la danse sont faibles, mais
il faut que je me prouve des choses à moi-même. »

L'histoire de son arrivée à New York, tout comme celle de
son enfance de Cendrillon, fait aujourd'hui partie intégrante
du mythe Madonna. Selon sa version des événements, elle
aurait, au cours de l'été 1978, acheté un aller simple pour
New York et débarqué avec 35 dollars en poche et le vif
désir d'y trouver gloire et fortune. Après avoir hélé un taxi,
elle aurait demandé au chauffeur, halluciné : « Conduisez-
moi au centre de tout. » Celui-ci l'aurait déposée à Times
Square. Par une chaude journée d'été, avec son gros manteau d'hiver, elle aurait traîné sa valise en quête d'un endroit
où s'installer. Un sympathique inconnu, soi-disant danseur
classique au chômage, aurait eu pitié d'elle et lui aurait
proposé de dormir chez lui pendant quelques semaines,
jusqu'à ce qu'elle puisse se débrouiller seule. Malheureusement, comme pour la légende relative au nom d'Ann Arbor,
la réalité est moins romantique.

En fait, elle se rend pour la première fois à New York en
février 1977, avec Mark Dolengowski. Peu de temps auparavant, elle a demandé une bourse pour participer à un
atelier de danse de six semaines avec l'American Dance
Theatre d'Alvin Ailey. Une audition a été prévue. Mark
emprunte la voiture de son père et fait gentiment plus de
trois cent soixante-dix kilomètres de nuit, de Ann Arbor à
Manhattan, pour que Madonna soit à l'heure à son rendez-
vous. L'audition se passe comme prévu et, après avoir
mangé un morceau, le jeune couple rentre à Ann Arbor. En
tout, ils auront passé moins de vingt-quatre heures à New
York. Partis le vendredi, de retour à l'université le dimanche
afin que Madonna ne manque pas son cours du lundi matin.
Il se trouve que le voyage en valait la peine. Madonna
obtient sa bourse et, à la fin du trimestre, elle passe un été
épuisant mais épanouissant à New York, où elle habitera

l'Upper East Side avec des amis. Mark, inquiet pour elle, vient la voir à plusieurs reprises. Cet été-là, New York vit en effet dans la peur d'un *serial killer* surnommé « Son of Sam ». De son vrai nom David Berkowitz, il finira par être arrêté. « Tout le monde était effrayé et je m'inquiétais pour elle », se souvient Mark. « On est allé à un concert à Central Park, mais elle était souvent trop fatiguée pour sortir danser. Ses cours étaient vraiment durs. » Pour Madonna, qui fête ses dix-neuf ans en août, l'expérience est aussi intimidante qu'exaltante. Pour la première fois de sa vie, elle rencontre des danseurs qui sont aussi volubiles et passionnés qu'elle. « J'avais l'impression d'être dans un épisode de *Fame* », a-t-elle dit un jour à l'occasion d'une interview pour le magazine *Rolling Stone* (bien que *Fame* n'ait été diffusé qu'à partir de 1980). « Tout le monde voulait devenir une star. » L'appétit aiguisé par cette expérience, elle retourne néanmoins à l'université pour entamer sa deuxième année, encore plus obsédée – si tant est que cela soit possible – par son rêve de devenir danseuse.

Ce rêve prend forme quand la célèbre chorégraphe Pearl Lang est invitée à Ann Arbor. Ancienne première danseuse de la troupe de danse moderne de Martha Graham, elle a fondé la Pearl Lang Company et cofondé, avec Alvin Ailey, l'American Dance Center à New York. Pendant son séjour à Ann Arbor, Pearl Lang crée pour les étudiants une œuvre sur une musique de Vivaldi. Madonna participe à la représentation au Power Arts Center. Son talent et sa sensibilité impressionnent Pearl Lang. Gay Delanghe, son professeur, est quant à elle impressionnée de voir combien Madonna a progressé et gagné en assurance. Inspirée par la chorégraphie de Pearl Lang, Madonna prend de l'envergure. Elle est loin d'être un « pur produit de son université », mais elle n'en fait pas moins honneur à la faculté et justifie pleinement la bourse qu'on lui a accordée.

Christopher Flynn a pour son élève d'autres ambitions que de la voir suivre une formation de danse dans une université du Midwest. Alors qu'elle n'est qu'à la moitié de son cursus, prévu en quatre ans, Flynn lui conseille d'écouter son cœur et de tenter l'aventure à New York. « La danse classique peut avoir quelque chose d'excitant, expliquera-t-il plus tard, mais elle a ses limites. Madonna était tellement au-dessus de ça. Je le voyais, même si elle n'en avait pas conscience. Elle avait tant d'autres choses à explorer, et tout se passait à New York. Arrête de perdre ton temps dans la cambrousse ! Bouge tes petites fesses jusqu'à New York, vas-y ! Finalement, elle y est allée. » Malgré l'impatience qu'elle éprouve, Madonna hésite. Elle sait que cela signifie abandonner ses études et tirer un trait sur son diplôme. Elle sait aussi que le fait d'arrêter ses cours sera mal perçu à la maison. Son père, pragmatique, pense qu'elle a plutôt intérêt à empocher son diplôme avant de rechercher les lumières des projecteurs. Les risques y sont au moins aussi grands que les récompenses. Tony Ciccone n'est pas le seul à penser ainsi. A l'université, tous ses professeurs expriment leur inquiétude ; ils lui expliquent que son développement artistique y gagnera si elle poursuit ses études. Dans une critique implicite de Flynn, Gay Delanghe se souvient : « Nous lui avons tous servi l'habituel "New York sera toujours là quand tu auras un peu plus de maturité et davantage à offrir artistiquement"... Mais certains sont poussés à partir malgré les conseils des adultes. J'ai toujours eu l'impression qu'elle n'avait pas beaucoup de soutien à la maison. Flynn représentait sa famille et lui avait conseillé de suivre son cœur. » Puis elle ajoute : « Elle était jeune, naïve et, à mon avis, mal conseillée. » Flynn a peut-être essayé de réaliser ses propres ambitions avortées à travers sa protégée. Néanmois, c'est aussi tout à son honneur d'avoir su percevoir l'impatience de Madonna, son refus d'être contrainte par quoi ou qui que ce soit et d'avoir décelé le talent naissant. Et de fait, c'est précisément en raison de cette liberté d'esprit que la danse lui allait si bien ! Finalement, malgré sa conscience des risques, Madonna est tellement sous la coupe de Flynn et si éloignée de son père que tous ses doutes sont balayés. Elle a alors dix-neuf ans.

Au-delà de ces considérations, son expérience de l'été précédent a aiguisé son envie d'aller à New York et fait grandir l'espoir de voir là-bas ses ambitions se réaliser. Sa décision est prise. Madonna est consciente qu'elle ne touchera plus la bourse qui lui permet de vivre. Elle commence alors à travailler la nuit et le week-end chez Baskin-Robbins et au Dooley's. En plus de son travail de serveuse, elle gagne 10 dollars de temps en temps en posant nue, avec Whitley et Linda, dans des cours de dessin. Leurs corps joliment musclés leur assurent de nombreuses demandes. Elle commence ainsi doucement à économiser de l'argent pour sa nouvelle vie. Un jour, un professeur propose aux étudiants d'aller danser dans une église, pour une mise en scène du Chemin de croix. Tout le monde décline l'offre, jusqu'à ce qu'il précise que les danseurs seront payés 50 dollars chacun. Immédiatement, Madonna, Linda et Whitley se portent volontaires ! A cette occasion, Linda et Whitley seront témoins d'une des premières prestations vocales de leur amie. Quand elles arrivent à l'église, Madonna se poste dans la chaire et se met à chanter à pleins poumons une version un peu enrouée du tube de Little Richard, « Good Golly, Miss Molly ». « Le prof lui a crié de s'arrêter, en disant que c'était un sacrilège ! », se souvient Linda. « C'était impayable ! Mais c'est la seule fois que je l'ai entendue chanter. » Madonna a prudemment mis de côté ses 50 dollars et ses pourboires de serveuse. Elle cache son argent dans un grand livre de photographies de Martha Swope sur le New York City Ballet. Selon Linda, « elle avait amassé des centaines de billets de 20 dollars. J'ai vu la taille de sa planque ! Elle avait bien plus que les 35 dollars dont elle a parlé, je peux vous le garantir. Même Madonna n'était pas suffisamment gonflée pour débarquer à New York avec seulement 35 dollars… ».

En juillet 1978, à la fin de sa deuxième année, Madonna est très optimiste quand elle dit au revoir à ses amis de l'université. C'est un Christopher Flynn radieux qui la conduit jusqu'à l'aéroport. Pourtant, Flynn éprouve de la tristesse à l'idée de la séparation. Bien qu'il ait été un acteur majeur dans sa décision de partir à New York, s'en-suit une profonde dépression après son départ. Il vit quasi-ment un deuil. « Il l'aimait vraiment, explique Linda Alaniz. Il a été si triste quand elle est partie. » Mentor jusqu'au bout, il lui rappelle d'aller à l'American Festival of Dance qui a lieu à la Duke University de Durham (Caroline du Nord) en juillet, une fois qu'elle sera installée à New York. Madonna suit les conseils de Flynn. Elle participe, avec d'autres étudiants de l'université du Michigan, à ce qui s'avérera être une extraordinaire expérience. « Un flux d'images inspirées par le surréalisme », titre le *New York Times* pour parler de l'œuvre d'un chorégraphe chinois. Madonna est dans son élément. Son enthousiasme n'a d'égal que son désir d'exceller. C'est Pearl Lang en per-sonne qui cite son nom parmi la liste des gagnants. En allant chercher son prix, Madonna dit innocemment à la chorégraphe que son rêve serait de travailler avec la grande Pearl Lang. « Ses yeux sont sortis de ses orbites quand je lui ai dit que j'étais Pearl Lang », se souvient l'inté-ressée, avant d'ajouter sèchement qu'elle avait travaillé avec Madonna quelques mois seulement auparavant à l'université du Michigan... Malgré cette piètre tentative de se faire bien voir, Madonna est tout excitée, émerveillée même, par le travail de Pearl Lang. A cette époque, Madonna s'intéresse beaucoup à la danse moderne, sophis-tiquée et plutôt cérébrale, à mille lieues de son futur per-sonnage pop – et aussi d'ailleurs du ballet classique façon *Lac des cygnes*. Elle décrit l'approche de Lang comme « douloureuse, sombre et emplie de culpabilité. Très catho-lique ». Sa difficulté même explique l'attrait qu'elle peut exercer sur une jeune femme immergée dans un processus de création inspiré par une formation classique. Ancienne élève puis disciple de Martha Graham, grande prêtresse de la danse moderne, Lang représente pour Madonna un lien avec les plus hautes sphères de cet art. C'est pourquoi elle n'attend que quelques jours après le début des cours pour demander à la chorégraphe si elle a une chance d'obtenir une place dans sa troupe. Pearl Lang hésite : impressionnée par « son talent et sa détermination », elle se demande si Madonna connaît du monde à New York et comment elle va vivre là-bas. « Ne vous inquiétez pas, je me débrouille », répond-elle, sûre d'elle. Finalement, Pearl Lang lui propose une place provisoire à partir du mois de novembre. Quand Madonna arrive pour de bon à New York, à la fin de l'été 78 (époque de la légende des 35 dollars...), elle est totalement esclave de son ambition de devenir danseuse. Elle se rend compte que ce sera dur. « Je savais que j'allais souffrir. Je savais que ça allait être difficile », a confié Madonna à l'écrivain Ingrid Sischy. « Mais je n'allais pas faire machine arrière. C'était comme ça, un point c'est tout. » Même quand son père lui rend une visite impromptue, peu de temps après son installation dans son appartement délabré du Lower East Side, et essaye de la convaincre de revenir dans le Michigan, elle refuse d'abandonner son rêve. Dans son souvenir, son père était affolé par les conditions sordides dans lesquelles elle vivait : les cafards dans la chambre, l'odeur de bière et les ivrognes qui finissaient leur nuit dans l'entrée de l'immeuble... Il est parti désemparé. Toutefois, cette anecdote n'est peut-être qu'un autre élément du mythe : la vieille histoire de la fugueuse incomprise qui se bat envers et contre tous pour ses convictions. En fait, d'autres personnes qui ont connu Madonna à cette époque se souviennent qu'elle a partagé une chambre à l'université de Columbia, avant de trouver un appartement à Hell's Kitchen, à l'ouest de Manhattan. Quelle que soit la réalité, une chose est claire : en quelques mois, le rêve de Madonna s'est évanoui. Elle n'est finalement qu'une déçue de plus. Son voyage à New York est une odyssée qui commence avec beaucoup d'espoir mais se termine dans la désillusion, l'horreur même.

Les premiers mois, son pari de quitter Ann Arbor semble pourtant se révéler payant. Après avoir rejoint la troupe de Pearl Lang, elle est retenue comme danseuse dans *I Never Saw Another Butterfly*, une pièce sur l'Holocauste. Lang trouve que Madonna, mince et brune, a le physique parfait pour jouer le rôle d'un enfant juif du ghetto. Malgré sa minceur, elle lui demande quand même de perdre encore cinq kilos : elle retrouve son célèbre régime à base de pop-corn, accompagnés de temps en temps d'une glace au caramel. Madonna est quelqu'un de différent aux yeux de son professeur. « J'aimais beaucoup son arrogance, son avidité et son cran. Rien ne la déboussolait. Quand elle décidait de faire quelque chose, rien ne pouvait se mettre sur son chemin. » La tenue dans laquelle elle arrive aux répétitions – le fameux justaucorps usé tenu par des épingles à nourrice – n'a pas fait changer l'opinion de Lang : « Quand elle commençait à travailler, elle était merveilleuse. » Pearl Lang, qui sait que Madonna cherche à travailler pour financer ses études, lui trouve même un poste à temps partiel au vestiaire du Russian Tea Room, près du Carnegie Hall. Payée 4,5 dollars de l'heure, elle conserve ce job quelques mois, avant d'être renvoyée par le patron, Gregory Camillucci. Ce sera pourtant l'une de ses plus longues expériences d'employée ! Elle avait été renvoyée de Dunkin'Donuts après le premier jour : elle aurait renversé de la confiture sur un client. Ses autres petits boulots chez Burger King et autres fast-food ont à peine duré plus longtemps. « C'est juste qu'elle ne pouvait pas les supporter ! », explique Mark Dolengowski, qui arrive à New York quelques mois après Madonna. Elle se retourne rapidement vers une activité qui avait été lucrative à Ann Arbor : poser nue. Le tarif en vigueur à l'Art Students' League est de 7 dollars.

Pendant l'hiver 1978, Madonna augmente ses sources de revenus en posant également nue pour deux photographes « d'art », Bill Stone et Martin S. Schreiber. Certaines de ces photos la poursuivront plusieurs années plus tard... Les deux photographes se souviennent d'une Madonna très professionnelle : à l'aise avec son corps, calme, presque taciturne. Pour elle, c'est un boulot comme un autre. Alors, quand Schreiber lui propose un rendez-vous, elle pense davantage au dîner gratuit qui se profile qu'au roman d'amour. En fait, elle est en train de s'habituer à vivre en parasite. Elle utilise son charme et sa débrouillardise pour parvenir à ses fins. Avec un petit sourire ironique, Linda Alaniz se souvient comment Madonna, à qui elle rendait visite à New York, l'avait convaincue de l'inviter dans un bon restaurant, alors que ni l'une ni l'autre n'avait d'argent. Linda, qui connaît le côté enjôleur et la frugalité de son amie, ne croit donc pas vraiment que Madonna ait fouillé les poubelles pour survivre à New York, comme elle l'a raconté – une histoire reprise plusieurs fois dans des livres et des articles.

A son grand regret, Linda Alaniz fut tout aussi incrédule quand Madonna lui avoua, à l'automne 1978, avoir subi une agression sexuelle sous la menace d'un couteau, sur le toit d'un immeuble. Malheureusement, cette fois, l'histoire est vraie. Linda s'en rendra compte plus tard, car psychologiquement Madonna n'en sortira pas indemne. A l'époque, elle cherche encore ses marques dans la ville. L'incident intervient de manière inattendue, alors que Madonna est devant un immeuble délabré. Selon sa propre version des faits, un homme noir bien bâti s'est approché d'elle. Elle ne se méfie pas et remarque trop tard qu'il a un couteau, qu'il lui met sous la gorge en la forçant à entrer dans l'immeuble. Puis, le couteau dans le dos, ils montent les escaliers jusqu'au toit. Effrayée, elle imagine qu'elle va mourir. Ses pensées se bousculent : va-t-il lui trancher la gorge ? La mutiler ? La jeter du toit ? Son agresseur, muet, ne lui donne aucun indice sur ses intentions. Elle se dit qu'elle fera tout ce qu'il veut pour rester en vie. Arrivé sur le toit de l'immeuble, l'homme oblige Madonna à lui faire une fellation. Presque paralysée par la peur, elle obéit, ne sachant pas si elle va vivre ou mourir. Toujours sans un mot, l'homme s'en va ensuite comme il était arrivé, la laissant en état de choc. Elle reste là assise un long moment, en pleurs, à la fois soulagée et horriblement humiliée, trop effrayée pour bouger. Quand elle trouve finalement le courage de redescendre, l'épisode lui paraît presque surréaliste. Anéantie, elle rentre chez elle.

Pendant longtemps elle essaiera de refouler l'incident. Quand elle en parle à quelques amis, comme à Linda Alaniz, on pense qu'elle raconte l'une de ses anecdotes délirantes : c'est sa manière de gérer le traumatisme. Plus tard, elle se confiera à un psychologue, avant d'en parler publiquement. « J'ai été violée, et c'est une expérience que je n'embellirai jamais », a-t-elle dit dans une interview, ajoutant que ce traumatisme l'avait rendue plus forte… et dégoûtée à jamais des fellations ! Des années après, pendant le tournage de *Snake Eyes* au début des années 90, elle évoquera cette épreuve devant les caméras, presque exactement de la manière dont les faits se sont déroulés, en ajoutant toutefois que l'homme avait fondu en larmes après son agression. Selon Abel Ferrara, le réalisateur, personne ne l'a crue. Comme de nombreuses victimes d'agressions sexuelles, elle se sent à la fois souillée et honteuse. Cela a certainement accru son sentiment de solitude. Elle confie sa douleur à un journal intime dans lequel elle écrit chaque jour, sans exception. Cette vieille habitude lui donnera le matériau de nombreuses paroles de chansons. Du moins, les jours où elle s'apitoie sur son sort. Car, fidèle à elle-même, elle ne s'autorise pas ce droit tous les jours. Madonna est une battante qui se relève avec toujours plus de détermination. Grâce à sa force de caractère, elle repousse cette expérience dans un coin de son esprit et essaye de faire en sorte que la vie continue. Dans son cercle d'amis, elle continue d'être celle qui raconte des histoires scabreuses, une « m'as-tu-vu ».

« Vas-y, Madonna, vas-y ! » Tels sont les premiers mots qu'entend Norris Burroughs quand il débarque à la soirée que donne Pearl Lang dans son appartement de Central Park, peu avant Noël 1978. Elle est là, avec ses collants léopard, à tourbillonner au milieu du cercle de danseurs. « C'était comme un rituel », se souvient-il, « comme si elle dansait au milieu d'un anneau de feu. » Il se joint immédiatement au groupe mais se rend vite compte qu'il ne peut rivaliser avec les futurs danseurs professionnels qui l'entourent. Il arrive malgré tout à faire quelque impression sur Madonna. Le jour suivant, son ami Michael Kessler, qui lui a présenté Madonna, l'appelle pour l'inviter à les rejoindre. Alors qu'il dit à Norris que Madonna est en sa compagnie, elle se saisit du téléphone et lui crie : « Amène ton superbe corps de Marlon Brando ! » Ils commencent à se voir et, bientôt, elle passe deux à trois nuits par semaine dans son appartement. Leur idylle ne dure que quelques mois, mais Norris, artiste et fils de l'acteur radiophonique Eric Burroughs, a le temps de percevoir toute l'énergie qui propulse Madonna. « Il suffisait de la regarder pour comprendre que c'était une vraie force de la nature. Quand vous vivez avec une telle personne, vous êtes privilégié et vous suivez le mouvement. » Madonna continue bille en tête sa vie de bohème. Elle dévore Hemingway, se délecte des toiles Picasso et savoure Browning. De la nourriture pour l'esprit, pas pour le corps. Le maquillage, les coiffeurs et les douches chaudes, ce n'est pas son affaire. Elle porte les fripes de Norris, un vieux jean renforcé par des épingles et un sweat mangé par les mites. Elle ne s'encombre de rien et ne se laisse pas impressionner par les prétentieux ou ceux qui font attention à eux – c'est l'anti-*material girl*.

« Madonna m'a frappé, c'était un esprit libre qui ne supportait aucune contrainte. Je n'ai jamais essayé d'attacher une chaîne à son cou, c'est en partie pour ça que notre relation a duré aussi longtemps. Tous les souvenirs physiques ou sexuels que j'ai d'elle sont romantiques. Elle était tendre et sensuelle », se souvient Norris Burroughs. Il comprend vite, pendant leurs longues errances culturelles à travers Manhattan, qu'elle a un but : être première danseuse chez Alvin Ailey ou Pearl Lang. Touché par cette ambition et par la détermination qui la sous-tend, l'un de ses premiers cadeaux sera une biographie de Noureïev. « Je sentais qu'elle allait faire son chemin, mais je ne savais pas comment », se souvient Norris. Curieusement, étant donné la carrière qui allait être la sienne, elle ne parle jamais d'être chanteuse – même si elle aime, pendant leurs déambulations ou dans son appartement, entonner « Hot Stuff » de Donna Summer, « Those Boots Are Made for Walking » de Nancy Sinatra et des chansons de Blondie et de Chrissie Hynde. La danse est son art et son ambition.

Pourtant, quelques mois à peine après avoir exprimé son désir de devenir première danseuse, Madonna abandonne la danse. Il y a plusieurs raisons à cela ; mais, comme souvent dans l'histoire de Madonna, il n'est pas facile de distinguer les faits de la légende. En tout cas, quelque chose ne va pas. La jeune danseuse commence à se plaindre du style un peu démodé de Pearl Lang, du fait que celle-ci mène la vie trop dure à ses danseurs et de l'absence d'occasions. Madonna réalise aussi que bien des danseurs sont aussi doués qu'elle, sinon plus. La raison sous-jacente est claire : elle rêve d'applaudissements, d'adulation et son individualisme irrite les autres membres de la troupe. C'est seulement à ce moment-là qu'elle se rend compte qu'il va lui falloir encore trois à cinq nouvelles années de travail acharné avant d'intégrer une troupe de premier plan. Et dans ce cas, elle sera confrontée à des dizaines de danseurs aussi brillants et motivés qu'elle. La perspective d'une place sur scène, sans parler d'une place de première danseuse, semble encore plus éloignée qu'à Ann Arbor. Là-bas, au moins, elle participait à deux représentations par an.

Elle exprime sa frustration en entrant en conflit avec Pearl Lang, allant jusqu'à se taper la tête contre les murs de colère un jour où elle n'arrivait pas à exécuter un mouvement. Leurs chemins se séparent ; l'individualisme de Madonna semble incompatible avec les exigences de vie en commun d'une troupe de danse. Pearl Lang se souvient de son départ : « Un jour elle a dit : "Vous savez que ce mouvement est difficile" et je lui ai répondu : "Je sais que c'est difficile", mais elle a continué : "J'ai mal au dos." "Tout le monde a mal au dos. Ce sont les risques du métier", lui ai-je rétorqué. "Je crois que je vais être une star du rock", a-t-elle alors répliqué. Elle est partie et je ne l'ai jamais revue. » A ce moment de sa vie, Madonna n'a jamais chanté une chanson ou joué un accord en public, sinon à l'école.

Des mois après son départ, sa peine est presque tangible. Elle continue à beaucoup sortir dans les clubs et ce n'est pas un hasard si elle déteste plus que tout qu'on lui demande innocemment si elle est danseuse professionnelle. Alors, la réponse fuse, glacée : non. Mais, tout de suite après, elle est à nouveau absorbée par la musique et s'éclate sur le tube de Gloria Gaynor, qui deviendra son hymne personnel : « I Will Survive. »

5

Premières chansons

Peu d'archéologues seraient sans doute enthousiastes à l'idée d'exhumer les premiers enregistrements oubliés d'une star de la pop. Pourtant, le lieu recèle de trésors dignes de la Vallée des Rois. Certes, les fouilles n'ont pas lieu dans les tombes royales de l'Ancienne Égypte mais dans le sous-sol d'une ancienne synagogue du Queens, à New York. Le guide, Ed Gilroy, porte une casquette de base-ball et non le traditionnel panama des archéologues. Néanmoins le frisson de la découverte est bien là... Il y a même un perroquet – appelons-le « Birdie » – qui braille en toile de fond alors que Gilroy se fraye un chemin dans l'obscurité. Il balade sa lampe autour de lui et éclaire soudain un insignifiant sac en plastique, perdu entre plusieurs toiles de son frère Dan posées contre un mur : des paysages, des études florales et des silhouettes dans une clairière ; l'une d'elles représente la jeune Madonna courant dans les herbes folles. Ed Gilroy fouille dans le sac et, avec un sourire de satisfaction, en retire une bande ; en son centre est collé un label quasiment indéchiffrable. En regardant d'un peu plus près le hiéroglyphe griffonné en noir, on peut lire ces mots étranges : « Bkfst Club Set – Work Percuss 2 End. »

Il place délicatement la relique sur un magnétophone trentenaire, poussiéreux, et la cale à la lumière de sa lampe. Content de lui, il presse le bouton « Play » et, de manière presque incroyable, l'ancienne bande se met à tourner. Instantanément, nous faisons un voyage dans le temps pour nous retrouver à l'été 1979, aux beaux jours de la musique punk et New Wave. Une batterie et deux guitares martèlent un rythme de rock un peu confus, mais entraînant. On ne peut se tromper en entendant la voix qui s'époumone : jeune, énergique et plutôt nasale. C'est bien Madonna, qui interprète alors la première chanson qu'elle ait écrite. Celle-ci dure à peu près trois minutes ; les paroles racontent qu'elle est née pour danser et qu'elle aime bouger son corps au rythme de la musique. Sa voix devient légèrement enrouée quand elle tente d'accrocher les notes les plus hautes, surtout quand elle hurle dans le dernier refrain. Ce manque de maîtrise donne à la chanson une espèce de fièvre supplémentaire. Ed, qui l'accompagnait à la guitare sur ce morceau, commente : « Sa voix est tellement naturelle, absolument pas inhibée. Aujourd'hui, les studios gommeraient les moments où l'on sent qu'elle fait des efforts, mais c'est dommage. C'est presque comme une fenêtre sur son âme. »

Ed est assis sur une vieille chaise à roulettes en cerisier, que Madonna utilisa quand elle vint auditionner devant lui, dans le but d'inscrire cette chanson au répertoire de leur groupe, The Breakfast Club. Derrière lui se trouve la guitare acoustique Carlo Robelli sur laquelle elle a plaqué ses premiers accords et trouvé la mélodie de cette première chanson. Pour la chanteuse en herbe, le « oui » de Ed Gilroy a une signification énorme. Voilà des mois que Madonna galère et cherche à donner une nouvelle direction à sa vie. C'est dans le décor improbable d'une ancienne synagogue qu'elle trouvera pendant quelque temps une maison et un refuge, l'occasion de s'exprimer et de se reconstruire après l'abandon de sa carrière de danseuse et les frustrations de l'année passée.

Une rencontre fortuite avec son ancien petit ami Norris Burroughs, en avril 1979, va changer sa destinée. Après leur séparation, Norris et Madonna sont restés amis ; ils échangent donc quelques nouvelles et Norris l'invite à une

---

1. Le 1er mai.

soirée chez un ami, pour fêter May Day[1]. Il connaît son envie de se faire un nom et lui promet qu'il y aura beaucoup de gens très tendance. Elle arrive à la soirée, les cheveux relevés, vêtue de deux tee-shirts et d'un tutu. « Très New York », commente Curtis Zale, un artiste qui, ce soir-là, a passé un peu de temps à parler avec son ami Dan Gilroy. « Elle était marrante, sainte-nitouche et tapageuse, comme on l'est à vingt ans. Elle ne m'intéressait pas mais Dan, oui ! » Madonna et Dan Gilroy se revoient quelques jours plus tard et prennent le bus jusqu'aux Cloisters, une annexe du Metropolitan Museum of Art construite sur le modèle de cloîtres français du Moyen Age, à Fort Tryon Park, au-dessus de l'Hudson River. Ils passent la journée ensemble. Madonna s'amuse à poser pour l'objectif : derrière une file de religieuses, devant une fontaine, à genoux devant une croix, comme si elle priait… Au cours de leurs déambulations, Gilroy apprend qu'elle est sur le point de commencer une carrière en France. En fait, pour Madonna, toujours très professionnelle, une des raisons de cette visite aux Cloisters consiste à s'imprégner de culture française. Quelques semaines plus tôt, Madonna a auditionné devant deux producteurs de télévision belges, Jean van Lieu et Jean-Claude Pellerin, les managers de Patrick Hernandez. Son *single*, « Born to Be Alive », a rapporté 25 millions de dollars et fait de lui une star internationale. Ses managers recherchent des danseurs. Et, comme la voix de Hernandez n'est pas très puissante, il est question de lui en adjoindre deux ou trois qui interviendraient en soutien vocal pendant ses concerts et travailleraient sur son deuxième *single*, « Disco Queen ». Madonna a été retenue parmi mille cinq cents postulants. Elle a insisté sur le fait qu'elle voulait seulement danser, et a même refusé au départ de chanter. Finalement, elle a interprété à contrecœur « Happy Birthday ».

A Paris, van Lieu et Pellerin ont l'intention de monter un show du style « cabaret de Las Vegas » autour de Patrick Hernandez : jongleurs, cracheurs de feu et comédiens, dont un godemiché parlant et un danseur noir vêtu d'une simple lanière, traîné au bout d'une chaîne tout autour de la scène. Dan Gilroy et Curtis Zale suggèrent un nom de scène pour Madonna, « Mademoiselle Bijoux[1] », un surnom qu'elle utilise aussitôt pour signer ses cartes postales et ses lettres. Bien loin de l'univers de Pearl Lang, *The Patrick Hernandez Revue* n'est pas vraiment du grand art. Le concept est largement inspiré de *Voidelle*, un spectacle underground new-yorkais auquel ont participé Dan et Ed Gilroy (ils y ont joué un numéro de comédie musicale, « Bill et Gill »). Les frères Gilroy ont pensé un moment auditionner pour le spectacle d'Hernandez, mais rien ne se concrétisera pour eux. Madonna, en revanche, intègre la troupe de Patrick Hernandez et, fin mai 1979, quitte l'appartement qu'elle partage avec l'écrivain et danseuse Susan Cohen dans Greenwich Village, à Bleecker Street. Elle s'installe au Gramercy Park Hotel en attendant de s'envoler pour Paris. La générosité de ses patrons belges a beau être légendaire dans le milieu underground new-yorkais, Madonna est toujours à court d'argent. Avant de partir, elle emprunte, en juin, 15 dollars à Dan Gilroy, qui imagine ne pas la revoir avant longtemps. « Je pensais qu'elle ne reviendrait à New York que couverte de gloire », se souvient-il. En fait, les choses ne se passent pas vraiment comme elle l'a prévu, ou espéré. Elle se rend rapidement compte que tout le monde n'a pas son professionnalisme ni sa discipline. Elle veut aller de l'avant, mais ses patrons, eux, se sont mis en mode « pause ». Elle passe des heures à répéter ses mouvements de danse pour être fin prête. Ses sympathiques hôtes consacrent quant à eux beaucoup de temps en déjeuners fastueux et en mondanités avec le Tout-Paris, et entraînent leur jeune amie new-yorkaise dans les boîtes de nuit branchées, chez Régine et au VIP. Ce décalage de rythmes lui fait l'effet d'un choc culturel. « Elle a appelé plusieurs fois, se souvient Dan, et se plaignait que tout ce qu'ils faisaient, c'était s'asseoir et manger ! Elle

---

1. En français dans le texte.

n'arrêtait pas de penser "Allez, on y va, on avance !", et rien ne se passait. » Le fait de vivre dans l'appartement parisien de Jean-Claude Pellerin et de sa femme Danièle, d'avoir une nouvelle garde-robe, de boire et manger sans débourser un centime, ne la fait pas changer d'avis. Elle veut voir son nom en haut de l'affiche, être considérée comme une artiste et non comme une poupée.

Même quand la troupe d'Hernandez commence les répétitions, Madonna se sent déconnectée. Elle est devenue un mignon petit pantin qui attend qu'on lui indique ses mouvements et ses répliques. Et puis ses producteurs se rendent compte qu'elle ne sera pas la nouvelle Édith Piaf. Ce n'est d'ailleurs pas ce qu'elle souhaite ! Madonna s'estime toujours danseuse, pas chanteuse. Pourtant, quand elle constate l'adulation dont jouit Patrick Hernandez, sa résolution tend à décliner. Le chanteur dit aujourd'hui que c'est en raison de son succès que Madonna a eu envie de devenir chanteuse. Quoi qu'il en soit, les semaines passent et il devient évident pour Madonna que tout cela est trop banal et « bidon » pour elle. Un autre élément entre en jeu. Les deux producteurs découvrent, comme bien d'autres avant et après eux, un trait de caractère essentiel de Madonna : son rapport au temps très particulier. Pour elle, de manière quasi obsessionnelle, chaque moment est précieux, chaque heure doit être mise à profit. C'est comme si, tout au long de sa vie, elle était poursuivie par le temps. Que ceci soit dû à son père, pour qui chaque minute doit être utile, ou à la mort prématurée de sa mère, Madonna a une espèce d'impatience frénétique, de refus total de la perte de temps. C'est un thème que l'on retrouve sans cesse tout au long de sa carrière, et qui explique en grande partie pourquoi elle a abandonné la danse.

Quand il devient clair, au bout de quelques semaines seulement, que la production de van Lieu et Pellerin ne va pas assez vite pour elle, Madonna décide de s'en aller. Avant de s'envoler pour New York en juillet, elle dit à Hernandez : « Le succès est de ton côté aujourd'hui, mais demain, il sera du mien. » Elle a plein de choses à raconter quand elle rentre à New York : son idylle avec Patrick Hernandez ; ses tours de moto sur les grands boulevards avec des punks vietnamiens ; un combat au couteau entre deux de ses prétendants ; son voyage en Tunisie avec Patrick Hernandez pour une séance de photos ; un simple rhume qui s'est mué en terrible pneumonie... Selon d'autres sources, elle aurait eu une galerie d'amants pendant son court séjour en France. A l'approche de son vingt et unième anniversaire, la vérité est qu'elle est une marginale sans le sou qui semble n'aller nulle part... Ses anecdotes farfelues ont beau être nombreuses et amusantes, elles ne parviennent pas à masquer le fait qu'elle a quitté l'université sans diplôme, qu'elle s'est fâchée avec Pearl Lang, qu'elle a abandonné sa carrière initiale et s'est enfuie de Paris... Les faits bruts ne disent pourtant pas tout. Madonna est à la recherche d'une identité artistique. Dans le même temps, comme le traduit sa pique lancée à Patrick Hernandez, elle a l'intuition de son destin. Ainsi, malgré le fiasco parisien, son ambition et sa créativité ne tardent pas à refaire surface, une fois de plus.

Pendant un moment, elle habite à Manhattan avec une étudiante en philosophie, mais commence à voir Dan Gilroy plus régulièrement. Bientôt, elle s'installe dans l'ancienne synagogue qu'il partage avec Ed, son jeune frère. « C'était confortable pour elle, explique Dan. Elle n'avait pas de boulot et traînait sans savoir où aller. Ici, elle avait assez de place pour danser. Il y avait une machine à laver, un sèche-linge, et on était dans le quartier italien. Que pouvait-elle vouloir de plus ? », ajoute-t-il avec un sourire. Si Madonna a tant apprécié ce qu'elle a décrit comme étant les meilleurs moments de sa vie, la personnalité des frères Gilroy, créatifs, amusants et généreux, n'y est pas pour rien. Nés à New York, fils d'un ancien pilote de l'air militaire et civil, Dan et Ed découvrent très tôt la musique. Leur premier duo, joué sur les casseroles de leur mère, est une chansonnette qui ne manque pas d'inspiration :

Biccy, biccy, biccy, bongo,
That means I love you in the Congo.

Au fil des années, ils forment plusieurs groupes avec des amis : Gary Burke, Mike Monahan et d'autres, dont l'ancien petit ami de Madonna, Norris Burroughs. Quand Madonna arrive, les frères jouent « Bill et Gill » un peu partout, dans les boîtes de *downtown*, devant les scouts et même à l'hôpital psychiatrique de Bellevue. Quand ils ne font pas de musique, Dan, qui a enseigné la peinture, la sculpture et la photographie, travaille comme associé chez Gossamer Wing, un magasin de tissu à la mode à Manhattan ; Ed, lui, vient en aide aux familles dont un membre malade est en phase terminale. L'année que Madonna va passer chez les frères Gilroy marquera un tournant de sa vie, personnelle et artistique. Elle est arrivée chez eux avec des envies mais pas de direction, avec de l'ambition mais peu de talents, sinon celui de danseuse. Elle en repartira prête à conquérir le monde. Comme Christopher Flynn, Dan Gilroy, qui a douze ans de plus que Madonna, devient sa muse et son mentor. De même que Flynn avait repoussé ses limites de danseuse, Dan lui ouvre les yeux sur la musique.

Un jour, il prend sa guitare acoustique Carlo Robelli et lui montre comment faire le plus simple des accords, un mi majeur. Presque immédiatement, elle se rend compte qu'elle est capable de gratter une guitare et de chanter sur la musique qui en sort. « Ça a été une révélation pour elle, se souvient Dan. Elle avait toujours été impressionnée par les gens qui écrivaient des chansons, et là elle a réalisé que ce n'était pas si difficile ! Je me souviens de la nuit où elle a fait une première petite chose sur la guitare ; à partir de là, elle a écrit des tas de chansons. » Comme elle est une danseuse aguerrie et qu'elle a un très bon sens du rythme, Dan pense pourtant qu'il serait mieux pour elle de commencer sa carrière musicale en jouant de la batterie. Il lui montre les techniques de base, puis elle s'entraîne seule, pendant des heures, dans le sous-sol où Dan et elle dorment. Comme Ed

91

le remarque, « Dan est comme une muse, il fait ressortir ce qu'il y a en vous. C'est un type très créatif et enrichissant. Quand il lui a montré la batterie, elle rayonnait. Elle se disait : "Ce n'est pas possible que tout ce son vienne de moi !" Ensuite, quelqu'un se met à jouer de la guitare et tout d'un coup, ouah, vous faites de la musique et des chansons ! Vous venez de créer un groupe !! »

La transition entre la danse et la musique ne se fait pas du jour au lendemain. Madonna continue de prendre des cours de danse à Manhattan, Dan et elle courent près de cinq kilomètres chaque matin, autour du parc de Flushing Meadows, et elle enchaîne par des exercices d'étirements et de danse. Pourtant, quelque chose est en train de changer. Avec Dan, elle commence à apercevoir un autre monde, un moyen peut-être plus facile d'obtenir la reconnaissance et l'adulation dont elle a besoin, un travail moins harassant que la danse. Un jour, ils vont écouter Get Wet, un groupe mené par un jeune homme appelé Zecca, avec une chanteuse au nom improbable : Cherie Beachfront, une sorte de précurseur de Cyndi Lauper. L'air sévère, les bras croisés, Madonna regarde la chanteuse se pavaner sur scène, en bustier et crinoline... La voix de Cherie est médiocre, ses pas de danse très sommaires et le groupe à peine synchrone. Pourtant, on parle d'eux dans le milieu, ils sont censés percer bientôt. Tout le monde imagine ce que pense Madonna en les regardant : « Ça, je peux le faire. » Quelques mois plus tard, Zecca déambule dans East Village quand Madonna le tire de sa rêverie matinale. En agitant le doigt devant son visage, elle lui crie : « Je vais devenir quelqu'un et toi tu ne seras personne ! » Puis elle s'en va brutalement, laissant Zecca sidéré. Sa prédiction se réalisera : le seul album du groupe a été un bide, Cherie Beachfront a arrêté de faire des vagues, commencé une thérapie et s'est mariée avec son psy. La dernière fois qu'on l'a entendue chanter, c'était dans un concert à Boston.

Derrière le changement d'orientation de Madonna, il y a également l'influence d'Angie Smit, une belle Néerlandaise qu'elle a rencontrée à son cours de danse, à Manhattan. Madonna découvre rapidement qu'elle joue de la guitare basse et la présente à Dan et Ed. Le quartet se forme. La présence d'Angie, qui a relativement peu d'expérience, met Madonna plus en confiance pour jouer devant les deux musiciens émérites. The Breakfast Club naît ainsi à la fin de l'été 1979. Le nom du groupe vient du fait qu'ils répètent souvent toute la nuit et sortent au matin prendre un petit déjeuner chez Army's, un restaurant italien du quartier. La naissance du groupe, le tempérament généreux de Dan et l'atmosphère sereine et libre de l'ancienne synagogue constituent un terrain fertile pour la créativité de Madonna, qui s'épanouit sous ces influences bienfaisantes. Cela lui donne aussi la force de remonter en elle, d'explorer et de baliser un territoire pénible sur le plan émotionnel. Ses premières chansons en gardent la trace. Extérieurement, Madonna est effrontée et grande gueule. Jamais à court de vannes et de blagues scabreuses, c'est un peu le troisième garçon du groupe. Parmi ses expressions favorites de l'époque : « You wish » et « Special titty ». Un jour, Dan, Madonna, Ed et sa petite amie Sudha – qui est aujourd'hui sa femme – partent ensemble à leur rendez-vous. Pendant le trajet, Ed fouille dans la boîte à gants de la voiture. « Qu'est-ce que tu cherches, des capotes? », lance Madonna. Son intervention jette un froid : les Gilroy savent bien que Sudha, qui vient d'une autre culture, n'a pas l'habitude de ce genre de familiarités chez une femme… Selon Dan Gilroy, à l'époque, Madonna « jouait les dures, les insolentes, elle n'étais pas très délicate. Mais elle avait un autre visage, très fragile, qu'elle gardait bien caché ». Il se rappelle s'être réveillé une nuit en l'entendant sangloter à côté de lui. « Elle a commencé à pleurer, des pleurs convulsifs, si profonds que je ne pouvais même pas demander : "Qu'est-ce que tu as?" C'est tout son corps qui pleurait, et ça a duré au moins deux minutes. On ne disait rien, il n'y avait rien à dire. Enfin, c'était plus grave que "j'ai perdu mon portefeuille". C'était, en quelque sorte, fondamental. »

Les larmes ne sont pas faites pour les tempéraments forts comme celui de Madonna ; elle prend soin de les verser en privé. « Quand tu pleures, est-ce que tu goûtes tes larmes ? », a-t-elle demandé une fois à Dan. « Je ne veux pas pleurer quand tout le monde me regarde. Je peux pleurer seulement quand je suis seule, parce que mon visage est horrible quand je pleure. Il devient tout fripé, comme celui d'un nouveau-né. » Le manque qu'elle éprouve, son sens mélodramatique de la solitude et de l'angoisse existentielle... tout cela alimente une insécurité fondamentale et nourrit en même temps sa fibre créative. Les paroles qu'elle écrites à l'époque, sans complaisance, révèlent un être bien plus vulnérable et indéterminée que le personnage de jeune femme exubérante qu'elle veut bien afficher. « Quand on chante une chanson, on devient très fragile. C'est presque comme pleurer en public », dit-elle.

Le processus de révélation à soi-même a commencé dès qu'elle a su taper en rythme sur une batterie. Dan lui donne des cours d'écriture. Comme point de départ d'une chanson (qui deviendra un standard de leur répertoire), il se sert des sentiments qu'elle a exprimés dans une lettre qu'elle lui a écrite de Paris. Comme le fut son interprétation de *Godspell*, des années auparavant, le fait d'écrire des chansons est une merveilleuse découverte pour Madonna. Elle se rend compte que les événements de tous les jours, ce qu'elle pense et ressent, les souvenirs qu'elle note religieusement dans son carnet tous les soirs, peuvent constituer un matériau pour ses chansons. Elle en compose alors de nombreuses. « Je ne sais pas d'où elles venaient, c'était presque de la magie ! », observera-t-elle plus tard. « J'écrivais une chanson tous les jours. Je me disais : "Ouah ! Je dois être faite pour ça !" Je jouais tous les trucs qui me venaient. »

Peu de temps après son premier morceau, elle écrit un rock rageur sur son sentiment d'éloignement du monde. Ensuite, une chanson au rythme enlevé sur les thèmes éternels de l'amour qui tourne mal et de la douleur de la séparation. Elle en coécrit une autre avec Dan, à propos d'une histoire d'amour brisée. Cette fois, elle met en scène une femme forte qui essaye de convaincre son ancien amant de se ressaisir, lui dit qu'elle reste son amie et que la douleur de la rupture sera moins grande s'il s'ouvre à cette amitié. La chanson, qui compte trois couplets, est la première qu'elle ait écrite en écoutant d'abord la musique, déjà enregistrée. D'habitude, elle invente des paroles tout en grattant sa guitare. C'est aussi la première fois qu'elle enregistre en écoutant l'accompagnement au casque. Après avoir réécouté la chanson, elle dit à Ed : « Ça sonnait bien, non ? La voix semble mieux que dans la réalité. » Avec un auteur en proie à une angoisse existentielle, il n'est pas étonnant de trouver plusieurs chansons tristes, des ballades un peu lentes qui parlent de solitude. Dans l'une d'elles, Madonna parle – plus qu'elle ne chante – d'une séparation déchirante ; la référence à sa mère apparaît au dernier couplet. Sur un fond d'orgue plaintif, Madonna repense aux endroits où vivait sa mère, se rappelle sa beauté et la douleur du deuil. Dans une autre complainte, son sentiment de petitesse transparaît : elle ne se sent pas à sa place, inachevée, toujours errante et seule. Ce ton mélancolique continue tout au long des couplets. Madonna se compare à un grain de poussière dans le vent, à une trace de doigt sur une vitre. Le refrain n'est pas moins triste, qui répète que même ses larmes l'ont quittée et qu'elle ressent le besoin d'être arrachée à cette morosité. Ed Gilroy se souvient de ces premières chansons : « Elles parlent de la perte, d'une piètre estime de soi, de choses qui étaient en elle depuis si longtemps. Ici, elle avait une stabilité et se sentait en sécurité. C'était un environnement idéal pour entrer en elle et essayer de s'exprimer. Aujourd'hui, quand vous la voyez, elle est très retenue. A l'époque, pas du tout. Tout ressortait. »

Bien que ces paroles sombres révèlent une facette bien réelle de sa personnalité, Madonna la dissimule bien. Ses chansons sont une sorte de catharsis qui lui permet de regarder son passé en face avant de passer à quelque chose de plus dynamique. En public, elle est positive et sociable, facilement généreuse même si ce trait de caractère a souvent été occulté par les biographes et les critiques, plus enclins à estimer qu'elle s'est servie de tout le monde – et en particulier des protagonistes de cette époque new-yorkaise – pour se hisser vers la gloire. Dan Gilroy dément d'ailleurs cette image d'une Madonna égoïste et insensible, manipulatrice : « J'aime les gens passionnés. Elle était totalement impliquée dans tout ce qu'elle faisait : le yoga, le footing, la musique, la danse. Elle s'installait à la batterie et répétait comme une folle. » Quand Madonna et Ed font leur premier duo, sur « Cold Wind », une chanson d'Ed, elle met autant d'enthousiasme à l'encourager que Ed et Dan à la soutenir. Ed partage le point de vue de Dan, et souligne : « J'aimais sa générosité et la manière dont elle s'investissait ici. Elle était très coopérative et a beaucoup travaillé sur ma chanson. Elle m'a donné tout son temps et n'a pas ménagé ses efforts. »

Après des semaines de répétitions, Dan décide qu'il est temps que son amie goûte à une prestation *live* – dans la rue. Ils s'habillent tous les deux en blanc – pour un meilleur impact visuel ! – et fouillent la maison pour trouver de quoi se payer le métro jusqu'à Manhattan. Un ampli portable de marque Pig Nose autour du cou de Dan, une guitare électrique entre les mains de Madonna, et ils s'installent devant l'immeuble du Gulf and Western, où quelques personnes prennent leur pause déjeuner. Évidemment, l'attention de la police ne tarde pas à être attirée… Ils se font expulser et continuent de jouer en s'éloignant, comme des troubadours ! Le concert suivant est un peu moins loufoque, mais ce n'est pas encore la révélation… Leur groupe, The Breakfast Club, est invité à se produire sur une chaîne câblée à la mode, Unique New York. Eux-mêmes ne seront pas filmés, toutefois c'est l'occasion de jouer devant un public et une bonne manière de diffuser plus largement leur musique. Dan et Madonna vont faire des courses avant de se rendre dans les studios de Manhattan, où Madonna arrive avec un énorme poireau sous le bras. Pendant que Dan, Ed et Angie jouent de la guitare, elle les accompagne en faisant des percussions avec son poireau ou s'improvise un tambourin en secouant un vieux grille-pain.

Pour Madonna et pour le groupe, la chance commence à tourner. Certes, le mouvement n'est pas vraiment perceptible : ils s'attaquent aux petits clubs, parcours obligé des groupes qui essayent de se faire un nom... Le tout premier concert en public de Madonna a lieu au UK Club. Cet endroit, qui n'existe plus depuis longtemps, est aussi connu pour l'alcool qu'on y consomme que pour sa collection de souvenirs britanniques. Ils répètent jour et nuit, jusqu'à ce que les neuf chansons de leur concert soient parfaitement réglées. A l'époque, le groupe se compose de Madonna à la batterie, Angie à la basse, le chant et les guitares étant assurés par Ed et Dan. Quand elle ne fait pas de musique, Madonna passe des heures au téléphone pour essayer de décrocher des auditions ou des contrats pour The Breakfast Club. Lors du concert au UK Club, elle invite des agents, des producteurs et d'autres personnes du milieu de la musique – aucun ne viendra –, ainsi que des amis, pour garnir la salle. « Pour nous, c'était un peu le bal des débutants », se souvient Ed. Madonna porte une robe de cocktail évasée qu'elle a achetée d'occasion. Mais, après le concert, tout le monde n'a d'yeux que pour Angie, sa beauté sensuelle, ses cheveux noirs et... son petit haut transparent, sans soutien-gorge. Pendant presque tout le concert, Madonna est à la batterie. Elle ne chante que sur un morceau, qu'elle a écrit avec l'aide de Dan. Avec Mark Dolengowski, Curtis Zale et beaucoup d'autres amis dans la foule, le groupe est assuré d'avoir un bon accueil. A la fin du concert, les deux filles restent sur scène et se délectent des applaudissements. Pendant ce temps, Dan et Ed, habitués à ce genre de situations, les attendent en coulisses d'où le groupe est censé revenir pour les rappels. Mais Madonna et Angie restent si longtemps sur scène qu'au moment où elles rentrent dans les coulisses tout le monde est déjà rivé au bar ! Quand le groupe range son matériel dans la camionnette qu'ils ont louée, les deux filles sont manifestement aux anges. Ce concert ne leur suffit pas : elles en veulent plus.

L'un des concerts suivants a lieu au Country Bluegrass Blues, ou CBGB's, un club légendaire (bien qu'un peu délabré) du Lower East Side, qui est devenu un monument de la scène underground new-yorkaise en accueillant des groupes comme Talking Heads, Blondie ou The Ramones. C'est un bouge un peu rudimentaire, avec sur les murs des centaines de posters des groupes qui sont passés là. Pourtant, l'endroit est fréquenté par des découvreurs de talents, et les frères Gilroy le savent. Quand ils commencent à jouer, Dan remarque que « Bleecker » Bob, qui possède un grand magasin de disques et connaît beaucoup de monde dans le milieu de la musique, est dans le public. A un moment, Madonna abandonne la batterie et s'empare du micro pour chanter quelques ballades sirupeuses écrites par Dan. Le public lui réserve un accueil enthousiaste ! Un peu plus tard, elle profite d'une pause entre deux chansons pour lâcher un énorme rot, ce qui a le don d'énerver Bleecker Bob, qui la traitera par la suite d'« amateur ». Dan Gilroy, pour sa part, voit les choses d'un autre œil : « Ça montrait juste qu'elle voulait être vue, à tout prix. Elle a toujours adoré qu'on la remarque, mais là, c'était dans le contexte d'un groupe. »

Avec quelques concerts et une poignée de chansons à son actif, la confiance de Madonna grandit. Son impatience aussi. Elle consacre alors à sa carrière musicale naissante l'énergie et l'enthousiasme qu'elle a mis autrefois dans la danse. Tous les jours, elle prend son téléphone pour contacter des agents, des personnes bien placées dans le milieu de la musique afin d'organiser des concerts et de décrocher le saint Graal de tout musicien : un contrat avec une maison de disques. Quand elle ne plombe pas la note de téléphone de Dan, elle travaille à la batterie. A l'époque, Sudha, la petite amie d'Ed, s'est installée chez eux. Ils ont construit ce qu'ils appellent le « mur de Madonna » pour couvrir le son de la batterie, afin que Sudha puisse réviser à peu près en paix ses examens d'infirmière.

Madonna pense en permanence à la musique, même pendant ses journées de travail. Pendant un moment, elle fait de la peinture sur soie chez Gossamer Wing, le magasin de tissu auquel Dan est associé. A midi, alors que tout le monde en profite pour fumer une cigarette et manger un sandwich, Madonna s'éclipse dans une pièce vide et s'entraîne une heure à la guitare. Pendant les répétitions, son enthousiasme et sa volonté d'y arriver sont tout aussi visibles. « On prenait ça très, très au sérieux ! », se souvient Ed Gilroy. « Bien sûr, on rigolait, mais c'était très professionnel. » Le groupe ne cesse de progresser. Dans ce contexte, Madonna est d'autant plus déçue par « l'échec » du concert qu'ils donnent dans le bar de Phil Linz, un ancien joueur de baseball des New York Yankees. A la fin de leur prestation, désormais bien rodée, le public reste indifférent. Pas d'applaudissements, pas de cris… pas même de sifflets ! Juste le bourdonnement d'une foule plus occupée à regarder les matchs sur les écrans et à boire une bière avec leurs potes. Les frères Gilroy, qui ont joué dans plus d'un endroit excentrique, ne font aucun cas du silence poli du public. Mais, pour Madonna, ce manque de réaction touche une corde sensible. « Ça l'a BEAUCOUP marquée », explique Dan. « Ce concert a précipité la réorganisation du groupe. » En réalité, d'autres tensions, un peu plus graves, expliquent cette séparation. Madonna et Angie sont toujours amies, mais cette dernière doit faire des efforts pour suivre les autres membres du groupe. Davantage interprète que musicienne, elle n'est pas aussi motivée que Madonna et les Gilroy. Souvent, elle n'est pas au point quand arrivent les répétitions. Leurs chemins semblent devoir se séparer.

Extérieurement pourtant, tout paraît aller pour le mieux. En novembre 1979, Ed, Sudha, Dan, Madonna, Angie et Henry, son petit ami néerlandais, fêtent Thanksgiving ensemble dans un restaurant du World Trade Center. Quelques semaines plus tôt, en octobre, Angie a joué « l'esclave sexuelle » de Madonna dans un film à petit budget, *A Certain Sacrifice*, qui hantera Madonna quelques années plus tard. Juste après son emménagement chez Dan, en juillet 1979, Madonna repère une annonce du réalisateur Stephen Jon Lewicki dans le magazine *Back Stage*. Lewicki est à la recherche d'une « jeune femme brune, fougueuse et dominatrice, pleine d'énergie, qui sache danser et puisse travailler pour rien ». Elle lui envoie une lettre de deux pages pleine d'humour accompagnée de quelques photos, dont certaines prises par Dan Gilroy aux Cloisters. Impressionné par sa lettre, Lewicki lui fixe rendez-vous à Washington Square Park. Sa première impression sera confirmée et il décidera de l'engager pour jouer Bruna, une dominatrice vengeresse. Le film érotique, qui sera réalisé avec 20 000 dollars (on peut penser que c'est beaucoup en le voyant !), dure une heure et comporte de nombreuses scènes de nu et de violence, dont une, épouvantable, dans laquelle Bruna est violée dans les toilettes d'une gargote sordide de New York. Les dialogues regorgent de clichés, le jeu des acteurs est exagéré... Toutefois, c'est un cran au-dessus de son premier rôle, où elle se faisait « frire » un œuf sur le nombril pour un film de l'école... Il faut sans doute s'en réjouir, Lewicki finira par manquer d'argent et le tournage de *A Certain Sacrifice* sera interrompu.

Madonna retrouve un peu plus de temps pour la musique. Et donc, au moment où le groupe commence à trouver son rythme, Angie Smit, assaillie par des problèmes personnels, ne parvient plus à s'impliquer suffisamment. Il est clair qu'Angie doit partir. « C'était une décision difficile », reconnaît Dan. Mais, à ce moment, Gary « the Bear » Burke, un ancien pilier du groupe, revient d'Atlanta peu après le Nouvel An. Avec l'arrivée de Gary comme bassiste et d'un vieux copain des Gilroy, Mike Monahan, à la batterie, Madonna se retrouve « promue » sur le devant de la scène.

La dynamique du groupe est en train de changer. Quelques mois seulement auparavant, Madonna auditionnait devant Ed et Dan Gilroy. C'est désormais Ed qui soumet ses chansons à son frère et à Madonna. « Je jouais une chanson, ils se regardaient et disaient : "Naann !" C'était comme si j'étais jugé par le Politburo ! », se souvient-il. Le sujet à l'ordre du jour est vieux comme le monde : le pouvoir. Il ne s'agit plus maintenant de savoir où ils vont jouer, ni quelles chansons ils vont sélectionner, mais qui va être le leader et quel auteur va être retenu. Grâce à Gary et Mike, le son du groupe est mieux maîtrisé ; Dan, Ed et Madonna chantent chacun trois des neuf chansons qu'ils jouent sur scène. Mais, même ainsi, Madonna fait le forcing pour qu'on utilise davantage ses propres créations. Les discussions se prolongent bien après la fin des répétitions. Pendant leurs footings matinaux, Dan et elle parlent souvent d'améliorer la configuration de leur spectacle. D'autres changements sont visibles. Madonna est désormais la seule fille du groupe. Ravie de jouer au garçon manqué, ça ne l'embête pas pour autant d'utiliser sa féminité pour jouer de son influence. Une fois, elle renverse intentionnellement de l'eau sur son chemisier, qui devient alors à moitié transparent. Mike et Gary sont paralysés ! « Tout d'un coup, c'était le sein gauche de Madonna qui dirigeait la répétition ! », commente Dan, sèchement... Malgré ces tensions, le groupe continue d'avancer. Il se produit régulièrement au CBGB's et dans d'autres clubs, et réussit à accumuler un petit nombre de bonnes critiques dans des guides de spectacles. Lors d'une réunion, le groupe décide alors qu'il est temps d'enregistrer une maquette qu'ils enverront aux divers clubs comme carte de visite. Pendant l'enregistrement, Madonna et Gary Burke profitent d'une pause pour aller s'asseoir dans la ruelle qui longe l'ancienne synagogue et parler d'avenir. Pas difficile pour Burke de voir quelle est l'ambition de Madonna : « Je veux tellement être célèbre, je veux être célèbre ! », répète-t-elle en serrant les genoux. Gary Burke se souvient qu'elle voulait égaler ou dépasser ses héroïnes : « Elle adorait quand les gens la comparaient à Debbie Harry de Blondie, mais celle qu'elle vénérait par-dessus tout, c'est Chrissie Hynde, des Pretenders. »

Après un concert à guichets fermés au Bo's Space au printemps 1980, ses rêves commencent à se concrétiser. Madonna danse sur scène, tout le groupe est habillé en blanc : The Breakfast Club ressemble fort à l'un de ces nouveaux groupes New Wave en vogue. Après le concert, un découvreur de talents de chez Co Co Records prend la chanteuse à part et lui suggère qu'elle ferait mieux de monter son groupe à elle. Il n'est pas le seul de cet avis. Gary et Mike ont autant envie qu'elle de signer avec une maison de disques : ils pensent que leur seule chance est que Madonna soit à la tête du groupe. Il faut dire que leur jugement est un peu biaisé : ils sont tous les deux fous d'elle. Durant l'été de cette année-là, tous les membres du groupe partent un week-end à la campagne, dans une maison de famille de Mike Monahan, dans le Connecticut, à Candlewood Lake. Le week-end commence plutôt mal : leur voiture tombe en panne. Pendant qu'on la répare, Madonna fait contre mauvaise fortune bon cœur et se met à jouer de la guitare et à chanter, au grand amusement des autres automobilistes. Ils finissent par arriver à Candlewood Lake et s'offrent un bain dans le lac pour se détendre. Madonna leur prépare ensuite des « s'mores », une mixture gluante faite de biscuits à la farine complète, de marshmallows et de chocolat qu'ils mangent autour d'un feu de camp, au son de la guitare de Gary. Sous une apparente tranquillité, on peut pourtant deviner des tensions, les conversations en aparté et les messes basses trahissant à quel point affectif et professionnel sont enchevêtrés. De retour à New York, les répétitions se font de moins en moins sympathiques. Lors d'une réunion un peu tendue, Mike, Gary et Madonna soutiennent que, Blondie étant sur le déclin (la rumeur le dit), un groupe constitué autour d'une fille plutôt mignonne aurait ses chances de décrocher un contrat auprès d'une maison de disques. Ils ajoutent que Madonna devrait chanter la plupart des chansons, mettant de fait les frères Gilroy sur la touche. Dan et Ed ne l'entendent pas de cette oreille. Eux veulent continuer à écrire et à être leurs propres interprètes. Un compromis est refusé… La séparation devient inévitable. Pour Madonna, les choses sont un peu plus compliquées, puisque ses propres ambitions viennent lutter avec son sentiment pour Dan. Un matin, après leur footing, elle lui explique qu'il faut qu'elle parte, qu'elle suive son cœur et son ambition. Dan se souvient de ce moment avec sa générosité habituelle : « C'était triste, doux et assez intense. Elle l'a fait proprement, je l'ai toujours appréciée. Nous avions tout le temps eu ce sentiment qu'elle ne faisait que passer. Et là, elle s'en allait. »

Cette rupture professionnelle et personnelle se passe aussi bien que possible. Les cinq compères restent bons amis ; le nouveau groupe répète même dans la synagogue de temps à autre. Madonna va s'installer à Douglaston, une banlieue très verte, au nord, où Mike Monahan loue une chambre à son ami Larry Christiansen. Mike et Madonna deviennent amants un temps ; elle ne passe jamais beaucoup de temps seule, sans un homme qui l'admire et la protège… Le nouveau trio, qui s'est baptisé Madonna and the Sky, s'est trouvé un endroit pour répéter dans le Queens et à Chelsea. Mais, la plupart du temps, le groupe utilise le garage de Larry à Douglaston. Madonna y enregistre trois chansons, avec la guitare que lui a offerte son nouveau petit ami, une Rickenbacker à 300 dollars. La banlieue de Douglaston n'est pas seulement verte, elle est également calme… Et les voisins se plaignent rapidement du bruit ! Le groupe est contraint de chercher de nouveaux quartiers. Ils trouvent un local au dixième étage du Music Building, un immeuble miteux de la 39e Rue Ouest, qui sert à plusieurs dizaines de groupes. Le lieu est aussi dangereux que sale. Des drogués traînent dans le hall d'entrée et les couloirs sentent l'urine. « C'était affreux, dégoûtant », selon Dan Gilroy. « Le genre d'endroit dans lequel vous allez seulement pour répéter et dont vous repartez le plus vite possible ! » Madonna et ses amis partagent la pièce avec un groupe de Long Island, Buddy Love, managé par un jeune homme connu sous le nom de Mark. Il a vu Madonna and the Sky pendant leur seul et unique concert au Eighties Club et leur propose de s'occuper d'eux. La collaboration ne sera pas très heureuse. Mark et Gary ont tous deux des visées sur Madonna, tandis que Mike, son petit ami du moment, trouve de plus en plus difficile de jongler entre un boulot à plein temps (il est agent d'assurance pour Equitable Life) et les exigences nocturnes du groupe, dans lequel il est batteur. Après le bureau, il se précipite dans l'atmosphère glauque du Music Building où Madonna et Gary l'attendent. Il se change rapidement et commence la répétition, las, en sachant très bien que Madonna va lui tomber dessus si ce qu'il fait ne lui convient pas ! Après quelques semaines, il est excédé des critiques constantes de Madonna, de faire la navette tous les jours et du décor miteux du Music Building. Un soir, il arrive au studio et lance : « Désolé, les gars, je ne peux plus continuer. » Et il s'en va. A genoux mais pas vaincus, les deux survivants du groupe font paraître une annonce pour trouver un batteur. Pendant ce temps-là, Madonna retourne à la synagogue pour passer un coup de téléphone à Steve Bray, son ancien petit ami du Michigan, et lui demande s'il veut rejoindre le groupe. Dès les premiers signes du départ de Mike Monahan, Madonna a pensé à Steve. Il accepte : Madonna est enchantée. Steve Bray arrive à New York en novembre 1980. Avant même qu'il ait pu déballer ses valises, elle l'emmène au concert des Talking Heads à Central Park. Poussée par son ambition, Madonna est déterminée à connaître le succès avec son nouveau groupe. C'est à un autre concert des Talking Heads, au Radio City cette fois, que Gary Burke réalise pour la première fois à quel point Madonna est obsédée par la gloire. Il a acheté deux billets pour le concert, dans le mince espoir qu'il pourrait se passer quelque chose entre eux deux... Juste après le début du concert, elle quitte son siège et va se poster devant la scène, captivée par la démonstration de David Byrne et de ses acolytes. Le concert terminé, ils retrouvent Steve Bray. En descendant Broadway, Madonna et Steve dansent et chantent : « On veut faire partie de la bande, on

veut faire partie de la bande ! » Gary y repense aujourd'hui :
« Il était évident que la gloire était plus importante à ses
yeux que la musique. Elle avait vraiment soif de succès, et
elle voulait ce succès *immédiatement.* » Elle trouve en Steve
Bray quelqu'un dont la recherche de perfection – et, au
bout du compte, de gloire – est aussi acharnée que la
sienne. « Sa manière de jouer a apporté beaucoup d'énergie
au groupe », se souvient Dan Gilroy. « C'était un vrai militaire pendant les répétitions. Dès qu'une chanson était ter-
minée, il voulait recommencer et il lançait le mouvement ! »
Bray se rend bientôt compte que les talents de Madonna à
la guitare sont limités et le groupe se met en quête d'un
nouveau guitariste. Madonna va jusqu'à Brooklyn pour
auditionner un Italien du nom de Vinny, qui fait l'affaire
pendant quelques semaines avant que Bray, qui n'aime pas
sa manière de jouer, le renvoie. De confession évangéliste,
Steve Bray peut être aussi dur et obstiné que Madonna.
Quand Mark leur décroche finalement un concert, il réagit
à propos du nom « Madonna and the Sky », qu'il estime
sacrilège. Madonna cède et le manager propose un nouveau nom, The Millionaires, qui deviendra plus tard Emmy
(le surnom que Dan a donné à Madonna).

A peine les Millionaires ont-ils recruté un batteur et un
nouveau guitariste qu'ils perdent leur manager. De plus, ils
se font expulser du Music Building ; seul Buddy Love
occupe désormais les lieux. Gary, qui attribue la chose aux
machinations de Mark, a une altercation avec lui dans la
rue, à la sortie du Music Building, devant une Madonna
embarrassée. Son coup d'éclat signe le départ de Mark. Les
allées et venues continuent à un rythme soutenu. Toujours
pleine de ressources, Madonna persuade Brian Syms, un
jeune musicien de Virginie qui loue un studio au cinquième étage du Music Building, de leur accorder un peu
de place pour répéter. En contrepartie, Syms prendra la
relève de Vinny en tant que guitariste d'Emmy. Dans le
même temps, le groupe loue un studio dans le Room 1002,
qui héberge Regina and the Red Hots, un groupe en vue

qui a joué avec U2. Le 30 novembre 1980, Emmy enregistre une maquette de quatre titres à destination des clubs et des maisons de disques. Cette fois, Madonna et ses acolytes jouent dans un style Chrissie Hynde plutôt que Blondie. Ils finissent enfin par percer : on leur demande de jouer au Botany Talk House deux semaines avant Noël. Ils font une photo de groupe et collent des affiches, le public est constellé d'amis et d'admirateurs. Le concert se passe bien. Heureuse, Madonna s'en va passer Noël en famille à Rochester.

Cet état d'esprit ne dure pas longtemps. L'hiver sera pour elle bien sombre. La raison en est peut-être qu'elle a passé deux semaines à la maison, sans avoir à se soucier du chauffage ou de la nourriture. Ou parce qu'elle habite désormais dans un endroit malsain et dangereux, à deux pas du Music Building, où elle est obligée de se laver dans les douches publiques. Peut-être encore à cause d'un nouvel échec d'Emmy, ce groupe qui tient surtout par des espoirs et des rêves, pas grand-chose d'autre... Quelle qu'en soit la vraie raison, sa volonté de fer et sa résistance physique lui font faux bond. Un matin de janvier, Gary Burke arrive chez Madonna, 37e Rue Ouest, et la trouve sur le sol, tout habillée, recroquevillée en position fœtale. Elle sanglote. New York traverse alors une vague de froid. Le mercure est bien en dessous de zéro et, dans son immeuble, le chauffage et l'eau n'ont pas résisté. Elle n'a pas d'argent, pas de travail, pas d'avenir et, pour couronner le tout, elle a attrapé la grippe. « Madonna était à un doigt de jeter l'éponge, se souvient Gary. Elle allait rentrer chez elle, à Detroit. Pour une fille qui a une telle ambition, ça vous laisse entrevoir à quel point elle en était. » Alors que ses larmes continuent de couler, Gary s'agenouille et la prend dans ses bras. Il lui dit que tout va s'arranger. Il sait pourtant aussi bien qu'elle que la ville qu'elle avait rêvé de conquérir est finalement venue à bout de Madonna.

6

De Camille à Kamins

La reine sexy de l'underground new-yorkais virevolte sur scène en collants déchirés et body moulant tenu par des épingles à nourrice. Son maquillage et son rouge à lèvres sont aussi criards que ses mots et ses mouvements sont obscènes... Mais ce n'est pas Madonna. Son nom – du moins pour les besoins de la scène – est Cherry Vanilla. Ancienne attachée de presse de David Bowie, elle est l'une des premières femmes à être devenue célèbre pour elle-même et pas comme petite amie de quelque star du rock. A l'époque où Madonna arrive à New York, Cherry Vanilla a fait des émules : Patti Smith et Debbie Harry, qui fut serveuse au Max's Kansas City, un endroit à la mode où Cherry a un temps régné en maître. Une partie de l'attrait qu'elle exerce – et de son succès – réside dans son désir de choquer. C'est une adoratrice du sexe. Elle a publié *Pop Tart*[1], un livre controversé de photographies en noir et blanc où la chanteuse s'expose dans une grande diversité de tenues exotiques et de poses compromettantes.

Les années 70 touchent à leur fin, le milieu branché new-yorkais est en ébullition. C'est une époque fascinante où les barrières sociales, culturelles et ethniques qui ont de tous temps marqué l'opposition entre la musique moderne

---

1. Littéralement, « La putain de la pop ». Le titre fait une allusion en forme de calembour au Pop'art, mouvement artistique qui eut pour chef de file Andy Warhol dans le New York des années 60 et 70.

et le classique, les Noirs et les homosexuels, la poésie et le rock, les Latinos et les Blancs, commencent à tomber. L'expression à la mode, « Mort au disco », est devenue cri de ralliement de la rébellion artistique contre un certain rock « rassis » qui remplit les stades, les programmations « sclérosées » des radios et les galeries d'art des quartiers chics « qui portent des œillères ». C'est dans des clubs comme le Max's, le CBGB's et le Roxy que les personnages les plus en vue provoquent, stimulent et en fin de compte définissent toute une génération qui vient dans ces lieux pour se mélanger aux autres. Toujours sensible aux tendances, l'underground new-yorkais devient un *melting-pot* de gens riches, pleins d'esprit, beaux et parfaitement fous. Dans ce milieu grisant, des peintres et des sculpteurs, parmi eux la bande d'Andy Warhol, côtoient des *drag queens* ou des stars du punk comme Malcolm MacLaren, ou encore The Ramones et The New York Dolls, tandis qu'on peut croiser Truman Capote en train de discuter avec Freddie Mercury ou David Byrne. « C'était une époque très particulière, qui ne s'est pas reproduite depuis », se souvient Vito Bruno, manager du Roxy. « On était tous anti-Studio 54, contre cet élitisme Nous pensions que le plus important était ce que les gens avaient dans le ventre, pas sur le dos ; des gamins brillants côtoyaient Warhol et Mick Jagger. » Jimi LaLumia, ancienne star et habitué du Max's, le décrit comme « un cabaret psychotique ». « Vous aviez toujours l'impression qu'il allait se passer quelque chose, explique-t-il. Vous voyiez la jeune Debbie Harry venir vous demander du feu, Johnny Thunders accoudé au bar et Cherry Vanilla vaciller sur ses talons aiguille géants ! Si Paul McCartney était à New York, une visite au Max's était presque obligatoire. » A l'époque, Madonna est une jeune femme parmi d'autres dans la foule, qui se délecte du tourbillon ambiant. « Je suis sûr que cette petite nana du Midwest était absolument éblouie et voulait être de ce monde-là, se souvient LaLumia. A l'époque, elle voulait juste se faire une petite place. Si seulement on avait su ce qu'elle deviendrait, on aurait été plus sympa avec elle ! » Elle ne devait pas rester anonyme très longtemps.

En mars 1981, c'est au Max's Kansas City que Madonna et son groupe, Emmy, donnent un de leurs premiers – et derniers – concerts. Après des semaines de pressions et de supplications, le bassiste, Gary Burke, a réussi à décrocher une date au Max's, qui a conduit à une seconde réservation. Pendant ce concert, il n'y a qu'une personne dans la salle bondée que Madonna veuille impressionner : les cheveux courts, lesbienne, une Italo-américaine comme elle, Camille Barbone. Née le même jour que Madonna, mais huit ans plus tôt, elle a grandi dans la banlieue de Corona, dans le Queens, là où Madonna a vécu avec les frères Gilroy. Camille a une ambition dans la vie : elle ne recherche pas l'adulation, comme Madonna... Elle veut simplement devenir le manager de la plus grande star du rock de la planète. En regardant Madonna cette nuit-là, elle sait qu'elle a trouvé l'oiseau rare. Son verdict est sans appel : belle gueule, superbe danseuse, groupe pourri.

Les deux femmes se sont rencontrées quelques semaines auparavant dans l'ascenseur du Music Building. Madonna savait que Camille et son associé, Adam Alter, dirigeaient Gotham Records, le seul studio d'enregistrement du Music Building, et que, si elle arrivait à susciter leur intérêt, cela pourrait déboucher sur des opportunités pour elle et pour Emmy. C'est de manière pour le moins gauche – mais intrigante – qu'elle parvient à attirer leur attention : elle fait des compliments à Alter en lui disant qu'il ressemble à John Lennon ; plus tard, elle tient à Camille un discours sans queue ni tête dans l'ascenseur. « Est-ce que t'as pigé ? », lance-t-elle à une Camille Barbone perplexe, avant de s'en aller brusquement. C'est une tactique classique de Madonna, qui utilise sa capacité à étonner et à choquer, avec une touche de naïveté, comme avec Pearl Lang au festival de danse. A ce moment-là, Madonna vit d'expédients et se nourrit de pop-corn au paprika. En janvier 1981, quand Gary Burke la trouve recroquevillée sur le sol de son

appartement de la 37ᵉ Rue Ouest, elle se refuse finalement
à tout laisser tomber. Décrochant son téléphone, elle
appelle Dan Gilroy pour lui demander de l'héberger un
moment, le temps qu'elle récupère. Dan et elle sont restés
amis après leur rupture de l'été précédent et il est ravi de
pouvoir lui venir en aide. Quelques semaines après, pour la
Saint-Valentin, elle enverra une carte faite de ses mains à la
« tête de nouille de *[ses]* rêves ». Madonna est résistante :
après quelques jours seulement, elle abandonne la chaleur
et la sécurité de la synagogue ; elle veut à tout prix préserver Emmy. « Je sentais que le groupe était en train de se
défaire », se souvient Gary Burke. Madonna aussi. Son
appartement étant quasiment inhabitable, elle emménage
avec Gary, Steve Bray et Brian Syms dans un petit appartement d'une seule pièce près du Music Building. Gary a
décroché un concert au Max's et, même si tout est loin
d'être rose, les quatre compères ont au moins un objectif
auquel se raccrocher. Au fond d'eux, ils savent tous que ce
concert sera décisif pour le groupe : ça passe ou ça casse.

Ils répètent avec assiduité, Madonna dort même parfois
au studio. Elle vit au jour le jour, presque comme une clo-
charde. Elle gagne un peu d'argent en tant que modèle,
essentiellement pour le peintre Anthony Panzera à Soho, et
a pris l'habitude de se faire offrir des repas par des amis et
des connaissances. De temps en temps, Curtis Zale, l'ami
de Dan Gilroy, vient lui apporter deux ou trois sacs de
fripes et le maquillage dont sa mère se débarrasse. Une fois
encore, comme à l'époque où elle avait décidé de quitter
l'université, d'abandonner la danse, de partir de Paris et de
quitter Dan, Madonna a préféré le risque à la sécurité, et la
souffrance au confort, résolue à vivre jusqu'au bout son cal-
vaire artistique. Cette propension au martyre apparaît de
manière très nette quand son père lui rend visite à New
York à l'automne 1978 ; il gagne bien sa vie à l'époque et
propose à sa fille une aide financière, qu'elle refuse. « C'était
comme si elle leur donnait, à lui et à toute la famille, la
permission de faire une croix sur elle, commente Camille

110

Barbone. Elle était dans une quête romantique : se priver de tout pour l'amour de l'art. »

Quand Madonna accapare Camille dans l'ascenseur du Music Building, ce n'est pas seulement la dernière chance pour elle et pour Emmy. L'attitude de Madonna montre aussi son envie absolue d'être reconnue. Camille accepte d'aller voir le concert au Max's Kansas City et assiste à plusieurs reprises aux répétitions du groupe au Music Building. Malheureusement, une migraine l'empêche de se rendre au premier concert. Madonna, furieuse, déboule dans son studio et lui reproche d'être comme tous ceux qui l'ont laissé tomber. En faisant cela, elle prend des risques : elle aura bientôt grillé toutes ses cartouches dans sa course vers la gloire… Par chance, la direction du Max's a été suffisamment impressionnée par Emmy pour réinviter le groupe quelques jours plus tard. Alors, quand Camille arrive ce soir-là, Madonna donne tout ce qu'elle peut : elle danse sur les tables et fait la folle avec les clients pendant les cinq chansons que dure le concert. Elle est même allée voir Mark Dolengowski afin qu'il lui coupe ses cheveux auburn et la coiffe dans le style « punk » de son idole, Chrissie Hynde. Après le concert, Camille apporte à Madonna une tasse de thé au miel pour apaiser sa gorge mise à mal par sa prestation et lui demande si elle veut un manager. Les cheveux ébouriffés, encore en sueur, Madonna se jette au cou de Camille et lui crie : « Ouais ! » Quelques minutes plus tard, le patron du Max's vient la féliciter et propose au groupe le contrat tant convoité. Ils n'étaient encore personne vingt-quatre heures auparavant, les voilà bientôt des stars !

Madonna retient son souffle… Elle se trouve face à un dilemme. Barbone a été claire : c'est Madonna qui l'intéresse, pas Emmy. En plus de lui proposer de gérer sa carrière, le nouveau manager potentiel de Madonna, bien conscient des conditions sordides dans lesquelles elle vit, lui promet de lui payer un appartement, de la rémunérer 100 dollars par semaine et de lui trouver un boulot à temps partiel. Madonna doit prendre une décision : se lancer seule ou rester avec le groupe qu'elle a en partie fondé et qui se voit maintenant proposer un contrat par une maison de disques. En quelques jours, sans en parler aux autres membres d'Emmy, elle choisit la proposition de Camille et signe un contrat avec Gotham Records le 17 mars 1981 – le jour de la Saint-Patrick. Une signature fêtée autour de quelques pintes de Guinness. En portant un toast à sa nouvelle artiste, Camille est persuadée qu'elle commence à réaliser son rêve. Celui-ci tournera pourtant rapidement au cauchemar : elle va connaître une année mouvementée, souls le signe de l'alcool, de bagarres et, finalement, d'une dépression nerveuse. Sa première erreur est d'essayer de dompter Madonna. Sa seconde, de tomber amoureuse d'elle.

Pour Camille, Madonna est comme un diamant brut qui a besoin d'être taillé avec soin pour donner tout son éclat. Son attitude sur scène est à revoir, elle néglige son principal atout : elle-même. Sa voix est acceptable mais pas extraordinaire, et elle se cache derrière sa guitare électrique, dont elle sait à peine jouer. Camille comprend instinctivement ce dont se rendra compte un peu plus tard Madonna – et le monde entier : la clé de son pouvoir et de sa séduction réside dans un tout – danse, mouvement, texte et musique. Bref, il faut faire ressortir l'énergie et le charisme latents de Madonna. La première mesure de Camille, quelques jours après avoir signé le contrat, est de la séparer d'Emmy au moyen d'une procédure très brutale. Steve Bray, Gary Burke et Brian Syms en sortent plutôt amers, avec la désagréable impression d'avoir été manipulés. Quelques jours après la dissolution du groupe, Gary croise Madonna au Music Building et crie à la trahison. Ils finiront par se réconcilier et Madonna ira souvent voir ses trois anciens partenaires, dans l'appartement qu'elle partagea un temps avec eux, pour leur demander conseil et prendre quelques cours de musique.

Au début, Madonna est très impressionnée par Camille et se fie à son jugement, même si elle tient à poursuivre sa collaboration avec Steve Bray. Camille puise dans son carnet d'adresses et auditionne une brochette de professionnels de premier plan afin de constituer un nouveau groupe. Cela prend plusieurs mois. Des musiciens de studio comme Jeff Gottlieb, John Kaye, David Frank et Jack Soni, qui ont joué avec des artistes du calibre de Dire Straits et David Bowie, entourent la jeune Madonna. Elle est flattée et impressionnée par leur virtuosité ; et, à leur tour, les musiciens reconnaissent son potentiel. Camille se met aussi à réorganiser le quotidien de Madonna. Comme prévu, elle lui verse 100 dollars par semaine, lui trouve un boulot de femme de ménage et lui donne un accès illimité à son studio. Madonna peut à loisir y écrire des chansons et travailler ses musiques. Camille l'aide aussi à trouver un studio miteux sur la 30e Rue Ouest. Cet arrangement ne dure pas longtemps, puisque Madonna doit déménager quelques semaines plus tard, suite à un cambriolage. Elle a manifestement été suivie et l'intrus est entré par une fenêtre. Il s'est contenté de voler un paquet de photos d'elle, nue. Malgré sa fâcheuse expérience passée, Madonna ne tient pas particulièrement à quitter son studio, mais Camille et Adam Alter ne l'entendent pas de cette oreille et l'installent dans un appartement des quartiers chics, au-delà de Riverside Drive.

Les mois passent ; Camille est devenue bien plus qu'un simple manager pour Madonna. C'est sa mère, sa meilleure amie et son guide, la *superwoman* qui est venue à sa rescousse au moment où elle en avait besoin. En retour, Madonna ne cesse de fasciner et de séduire Camille. Celle-ci se rend compte qu'elle est en train de tomber amoureuse. Ce sentiment, bien que jamais consommé, va considérablement modifier leur relation professionnelle. Alter reconnaît lui aussi avoir été absorbé par l'intensité de cette nouvelle « famille ». « Il y avait en elle une sensualité primale, se souvient Camille. L'attirance était là, TOTALE. Mais vous ne vous engagez pas sur ce terrain avec quelqu'un comme Madonna, parce qu'elle contrôle les gens à travers sa sexualité. C'était tabou. Ce n'est pas vrai que nous ayons été amantes. Étais-je amoureuse d'elle ? Oui ! C'était quelque chose de fou : un sentiment de protection, maternel, on jouait l'une avec l'autre avec beaucoup d'ambiguïté. Était-elle amoureuse de moi ? A sa manière, je pense que oui. Elle aime les femmes fortes, belles, puissantes, maternelles. Depuis toujours. »

Pendant longtemps, toutes deux sont inséparables : elles vont au cinéma, traînent dans les boutiques, sortent dans les clubs, au restaurant, et se rendent à leurs réunions d'affaires où elles travaillent tout le monde au corps et, comme le dit Camille, « distribuent des coups de pied au cul ». Cet été-là, elles partent à Fire Island ; Camille est en couple et Madonna emmène son amant du moment, Ken Compton. Camille s'occupe de sa jeune amie comme une mère : elle lui apporte à manger au studio, lui prête de l'argent, se soucie des moyens de contraception qu'elle utilise, l'accompagne se faire enlever ses dents de sagesse et lui pose des pansements quand elle se coupe les doigts en faisant ses ménages. Bien consciente des sentiments de Camille à son égard, Madonna passe son temps à l'allumer et à la tourmenter. Un soir, à la fin d'un concert, elle se déshabille complètement et demande à Camille de l'essuyer avec une serviette. Une autre fois, Camille au volant, elle folâtre à l'arrière de la voiture avec Janice Galloway, sa vieille amie d'Ann Arbor... Bien que cette tension sexuelle place Madonna en position de supériorité dans leur relation, Camille sent bien la peur présente en Madonna. Son désir de gloire et d'amour n'a d'égal que la faible estime qu'elle a de soi, qui l'empêche chroniquement d'accepter sa différence. Camille finit par se rendre compte que plus Madonna agit de manière outrancière, plus sa peur de l'échec croît. Ainsi, par exemple, lors d'un dîner en présence de découvreurs de talents de la prestigieuse agence William Morris, elle lâche délibérément un énorme rot au moment où le plat principal est servi... (il vaut d'être précisé que le fait d'éructer semble être l'une de ses astuces de prédilection pour attirer l'attention). Ses voisins de table de chez William Morris trouvent évidemment son attitude odieuse! Camille, elle, l'interprète comme la réaction d'une jeune femme qui a peur d'être rejetée. A une autre occasion, Madonna entre dans le bureau de Camille et commence à se raser les aisselles alors que son manager est en pleine conversation téléphonique. Elle explique à Camille qu'elle doit absolument s'épiler, qu'il n'y a qu'un seul miroir et que celui-ci est précisément dans son bureau. Quand Camille lui demande de sortir, elle lui lance un petit sourire narquois et s'en va dans un mouvement d'humeur. « A ce moment, elle était censée être provocatrice, se souvient Camille. En fait, elle avait peur que la conversation *[téléphonique]* la concerne, elle et sa capacité à réussir. » Son insolence pimente sa relation de travail avec son professeur de théâtre, Mira Rostova, une émigrée russe à qui Camille l'a présentée. L'enseignement est de courte durée. Mrs Rostova, qui a travaillé avec des grands noms d'Hollywood, tel Montgomery Clift, garde un très mauvais souvenir des moments qu'elle a passés avec Madonna : « Elle était vulgaire et très mal élevée. Sa manière de jouer n'était pas particulièrement intéressante. » Comme à l'époque des tensions avec Pearl Lang à propos de la danse, l'attitude de Madonna exprime sa peur de ne pas y arriver. Elle préfère recourir au conflit plutôt qu'admettre une insuffisance professionnelle de sa part. Le réalisateur Ed Steinberg se rend compte à quel point Madonna veut à tout prix connaître les feux de la rampe quand, en 1981, il tourne *Konk*, un clip dans lequel Madonna et son ami Martin Burgoyne apparaissent parmi des dizaines d'autres danseurs. La caméra a beau prendre des plans panoramiques autour de la piste, Ed Steinberg s'aperçoit, amusé, que Madonna fait tout ce qu'elle peut pour apparaître sur chacun. Il lui explique calmement qu'il tient à ce qu'on voie plus d'un danseur dans son film !

Camille comprend l'appréhension de Madonna et, la plupart du temps, tolère son attitude, en partie parce qu'elle sait très bien qu'une attitude trop sévère aurait un effet contre-productif... Elle fixe tout de même des limites le jour où Madonna peint à la bombe ses caniches adorés, Norman et Mona, en orange et rose, et écrit au pochoir les mots « Sex » et « Fuck » sur leur dos... Camille se souvient également d'une séance de photos pour la designer Norma Kamali, au cours de laquelle Madonna portait un chapelet avec un crucifix qui voltigeait au-dessus de sa taille. « Tu vois, Camille, lui cria-t-elle, même Dieu veut rentrer dans ma petite culotte ! » Cette attitude de sale gosse se répète encore et toujours. Un autre incident typique se produit pendant que Camille et elle font la queue devant l'Underground Club : impatiente comme d'habitude, Madonna crie au portier : « Tu me reconnais ? On a baisé l'autre nuit ! » Camille la reconduit chez elle et la sermonne comme une adolescente, lui faisant remarquer qu'elle n'avait aucune raison et aucun besoin de se conduire ainsi ! Derrière son image d'effrontée, il y a pourtant une jeune femme sensible, intelligente et peu sûre d'elle ; une fille profondément sincère ayant écrit de nombreuses chansons sur la faim, la peine et le manque d'amour ; une jeune femme qui adore lire les poètes et se montre fascinée par le Bloomsbury Group, qui réunissait artistes et écrivains britanniques au cours des années 20 et 30 ; un esprit contemplatif qui apprécie la paix des églises et aime se promener au Museum of Modern Art, ou dans d'autres musées, pour mieux comprendre le processus de création. Comme le note Camille, « elle n'était pas le genre de nana trash qui a besoin d'aller se frotter au portier du Studio 54 ». Mais Madonna a besoin d'encouragements et de temps pour comprendre qu'elle n'est plus une chanteuse ordinaire mais bien une star en devenir. En voyant Tina Turner un soir au Ritz Club, en parfaite osmose avec son public, Madonna a un aperçu de ce qui pourrait lui advenir. Même là, ajoute Camille, « il lui a fallu plusieurs heures pour se faire à cette idée ». Madonna a encore un long parcours à accomplir, bien qu'elle ait déjà fait d'énormes progrès depuis le printemps. Plusieurs musiciens de studio ont été choisis, même si Madonna complique les choses en ayant une brève liai-

116

son avec le nouveau batteur, Bob Riley. Camille Barbone ne veut pas d'histoires de cœur entre les membres du groupe : Riley est remercié. D'une certaine manière, Madonna s'en accommode bien : elle plaide depuis longtemps en faveur de son propre candidat, Steve Bray, qui travaille toujours au Music Building.

Avec Bray à la batterie, Jon Gordon à la guitare, John Kaye à la basse, John Bonamassa au clavier et Madonna au micro, le nouveau groupe fait ses débuts au Max's Kansas City ; d'autres concerts suivent, au Cartoon Alley, au Chase Park et dans d'autres clubs du centre. Forte de ces modestes succès, Madonna se prend maintenant très au sérieux, même si elle est encore en pleine période apprentissage. Un jour, elle partage la tête d'affiche avec un groupe de huit musiciens, qui avait pour chanteur Michael Musto, aujour-d'hui chroniqueur à *Village Voice*. The Must est la première formation à se produire sur scène ce soir-là, ce qui n'em-pêche pas Madonna de passer un temps fou en réglages sonores, obligeant le groupe de Musto à jouer sans avoir répété ! Elle ne veut pas non plus partager le vestiaire réservé par la production aux deux groupes. Pour elle, il n'y a qu'un nom sur l'affiche : Madonna. Musto n'aura pas l'occasion de se regarder dans le miroir du vestiaire…

Malgré des concerts réguliers – et un salaire en progres-sion –, Madonna a la bougeotte. Elle se demande même si elle n'aurait pas dû accepter de signer le contrat proposé par le Max's Kansas City. L'attente lui paraît peut-être longue, mais elle en vaut la peine : juin 1981 marque un tour-nant. Madonna signe un contrat avec John Roberts et Susan Planer, de Media Sound, pour enregistrer une maquette dans leur studio de la 57e Rue. C'est une belle opération : Planer et Roberts sont renommés dans le milieu, une de leurs plus belles réussites est d'avoir participé à l'organisation du fes-tival de Woodstock. De nombreux artistes, de Frank Sinatra aux Beatles, ont utilisé leur studio d'enregistrement, une ancienne église où vécut autrefois le compositeur hongrois Béla Bartók. Madonna est ravie et honorée de travailler dans un tel lieu. La semaine qu'elle va y passer avec Camille et le groupe, en août 1981, est sans doute la plus créative et la plus heureuse de toute leur collaboration ; il semble que son impatience se soit calmée et, pendant les pauses, elle s'assoit et lit ou récite tranquillement des poèmes à ses amis. Madonna enregistre quatre chansons, produites par Jon Gordon et Alec Head et, naturellement, les paroles font référence à sa vie, de sa vie amoureuse en particulier. Elle a écrit l'une d'elles pour son amant de l'époque, Ken Compton, bien qu'il la rende folle en utilisant la même tactique qu'elle : « Tu ne m'auras pas ! » Sa relation avec Camille transparaît dans une autre chanson, où Madonna parle de sa faim et de sa pauvreté. Dans une autre encore, elle se décrit comme un mauvais ange. Un nombre restreint de ces chansons est retenu sur la maquette ; en fait, les membres du groupe passent tout leur temps à travailler les quatre premières.

Sous l'influence de Bray, Madonna commence à suivre le chemin du rhythm'n blues et du disco, pour s'éloigner du style punk des frères Gilroy. Elle ne cesse d'apprendre, s'imprègne de différents styles et y apporte elle-même des variations. Son style est un mélange d'influences variées et, quoi qu'on ait pu écrire, il ne lui a été dicté ni par Camille ni par personne d'autre. A la fin de cette semaine exaltante, tout le monde part à Fire Island fêter l'anniversaire de Camille et de Madonna. Ils se reposent au soleil, sur une plage, et mangent du homard et de la salade. La vie continue ainsi pendant quelques semaines. Madonna a maintenant quelques fidèles adeptes à New York. Le groupe progresse régulièrement. On lui demande de faire la première partie de Over Easy au US Blues, un club de motards de Long Island. Le leader du groupe, Bill Lomuscio, est un proche de Camille. Celle-ci l'a du reste prévenu que sa nouvelle chanteuse est si extraordinaire qu'elle est bien capable de lui voler la vedette au US Blues ! De fait, Madonna éclipse Over Easy et séduit le public – pourtant difficile.

Elle est désormais sur la pente ascendante et gagne 800 dollars par concert. Lomuscio n'est pas rancunier : il prend la relève d'Adam Alter en tant que comanager. Il se procure 10 000 dollars pour assurer le lancement de Madonna. Le plan consiste à proposer la maquette à plusieurs maisons de disques dans l'espoir de décrocher un contrat pour un album – et récupérer une partie de l'investissement. Camille Barbone essaye de son côté de créer l'événement autour de sa protégée. Elle donne 20 dollars à un trio de smurfeurs qu'elle a repéré à Times Square pour venir danser pendant que Madonna chante dans un club voisin. Avant chaque concert, elle paie des adolescentes afin qu'elles s'habillent dans le style « fripes-chics » de Madonna. Elle invite aussi des agents artistiques à venir la voir en action. Ironie du sort, l'objectif que Camille a poursuivi toute sa vie se révélera être à l'origine de sa dépression.

Les premiers signes apparaissent en septembre 1981, au moment où Madonna doit renouveler son contrat. Elle hésite et se plaint que sa carrière n'avance pas aussi vite qu'elle le souhaiterait. Elle finit tout de même par signer, pour pouvoir assurer un concert prévu en novembre à l'Underground Club, un endroit branché. A cette période, sa relation avec Camille, toujours tumultueuse, s'envenime. Elles ont toutes les deux un tempérament fort et leurs désaccords prennent une tournure de plus en plus houleuse ; pendant leurs crêpages de chignon, les autres membres du groupe préfèrent souvent s'éclipser… Avec du recul, Camille admet qu'elle a essayé de pousser Madonna dans des voies qui ne l'intéressaient pas. Incapable de faire face à la pression, à la fois sentimentale et professionnelle, liée au fait de travailler avec une femme qu'elle aime et qui est en passe de connaître le succès, Camille se met à boire, surtout le soir. Pendant une dispute particulièrement virulente, furieuse, elle se casse la main en frappant dans un mur. Après ce mouvement d'humeur, Madonna lui lance d'une voix rageuse : « Tu es tombée de ton piédestal, maintenant ! » et s'en va dans la nuit. Non sans candeur, Camille admet : « J'ai l'alcool mauvais, la plupart des disputes venaient de là. Je dois reconnaître qu'elle ne pouvait plus compter sur moi. » La femme que Madonna a idolâtrée ne lui inspire plus le respect. Circonstances aggravantes, alors que l'alcoolisme de Camille empire, on parle de plus en plus de Madonna. Patrons de club, découvreurs de talents… tout le monde accourt. Inquiète de voir Camille laisser passer des opportunités, Madonna commence à rencontrer, sans le lui dire, des responsables de l'industrie du disque. Au cours d'une réunion avec Bill Lomuscio – une épreuve de force –, Madonna finit par accepter, en pleurs, de se conformer au contrat signé avec Camille. La trêve est de courte durée. Madonna ne peut s'empêcher de recourir à sa sensualité, son bon sens et son expérience musicale pour séduire des producteurs et leur faire croire qu'ils n'ont qu'à se pencher pour la cueillir… Ils lui offrent dîners et places de concert tandis qu'elle continue de les tenir en haleine. Beaucoup de choses dépendent maintenant du concert à l'Underground Club, en novembre. Des invitations sont envoyées à des dizaines de personnages influents, on parle de Madonna dans la rubrique « mode » de *Village Voice* et le club est décoré de fleurs exotiques pour l'occasion. Juste avant le concert, Curtis Zale lui donne à nouveau deux ou trois sacs de vieux vêtements ; malheureusement, cette sympathique attention n'est plus d'actualité puisque Madonna cherche désormais à se donner une image plus branchée. La nuit est déjà bien avancée quand elle arrive sur scène ; le seul professionnel de l'industrie du disque qui soit resté pour la regarder est Paul Atkinson, de Columbia Records. Il a écouté la maquette et envisage peut-être de lui proposer un contrat, pour un *single* ou un album. Le concert ne parvient pas à le convaincre et il décide, comme plusieurs maisons de disques concurrentes, d'attendre avant de se décider.

Or, le groupe s'améliore de jour en jour. Le soir de la Saint-Sylvestre, une excellente occasion se présente, la plus belle à cette étape de leur carrière : ils jouent en première partie de David Johnason, des New York Dolls, dans un

club appelé My Father's Place. Sur scène, le jeu ⟨
est très sensuel et séduisant, ce qui conduit sa jeune ⟨⟨
Paula, qui la regarde depuis les coulisses, à accuser Camille
Barbone d'exploitation sexuelle. A peine sortie de l'université du Michigan, Paula n'a pas encore conscience que le
rock'n roll, c'est aussi le sexe et la drogue... Le public, lui,
apprécie le spectacle. Madonna sort de scène en caraco-
lant, tout sourire, prête pour le prochain grand rendez-
vous : la soirée du Nouvel An organisée par une toute
nouvelle chaîne de télévision spécialisée dans la musique
pop, MTV. Elle y arrive en limousine et David Johnason,
qui s'est rendu compte de son potentiel, l'accompagne
toute la soirée et la présente à de grosses pointures de la
scène musicale. Les choses mûrissent. Aux yeux de Madonna,
le fait que sa prestation à l'Underground Club n'ait pas
immédiatement eu de retombées est un nouveau signe de
la médiocrité de ses managers. Combien de temps encore
doit-elle attendre ? Elle est désormais activement – bien que
secrètement – courtisée par des agents tels que Rob Prince,
de la puissante agence William Morris. Il lui suggère d'avoir
une discussion privée avec Jay Kramer, un avocat spécialisé qui compte Billy Joel et d'autres célébrités parmi ses
clients. En février 1982, Camille et Bill rencontrent à leur
tour Kramer, manifestement pour parler de Madonna. La
veille au soir, Madonna a appelé Camille et lui a dit : « Tu
es une garce, je suis une garce. On travaille bien ensemble
et on peut continuer à travailler ensemble. » Camille n'a pas
réalisé que Madonna lui proposait là un nouveau job :
prendre en main ses relations publiques. Et encore moins
que cette brève conversation avec elle serait la dernière. La
confrontation durera précisément cinq minutes. Madonna
est assise sur le divan, silencieuse, pendant que Kramer
explique à Camille et à son associé que la chanteuse n'a
plus besoin de leurs services. Quand Camille avance que
Madonna est liée à eux par contrat, il lui rétorque qu'ils
vont y mettre un terme. Ébahis, Camille et Bill s'en vont,
décidés à mener une action en justice à l'encontre de leur

cliente rebelle. Cela conduira à une interminable série de querelles juridiques qui s'étaleront sur plusieurs années et laisseront ses chansons de l'époque – les « Gotham Tapes » – dans un vide juridique quant aux droits d'auteur. Dix ans plus tard, Barbone obtiendra un modeste chèque de son ancienne cliente.

Pour Camille, les retombées sont catastrophiques. « C'était comme une rupture amoureuse, se souvient-elle. On était une équipe, un couple qui aurait pu prospérer dans d'autres circonstances. » Elle fait une dépression nerveuse, se retire du milieu de la musique, s'inscrit dans une école de restauration, puis travaille pendant un an dans une maison de repos. « J'avais besoin d'entendre des gens me dire "merci". » Camille, qui aujourd'hui ne boit plus une goutte d'alcool, se souvient qu'elle avait l'impression de ne pouvoir allumer la radio sans entendre la voix de Madonna, ouvrir un journal sans tomber sur un article qui parlait d'elle ou se balader dans la rue sans voir son visage sur une affiche. « Je devenais folle! admet-elle. Je pensais que j'étais la seule personne sur terre à ressentir une telle chose. C'était effrayant. » Quand elle se séparent, c'est pourtant Madonna la perdante: Rob Prince ne devient pas son manager et elle revient presque à la case départ. Elle n'a plus de manager, pas de revenus, pas de contrat avec une maison de disques et plus de groupe. Par ailleurs, elle se prépare à être poursuivie pour avoir rompu son contrat avec Barbone et Lomuscio. Encore une fois, elle a préféré le risque à la sécurité, avec seulement un vague espoir de succès pour l'encourager.

Ceci dit, la Madonna de 1982 est très différente de celle qui avait débarqué pour la première fois dans le bureau de Camille Barbone, plutôt instable et indéterminée. Insolente et pleine de bon sens, Madonna « apprend vite », selon les termes de Camille, les tenants et les aboutissants du métier, et n'oublie pas au passage de noter dans son calepin les coordonnées de contacts qui pourraient se révéler utiles. A un moment, elle avait trouvé que la carrière des artistes de sa génération – dont beaucoup sont ses amis –

avançait alors que la sienne marquait le pas. Maintenant, elle est bien établie dans le milieu branché des jeunes artistes et chanteurs new-yorkais, qui semblent tous faire leur chemin. Les clubs sont à la fois leur point de rencontre et leur bureau. Tout comme les stars des années 70 et du début des années 80 – Blondie, Talking Heads ou Television – ont été « fabriquées » par des clubs tels que le CBGB's et le Max's, les nouveaux endroits où il faut être vu se nomment désormais Danceteria, Roxy et Mudd Club. La chanteuse Sade a travaillé au bar de la Danceteria ; au vestiaire, on pouvait croiser Keith Haring, dont les tableaux allaient valoir des centaines de milliers de dollars, et qui dormait à l'époque pendant la journée dans les rames du métro. Toutes les nuits, l'endroit regorge de jeunes artistes et musiciens : les Beastie Boys, LL Cool J, Grandmaster Flash ou la maquilleuse Debi Mazar, aujourd'hui actrice à Hollywood. Les graffeurs noirs se retrouvent au Mudd Club : Michael Stewart, Lenny McGurr (alias Futura 2000), Jean-Michel Basquiat, dont la signature « Samo » (pour « same old bullshit[1] ») vaudrait un jour des millions de dollars, et le rappeur Fred Brathwaite (alias Fab Five Freddie). Extérieurement, Madonna semble n'être qu'une belle fille dans une foule bigarrée, mais en fait elle a sa propre « bande ». A première vue, une fine équipe qui se balade en loques... Mais tous ont en commmun ce quelque chose qui les distingue de la foule : Erika Belle, la propriétaire du club, Debi Mazar, les danseurs Martin Burgoyne et Bagens Rilez, la styliste française Maripol, le poète et imprésario Haoui Montaug et même Janice Galloway, sa vieille amie de l'université. Dans les années 80, tous sont parvenus à se réinventer, à exprimer leur créativité et leur ambition. Ils ne parlent que d'avenir, de rêves et de projets. Le passé est une terre lointaine, un pays qu'ils n'évoquent qu'à travers des anecdotes amusées, grandiloquentes et généralement avec dédain. Il n'y a probablement aucune chance pour

---

1. « Toujours les mêmes foutaises. »

que Madonna et Erika Belle se soient parlé à l'époque de leurs pères respectifs, tous deux brillants ingénieurs. Madonna fait allusion à son passé une seule fois, pour reprocher à une amie d'utiliser le même fard à paupières que sa belle-mère. Ils ne parlent que d'eux, de la galerie ou du club qui vient d'ouvrir et de leur prochaine idée géniale... Madonna et sa bande de sales gosses, tout égocentristes et exhibitionnistes qu'ils sont, font forte impression ; les regards se tournent vers eux quand ils entrent dans un club. « Madonna et ses amis étaient le genre de gamins que vous vouliez voir chez vous, se souvient Vito Bruno, le manager du Roxy. Elle était à part, elle attirait l'attention. Ils sont entrés dans le carré VIP avant même d'être des VIP. » On ne voit qu'eux sur la piste de danse – Debi Mazar est une championne de smurf – et ils ont du style à revendre. L'intuition dont fait preuve Madonna en terme de mode, notamment musicale, réside dans sa capacité à s'inspirer des goûts de ses amis, de la rue et des clubs, puis à mixer ces influences pour en faire quelque chose de personnel. Son style vestimentaire est un savant mélange de tenues de danse, de vieux habits, de fripes-chics, d'accessoires créés par Erika Belle et de crucifix ou de bracelets en caoutchouc – signés Maripol, ce sont en fait des rubans de machine à écrire électrique. Elle s'inspire également de la mode de la rue new-yorkaise, notamment du look « nouveau romantique » exhibé par les jeunes Latino-américaines. En moins de deux ans, ce style allait encombrer les armoires des adolescentes du monde entier !

L'attitude de Madonna est caractéristique : elle peut être sexy et déchaînée, mais garde toujours le contrôle d'elle-même. A l'époque, on danse le webo dans les clubs, une danse très explicitement sexuelle, qui consiste pour plusieurs garçons à poursuivre une fille et à aller se frotter le bassin contre elle – une danse sexy, mais aussi sexiste... Madonna et sa bande inversent les rôles et se font bientôt surnommer les « Webo girls » par ceux qui les regardent : elles poursuivent à leur tour les garçons et simulent de les agresser sexuellement sur la piste. Fab Five Freddie, qui a fait les frais des « assauts sexuels » de Madonna en dansant, explique : « Vous pouviez penser que c'était une coureuse, mais ce n'était pas ça. Ce n'était pas le genre de nana minable qui couchait à droite et à gauche, elle était plus intelligente que cela. Pendant toute sa carrière, elle s'est montrée très sexy, mais si vous y regardez de plus près, c'est toujours elle qui tient les rênes. Comme Sharon Stone dans *Basic Instinct*, elle vous montre sa chatte, mais elle est aux commandes. Une femme de tête, qui a le sens de l'humour. » Attirante mais maîtrisant la situation, Madonna est une Calamity Jane moderne qui, au lieu d'un revolver, se sert d'une bombe de peinture pour inscrire sa signature « Boy Toy[1] » sur les murs de New York.

Cette signature – qui deviendra le nom de sa société – illustre parfaitement son approche de la sexualité, ironique et malicieuse mais très loin du fantasme de l'objet sexuel de beaucoup d'hommes. « Elle a su très tôt ce qu'elle voulait, elle était incroyablement déterminée mais pouvait jouer la petite fille innocente », se souvient un producteur de musique. Son obsession est immuable : devenir célèbre ; à aucun moment Madonna n'a dévié de ce but. Sa vie est tellement calibrée qu'elle dose même sa spontanéité. Elle est excessive et violente, cependant jamais au point d'entraver son ambition. « Quand elle m'a dit qu'un jour, elle serait la personne la plus célèbre au monde, je l'ai crue, se souvient Erika Belle. Elle maîtrisait complètement ses mécanismes de protection, ce qui n'était pas le cas de beaucoup d'entre nous à l'époque. Sa prise de risque était mesurée. Elle ne perdait jamais le contrôle au point que ça l'empêche, par exemple, d'écrire ses chansons le matin. » A une période où beaucoup de ses contemporains sont en proie à l'alcool ou à la drogue – parfois aux deux –, Madonna garde la tête froide et le corps sain ; de temps en temps seulement, elle se permet de boire une vodka tonic ou de

1. Littéralement, « jouet pour garçon ».

tirer sur un joint. « Elle n'a jamais été déconnectée de la réalité, pas une seconde », se souvient Steve Torton, qui a travaillé et partagé un appartement avec Jean-Michel Basquiat, qui fut l'amant de Madonna. Une nuit, Steve Rubell, propriétaire du Palladium Club, fait un grand signe à Madonna et lui propose d'exaucer son vœu du moment : de la coke, de l'alcool, des filles, des garçons… n'importe quoi. Il est 2 heures du matin. Elle bâille et lui répond : « Une bonne grande salade, merci. » Comme le dit l'un de ses amis, Madonna est « l'ambition à l'état brut » et saisit chaque occasion qui peut se présenter. Elle fréquente les clubs comme un homme d'affaires utiliserait sa maison de campagne : pour créer des liens et négocier des contrats. « Ambitieuse jusqu'à l'épuisement », comme la décrit l'un de ses contemporains, il est naturel qu'elle se serve de son « bureau », les clubs, pour franchir la prochaine étape de sa carrière.

En février 1982, après la séparation avec Barbone, Madonna reprend son « régime » pop corn et coups de téléphone. Elle commence par en appeler à la bienveillance de ses anciens amis de l'université. Elle emménage ainsi avec Janice Galloway, avant de retrouver Steve Bray pour continuer leur collaboration musicale. Ils travaillent bien ensemble : l'approche de Bray sied à l'ambition débordante de Madonna. Elle écrit les textes, il l'aide à trouver des mélodies, des accords et des enchaînements musicaux. Après plusieurs semaines de travail, ils pensent avoir suffisamment de matière pour demander à deux ou trois musiciens de les aider à enregistrer une maquette. Ils retournent en studio et enregistrent quatre titres dont Madonna va pouvoir faire la promotion un peu partout : Camille n'étant plus là, elle doit en effet faire elle-même le travail sur le terrain… C'est grâce à ces quatre titres, « Burning Up », « Everybody », « Ain't no Big Deal » et un quatrième, qu'elle se fera finalement remarquer. Quel meilleur endroit pour commencer que la Danceteria, ce lieu où elle passe le plus clair de son temps ? Dans ce club, qui s'étale sur quatre étages, le DJ le plus en vue est Mark Kamins. Il travaille également pour Island Records, la maison de disques de Chris Blackwell, en tant que découvreur de talents « artistes & répertoire ». La légende et les films biographiques « faits-pour-la-télé » disent que Madonna a quasiment forcé Kamins à passer ses chansons en le draguant effrontément sur la piste de danse. En réalité, Madonna transmet elle-même une copie de son travail à Kamins, qui reçoit plusieurs maquettes chaque semaine. Il écoute ses chansons et décide de voir ce que cela peut donner. Le public apprécie, Kamins apprécie Madonna. « Elle était mignonne, on est sorti ensemble un moment, se souvient-il. Je ne peux pas dire que j'aie rencontré une star, mais elle avait quelque chose de spécial. » Pendant quelque temps, elle partage son lit – ou ce qui lui sert de lit : un matelas fait de boîtes à œufs au milieu d'une pièce spartiate, sur la 73e Rue Est. Madonna a la bougeotte, elle a toujours du monde à voir et file à vélo d'un rendez-vous à l'autre. « Je crois qu'elle souffrait d'un trouble de l'attention ; elle n'était jamais calme, poursuit Kamins. Elle était surexcitée en permanence, alors qu'elle n'a jamais pris de drogue. Beaucoup d'artistes sont comme ça. » Elle jongle tout le temps, que ce soit pour sa carrière, ses boulots ou ses amours. Pendant un moment, elle partage son temps entre Mark Kamins, Steve Bray et Ken Compton – que Kamins, dans un accès de jalousie, interdit de séjour à la Danceteria. Il a toujours été agacé de voir Madonna arriver à la Danceteria, lui emprunter de l'argent et filer ailleurs, pour rejoindre sans doute quelqu'un d'autre. Comme il le dit, « c'est incroyable comme elle jongle avec les gens. En ce qui concerne sa sexualité, elle ressemble à un mec qui a plusieurs relations en même temps ».

En fait, c'est autant l'ambition que l'attirance sexuelle qui réunit Madonna et Kamins. Comme elle n'a pas de manager, il s'empresse de la signer dans sa jeune maison de disques et organise un rendez-vous avec son patron, le légendaire Chris Blackwell, de passage à New York. Ce dernier rencontre Madonna, écoute sa maquette et, après le départ de la chanteuse, dit à Kamins qu'il ne signe pas les petites amies de ses découvreurs de talents. En fait, on le saura plus tard, la vraie raison de ce refus est plus terre à terre : « Elle sent trop mauvais », dira par la suite à Kamins l'excentrique magnat du disque... Kamins ne se laisse pas décourager et appelle Seymour Stein, président de Sire Records, une branche du géant Warner Brothers, qu'il connaît depuis qu'il a travaillé avec lui sur des projets avec le Tom Tom Club et les Talking Heads. Après avoir écouté la maquette, Stein montre un intérêt mesuré et conseille à Kamins de s'adresser à Michael Rosenblatt, son agent « artistes & répertoire ». Rosenblatt décide d'enregistrer deux chansons, « Ain't no Big Deal », sur la face A, et « Everybody ». « Sa maquette était très bonne et, en outre, elle avait ce petit quelque chose... », se souvient Rosenblatt. Étant donné le succès que connaîtra Madonna, on pourrait considérer que Stein et Rosenblatt ont été prophètes. Mais la réalité est un peu différente. Selon la version romantique de Madonna, Stein tenait tellement à la rencontrer qu'il aurait signé le contrat sur son lit d'hôpital, encore convalescent après une opération du cœur. « Elle avait une énergie à la hauteur de son talent », aurait-il affirmé. D'après Kamins, Stein n'a rencontré Madonna qu'après le succès de son premier *single*, « Everybody » — même si c'était effectivement à l'hôpital.

Le contrat n'est pas spécialement mirobolant : 15 000 dollars pour enregistrer deux titres, les éventuels dépassements étant à la charge de Madonna et de Kamins. « C'était censé vous inciter à faire des économies », commente Kamins. Quoi qu'il en soit, Madonna est heureuse. En signe de reconnaissance, elle écrit une chanson sur un bloc-notes jaune et la dédicace à son nouveau mentor, Mark Kamins. « Lucky Star » allait être un de ses plus grands tubes des années 80. Il semble enfin que ses rêves se réalisent... La jeune chanteuse va fêter ce succès en allant faire un tour au salon de coiffure de l'East Village, où travaille son ancien petit ami, Mark Dolengowski. Tout excitée, elle dit à la femme qui lui fait son shampoing : « Martha, je vais être une star ! »

7

A star in born

Barbu, les cheveux longs, Arthur Baker ne paye pas de mine quand il entre en traînant les pieds dans le hall de cet hôtel new-yorkais, un jour de l'été 1982. Il y est pourtant accueilli comme l'enfant prodigue par les participants au séminaire organisé par Tom Silverman, ami et distributeur de disques. Pour eux, Arthur est *celui* à qui l'on doit l'album qui fait des émules en ce moment, *Planet Rock* par Afrika Bambaataa. C'est lui aussi qui a fait connaître à un plus large public les nouveaux sons du rap et du hip-hop. Il remarque Mark Kamins, un des DJ les plus en vue de New York à l'époque, et s'approche pour lui parler. Kamins lui présente la jeune femme brune à ses côtés, habillée avec une négligence étudiée d'un jean, d'un tee-shirt et d'une chemise trop grande. « Quelle famille de détraqués peut bien appeler son enfant Madonna ? », se demande Baker pendant que Kamins lui explique que Madonna est sa dernière trouvaille, qu'ils viennent de signer un contrat pour un *single* avec Sire Records et qu'il produit le titre. Madonna tend à Baker un magnétophone cabossé et lui demande d'écouter ses chansons, « Ain't no Big Deal » et « Everybody ». Gentiment, il s'exécute et lui dit que ça ressemble à du Patrice Rushen, qui caracole dans les classements avec son titre « Forget me Not ». « Oh merci, lui répond Madonna, j'adore Patrice Rushen ! » Baker, qui allait travailler avec U2, Bob Dylan, Pulp et Bruce Springsteen, lui souhaite bonne chance et s'en va, en se disant qu'elle ressemble aux milliers d'autres filles qu'il a croisées dans sa carrière. Le lendemain, il est étonné quand son téléphone sonne et qu'il entend à l'autre bout du fil un Mark Kamins plutôt embarrassé : « C'est quoi exactement le rôle d'un producteur ? » Baker lui donne un cours express et lui recommande deux ou trois musiciens, dont le claviériste Fred Zarr. En moins de temps qu'il n'en faut pour le dire, Zarr se retrouve dans les studios Blank Tape à New York, où il travaille toute la nuit avec Madonna. « Elle avait un contrat seulement pour un *single* et, si elle échouait, plus personne n'entendrait parler d'elle. Mais je me souviens avoir dit ensuite à des amis que je travaillais avec quelqu'un qui avait la magie d'une star », se rappelle Zarr, qui travaillera avec Madonna à plusieurs reprises. Une star économe, quoi qu'il en soit... Comme le temps d'enregistrement est compté, pour gagner de précieuses minutes elle réussit même à persuader Zarr et le technicien qui s'occupe de l'enregistrement de manger leur sandwich pendant que la bande se rembobine ! « Le temps, c'est de l'argent et l'argent est à moi », répète Madonna, qui met ses principes en pratique en demandant à Zarr de la raccompagner chez elle après la séance de travail, pour éviter de payer un taxi.

Pendant l'enregistrement, Mark Kamins, un peu inquiet, observe sa petite amie de l'autre côté de la vitre. En tant que DJ, il sait très bien quel genre d'ambiance il veut obtenir sur ce disque. Mais, en tant que producteur, il ne sait pas vraiment comment y arriver... Il se démène pour essayer d'orienter le travail de Madonna, mais elle est de plus en plus frustrée, d'autant que Steve Bray n'est plus là pour la conseiller. Steve et elle se sont en effet brouillés après que le batteur lui eut avancé qu'il était le plus à même de produire le *single*, puisque c'était lui qui avait enregistré la maquette. On a souvent reproché à Madonna de l'avoir laissé tomber, mais en fait elle n'avait que peu de marge de manœuvre : Kamins ne veut absolument pas remettre en question son rôle de producteur ; c'est lui qui a pris tous les risques, négocié le contrat, quitté son boulot

Page précédente. Madonna Louise Ciccone en première communiante.

A gauche. Silvio Patrick Ciccone, sur sa photo de fin d'études prise en juin 1955. A peine trois semaines plus tard, il se marie. Madonna a toujours entretenu une relation compliquée avec son père ; d'un côté, elle recherche son approbation, de l'autre, son attitude peu conventionnelle a souvent tourmenté un « Tony » Ciccone assez conservateur.

Ci-dessous. « Little Nonni » dans les bras de sa mère adorée, Madonna Louise, née Fortin, décédée d'un cancer du sein alors que sa fille aînée n'avait que cinq ans.

Ci-contre, en haut. Madonna à neuf ans, l'année où elle est apparue « presque nue » dans un concours amateur. A droite, à douze ans.

Ci-contre, en bas. Madonna (au centre), pom-pom girl en 1973 lors de sa seconde année à Adams High School à Rochester, dans le Michigan.

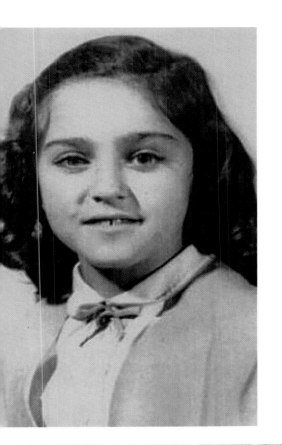

A gauche. Madonna a toujours été une meneuse dans les pièces de théâtre de l'école, qui lui ont apporté les applaudissements qu'elle désirait tant, et même une *standing ovation* pour son rôle dans *Godspell.*

Ci-dessous. En petite amie de gangster lors d'une soirée déguisée du lycée, à Rochester. Bien qu'elle ait affirmé avoir grandi dans une banlieue difficile, il n'y avait qu'un seul élève noir dans son école…

A droite. Madonna en 1976, posant pour Linda Alaniz, sa camarade de l'université du Michigan. Habillée ici en tenue de danse conventionnelle, elle se rendait à ses cours vêtue d'un justaucorps déchiré, maintenu par des épingles à nourrice, et se nourrissait uniquement de pop-corn et de glace à la vanille, d'où sa minceur.

Madonna, dix-huit ans, pose pour Peter Kentes, un étudiant de troisième cycle en danse à l'université du Michigan. A l'époque, sa maigreur et son régime alimentaire inquiètent ses amis.

Deux autres photos de Madonna prises par Linda Alaniz pendant ses études de danse à l'université du Michigan.

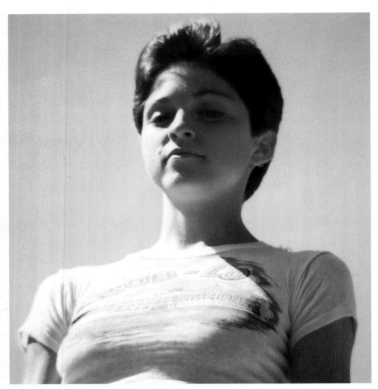

Page précédente, à gauche et ci-contre. Madonna a toujours aimé poser - et montrer ses sous-vêtements. Ici, sur des photographies de son petit ami, Mark Dolengowski.

Ci-dessous. Madonna en 1977 avec son professeur de danse, ami et mentor, Christopher Flynn, le premier homme qui la poussera sur le chemin de la célébrité. Ici, après l'avoir convaincue qu'elle devait quitter l'université et poursuivre son rêve à New York, Flynn conduit Madonna à l'aéroport.

Double page précédente. A New York, Madonna passe une audition et est acceptée dans la très cotée Pearl Lang Dance Company. Madonna court cinq kilomètres tous les matins et se donne à fond dans ses cours.

A gauche. Madonna, en mai 1979, posant devant une croix médiévale aux Cloisters, une annexe du Metropolitan Museum of Art de New York. Son recours à l'iconographie religieuse est bien antérieur à l'album *Like a Prayer*.

A droite. Madonna, durant l'été 1979, sur le toit de l'ancienne synagogue où elle vit avec son petit ami, le musicien Dan Gilroy.

Ci-dessous. Quand elle se rend compte qu'elle est loin d'être la seule danseuse talentueuse de New York, Madonna abandonne son ambition de devenir danseuse professionnelle et investit toute son énergie dans une carrière musicale, guidée par Dan Gilroy. Sur cette photographie, on peut voir les membres de son premier groupe, The Breakfast Club : Angie Smit, Ed Gilroy, Dan Gilroy et elle-même.

Après le départ
d'Angie Smit,
Madonna devient
la chanteuse
principale du
Breakfast Club.
Mais son besoin
d'en être le
leader va contri-
buer à mettre fin
à sa relation
avec Dan Gilroy.

*Ci-dessus et à
droite.*
Madonna et les
frères Gilroy tout
de blanc vêtus,
dans le style
« nouveaux
romantiques »,
pendant un
concert au
Bo's Space à
New York.

chez Island Records et signé Madonna. Malheureusement,
leur première collaboration ne se passe pas très bien. « Les
choses se sont brisées entre nous après ça, explique Mark.
Je ne lui donnais pas assez de directives au studio et la
face A n'a pas été aussi bonne que ce qu'on en attendait. »
En fait, quand Michael Rosenblatt, de Sire Records, écoute
la face A, « Ain't no Big Deal », il est si peu convaincu qu'il
décide de faire graver « Everybody » sur les deux faces du
disque ! La maison de disques ne tient pas spécialement à
promouvoir Madonna et Warner ne dépense d'argent que
sur les artistes qui sortent un album, ce qui explique que
le service de relations presse n'ait pas même remarqué
Madonna ! Pour essayer d'en tirer parti au mieux, Sire
Records, qui n'est pas spécialisé en dance music, décrète
que « Everybody » est taillé sur mesure pour un public noir.
Et Madonna, qui vient de se faire décolorer les cheveux, est
« vendue » comme une artiste noire ! Une ou deux astuces et
le tour est joué : pour la jaquette du disque, sorti en
octobre 1982, Sire choisit un collage hip-hop de vues de
Manhattan, plutôt qu'une photo de Madonna. Rien n'empêche ainsi de penser que la chanteuse est noire. « J'étais
révolté ! », se souvient Mark Kamins. Linda Alaniz aussi :
Madonna avait demandé à sa vieille amie d'université de la
prendre en photo pour la pochette du disque. Aujourd'hui,
l'idée paraît incroyable, sinon grotesque ! Comme le souligne Arthur Baker à propos de la chanson, « Quand vous
l'écoutez aujourd'hui, c'est à mourir de rire que des gens
aient pu penser qu'elle était noire ! » Pourtant, à l'époque,
ce choix marketing est loin d'être absurde : dans l'Amérique des années 80, la musique est encore rangée en caté-
gories définies par les radios et quelques émissions de
télévision et la bataille pour le temps d'antenne est rude,
même si on est encore loin de l'époque où les DJ de
quelques clubs, MTV ou certaines autres chaînes auront le
pouvoir de créer un tube.

Bien que la stratégie marketing de Sire laisse Madonna
amère, pour une fois, elle décide de ne pas dire ce qu'elle

en pense et se conforme aux décisions du producteur. Michael Rosenblatt est conscient de ces tensions, mais commente sèchement : « Elle est prête à tout pour être une star et c'est exactement ce que je recherche chez une star : une totale coopération. Il faut que l'artiste soit là pour faire tout ce dont j'ai besoin. » Même si Madonna est encore loin d'être considérée comme quelqu'un sur qui se fondent tous les espoirs : un contrat au rabais, un disque qui ne suscite pas vraiment l'enthousiasme, pas de publicité et, au bout du compte, une promotion construite autour d'une artiste soi-disant noire… On peut difficilement faire pire comme début de carrière ! « Sire n'avait aucune certitude à son sujet. Elle aurait pu ne faire qu'un seul tube – ou aucun ! », commente un producteur de musique. Madonna ne se laisse pas démonter et invoque la seule personne sur laquelle elle a toujours pu compter : elle-même. La nuit, elle fait le tour des clubs avec sa « bande », distribue son disque et insiste auprès des DJ pour qu'ils le passent. Le jour, elle fait de la pub pour son *single* en distribuant des prospectus dans la rue. Comme à l'époque de Camille, Madonna tient à ce qu'aucune occasion ne lui échappe. Elle se rapproche aussi de Bobby Shaw, l'un des commerciaux de Sire Records en charge des disques de dance, et l'accompagne de temps en temps lors de ses tournées dans les radios et les clubs. Le fait qu'elle se montre ne va pas vraiment dans le sens de la stratégie marketing de Sire, mais sa présence aide indubitablement à faire connaître le *single*. C'est pendant une de ces tournées qu'elle croise John « Jellybean » Benitez, DJ au Funhouse, qui lui promet de « faire bouger la baraque » avec « Everybody ». Leur première rencontre, en octobre ou novembre 1982 – les sources divergent –, va changer leur vie à tous deux : Benitez et Madonna vont travailler ensemble et devenir amants. Pendant un moment pourtant, ils « jouent au chat et à la souris », selon les propres termes de Benitez et ne songent pas à une relation amoureuse. Pour Madonna, il sera toujours assez tôt pour penser à l'amour : ce qui lui importe, à l'époque, c'est que son disque fasse un tabac. Le fait qu'elle soit la seule artiste de Sire Records à participer aux réunions de Bobby Shaw avec certains DJ, tous les vendredis après-midi dans son bureau du huitième étage de la 54e Rue, montre bien son ambition et sa totale implication. Ils parlent affaires, discutent et samplent leurs derniers titres. Sa présence lui permet d'influencer les sélections des DJ et, tout aussi important, empêche les mauvaises langues de s'exprimer tant qu'elle est là… Mais la néophyte va trop loin de temps en temps : « Une fois, j'étais en train de passer un morceau et elle m'a demandé : "S'il te plaît, enlève ça." Je l'ai regardée et lui ai dit : "On n'est pas à une de tes soirées !" », se souvient Bobby Shaw. Globalement, il la trouve cependant « vive » et « désireuse d'apprendre », même si son enthousiasme et son désir de succès la conduisent parfois à passer les bornes…

Pour sa part, Madonna aimerait faire savoir aux pontes de Sire Records, particulièrement Seymour Stein et Michael Rosenblatt, qu'elle peut faire son chemin dans le business de la musique – pour peu qu'on lui en donne l'occasion. Le fait que Rosenblatt commence à sortir avec son amie Janice Galloway – qu'il finira par épouser – ne lui a certainement pas été défavorable, mais Madonna tient à faire elle-même la démonstration de ses talents. Par chance, elle en a l'occasion quand un de ses amis new-yorkais, le poète et imprésario Haoui Montaug, organise l'une de ses soirées cabaret « No entiendes » (« Tu ne comprends pas ») à la Danceteria. Madonna fait partie du casting aux côtés de jongleurs, de cracheurs de feu et autres numéros étranges. C'est l'occasion rêvée pour convaincre sa maison de disques : elle invite Stein, Rosenblatt et d'autres responsables de chez Warner, dont le patron de la dance music, Craig Kostich. Avec son sens habituel du détail – qui deviendra sa « marque de fabrique » –, Madonna ne laisse absolument rien au hasard. Elle loue un studio de danse à Upper West Side pour les répétitions et convainc trois personnes de sa bande, Erika Belle, Martin Burgoyne et

Bagens (« Bags ») Rilez, de danser avec elle pour le spectacle. Madonna sait que la plupart des soirées cabaret de Montaug sont mal préparées : elle insiste donc pour que leur chorégraphie, elle, soit parfaitement huilée. Ils répètent longuement tous les quatre ; Madonna est toujours la première arrivée et la dernière partie.

Le grand soir, Montaug, en queue-de-pie et haut-de-forme, présente Madonna et son *single* « Everybody ». Les trois cents personnes de l'assistance se mettent à danser ; Stein et consorts observent depuis les coulisses. Leur prestation, qui dure trois minutes, sera par la suite décrite comme « du disco accompagné par des danseurs avant-gardistes ». On en parle souvent comme d'un moment clé dans la carrière de Madonna : c'est là que Sire aurait réalisé la puissance visuelle de l'artiste et décidé de la promouvoir à travers un nouveau média, la vidéo. Comme beaucoup de choses écrites sur Madonna, la réalité est quelque peu différente. Au mieux, la réaction des responsables de la maison de disques a été modérée. Rosenblatt contacte quand même Ed Steinberg, patron d'une société de vidéo, la Rock America, et lui demande s'il peut consacrer quelques heures pour réaliser une vidéo de Madonna lors de son prochain passage à la Danceteria – avec des moyens réduits. L'idée est de la passer à l'ensemble des équipes de promotion de Sire aux États-Unis, pour qu'elles puissent avoir une idée de ce que fait la chanteuse. A une époque où des artistes comme Duran Duran ou Michael Jackson trouvent naturel de dépenser des sommes à six chiffres pour réaliser leurs clips, Rosenblatt offre 1 000 dollars à Steinberg pour une production maison. Ils se mettent finalement d'accord sur 1 500 dollars – même si Steinberg s'amuse à dire qu'il attend toujours les 500 derniers dollars ! Au lieu de filmer Madonna en concert, Steinberg propose de tourner au Paradise Garage, un club gay auquel il peut avoir accès gratuitement. La production se fait à bas prix : Debi Mazar s'occupe du maquillage et se mêle au groupe sur la piste de danse tandis qu'Erika Belle et Bags Rilez dansent derrière Madonna. Elle fait venir également un groupe d'amis pour gonfler un peu le public dans le club, dont le graffeur noir Michael Stewart, qui mourra quelques mois plus tard après avoir été tabassé par la police. Steinberg, comme beaucoup d'autres, est immédiatement impressionné par le professionnalisme de Madonna : la chanteuse ne se plaint pas une seule fois quand il demande de recommencer la chanson pour la énième fois, et ce jusqu'à ce qu'il soit satisfait de ses prises. « Avant le tournage, j'avais entendu que c'était un vrai cauchemar et qu'elle était très difficile », se souvient-il. « A ce moment de sa carrière, elle s'appuyait sur des gens qui ne savaient pas vraiment ce qu'ils faisaient, alors il est facile d'imaginer pourquoi elle s'impatientait... », ajoute-t-il, critiquant implicitement ceux qui l'entouraient à l'époque. Sire Records obtient sa vidéo, mais Steinberg, impressionné par la chanteuse et sa chanson, prend les choses en main et décide d'envoyer des copies de la bande à toutes les boîtes de nuit du pays qui passent des vidéos de dance music MTV, alors embryonnaire, ne diffuse pas ce genre de clips. Son initiative permet au *single*, déjà en bonne place dans les classements de dance, de devenir plus qu'un hit new-yorkais – où il passe sur des stations de radio noires comme WKTU – et de gagner en audience nationale.

L'énergie dépensée et le travail acharné commencent à porter leurs fruits. En novembre 1982, « Everybody » fait un bond dans les *charts* de dance et atteint la première place quelques semaines plus tard. Certes, le *single* ne parvient pas à se classer dans le Top 100 de la pop de l'influent magazine *Billboard*, mais il vaut à Madonna sa première couverture de magazine. Dans le numéro de décembre de *Dance Music Report*, elle est plébiscitée, avec le groupe Jekyll and Hyde, par un sondage lecteurs, et c'est sa photo qui est retenue pour la une. Comme pour chacun des articles la concernant, elle l'étiquette soigneusement et le met de côté. Son succès lui donnera beaucoup de travail, puisqu'en deux ans elle accumulera un monceau d'articles ! La rue est conquise. Fab Five Freddie se souvient s'être baladé un jour sur Houston Street après la sortie du *single*, derrière deux jeunes Portoricaines, *soundmachine* en main, qui chantaient et dansaient sur « Everybody ». « Ça m'a impressionné! admet-il, Madonna attirait ceux qui personnifiaient la culture de la rue, pleine de saveurs. »

A cette époque, l'esprit downtown est incarné par un autre graffeur noir, un jeune rebelle génial qui deviendrait le James Dean de l'art, Jean-Michel Basquiat. Sujet aujourd'hui de plusieurs films et biographies, Basquiat, né à Brooklyn, fils d'un Haïtien et d'une Portoricaine, est présenté à Madonna par Ed Steinberg au Lucky Strike Club au moment où son *single* décolle. Lui est alors en passe de se faire un nom ; il crée avec une apparente facilité des œuvres d'art semi-abstraites qui synthétisent les paysages et les sons des quartiers pauvres ; des peintures qui ont été depuis largement remarquées par la critique et atteignent des prix astronomiques. « Tu ne devineras jamais avec qui j'ai dormi la nuit dernière », lance-t-il un jour de novembre 1982 à son colocataire et assistant Steve Torton. Ce dernier est loin d'être impressionné mais se dit que si Madonna a réussi à attirer Basquiat, c'est qu'elle doit être peu banale. « C'était un modèle d'exubérance, se souvient Torton. Il était tout excité parce qu'il avait reconnu en elle une figure dont on allait parler. » Leur idylle dure trois mois, à un moment où tous deux se retrouvent projetés de l'ombre vers la lumière. La manière dont elle a exprimé sa personnalité – tant privée que publique – au cours de cette brève relation révèle les qualités qui sont à la base de la séduction qu'elle exercera sur les gens. A bien des égards, leur histoire est celle de l'attraction des contraires. Il est tout ce qu'elle n'est pas. Autant Madonna est ambitieuse, ascétique, focalisée et maîtrisée ; autant Basquiat, de deux ans son cadet, est prodigue, insouciant et déconnecté du monde. Pour elle, chaque jour doit avoir un but, chaque rencontre un résultat, chaque conversation un sens. Basquiat, lui, vit sans calculer. Les opportunités et la notion de carrière le laissent indifférent, il a pleinement confiance en son talent et, pour lui, le succès semble assuré, sans qu'il n'ait à accomplir d'effort démesuré. Il peint toute la nuit, regarde le soleil se lever et peut ensuite passer la journée dans une limousine à dormir, à sniffer de la coke et à distribuer de l'argent par la fenêtre à des gamins de la rue. Quand il vend une de ses peintures, il lui arrive de louer sur un coup de tête une suite au Waldorf-Astoria, un hôtel cinq étoiles, et de ne pas même l'utiliser. Il existe une photo célèbre de Basquiat debout, nu dans sa baignoire, un sachet de cocaïne à la main, préoccupé par une fête qu'il s'apprête à organiser pour son ami Andy Warhol. Charismatique, spontané mais autodestructeur, Basquiat est l'un des génies de sa génération. Mais il est souvent en proie à des dépressions ou à des colères au cours desquelles il hurle des reproches à ceux qui sont près de lui. Comme tant d'autres artistes de cette époque, il s'attend à mourir jeune ; et il succombera en effet à vingt-sept ans d'une overdose d'héroïne, en août 1988.

Pour Basquiat, rien ne compte si ce n'est la prochaine toile – ou la prochaine ligne de coke. Torton et lui se moquent de Madonna qui parle sans cesse de sa carrière. Quand ils vont dans les clubs, tous trois tassés dans sa Plymouth décapotable noire modèle 1950, Basquiat, qui a pour seule envie de se défouler, reste perplexe devant Madonna qui se démène pour promouvoir son *single*! « Dans un sens, c'était beaucoup plus facile pour Basquiat que pour Madonna, explique Torton. C'était un artiste particulièrement talentueux, elle n'était pas sûre de son talent. » Les amants sont toutefois unis par une qualité souvent négligée dans les écrits relatifs à Madonna : le courage artistique. Ils n'ont pas peur de prendre des risques ni d'échouer. Tous deux ont le courage, pour parler métaphoriquement, de s'exposer en public. Il y a aussi quelque chose de très humain dans leur relation, une innocence, une vulnérabilité que la caricature de monstre sexuel de Madonna a effacées. (Chose étonnante, vu son image d'ogresse, le mot « innocent » est utilisé par plusieurs de ses anciens amants.) La plupart du temps, Madonna et Basquiat se conduisent comme des enfants, ils rient bêtement au lit, se chatouillent ; ou écoutent Torton, assis sur le bord du lit, leur raconter une de ses histoires, avec le débit rapide d'un commissaire-priseur !

Les photos du couple prises par Torton dans cet appartement laissent transparaître un peu de la candeur de leur relation. Mais, finalement, une différence essentielle aura raison de leur idylle : les humeurs noires et la paranoïa de Basquiat s'opposent à l'esprit positif et volontaire de Madonna. « Comment peux-tu le supporter ? Il est tellement déprimant ! », lance-t-elle à Torton après avoir passé le Nouvel An à Los Angeles avec Basquiat, au bord de la mer, dans la maison du marchand d'art Larry Gagosian. « Il ne se réveillait jamais avant le coucher du soleil et il n'a pas vu la mer de tout le séjour ! », se plaint-elle. Elle reste en bons termes avec lui après leur rupture et lui apporte son aide quand il décide lui aussi d'enregistrer un disque inspiré par le succès de Madonna. Si elle peut y arriver, lui aussi ! N'a-t-il pas fait partie d'un groupe de punk quand il avait dix-sept ans ? Basquiat enregistrera un *single* de rap, « Beat Pop », avec notamment Rammell Zee, artiste hip-hop new-yorkais.

Madonna est également restée amie avec Mark Kamins. Quelque temps après leur séparation – il sort alors avec celle qui deviendra sa femme –, ils continuent de travailler ensemble. Suite au succès d'« Everybody », Madonna est courtisée par les maisons de disques : comme Sire n'a signé que pour un *single*, il y a des risques pour qu'elle aille voir ailleurs. C'est à ce moment-là que Madonna est dépêchée au chevet de Seymour Stein, qui se remet de son opération du cœur. Ce dernier s'inquiète qu'elle puisse lui filer sous le nez. Resplendissant, en caleçon et robe de chambre, celui qui a signé les Pretenders et Talking Heads négocie maintenant avec Madonna. Elle obtient une avance de 5 000 dollars sur son nouveau contrat, qui prévoit un *single* et un album ; cet argent lui permettra de s'acheter un synthétiseur Roland pour travailler dans son nouvel appartement de Broome Street, à Soho. Il semble désormais que tout le monde veuille capitaliser sur le succès de son premier tube.

De manière compréhensible, Mark Kamins pense qu'on va lui demander de produire son second *single*, « Burning Up », enregistré début 1983. Mais il subit le même revers que Steve Bray avant lui. Michael Rosenblatt veut un producteur plus expérimenté. Il choisit Reggie Lucas, de la Warner, qui a un numéro un à son actif à ce moment-là, avec la chanteuse Stephanie Mills. Lucas écrit la face B du second *single* de Madonna, « Physical Attraction ». Kamins ne le prend pas mal : il travaille avec d'autres artistes, son contrat avec Sire et Warner lui rapporte un pourcentage sur les prochains titres de Madonna et il produit des remix, ce qui lui prend beaucoup de temps. « J'étais heureux, se souvient-il. Ma carrière décollait en même temps que celle de Madonna. » Les amis qu'elle a impliqués dans la production de ses premiers titres et vidéos sont heureux eux aussi.

Ses efforts pour donner un coup de pouce à sa « bande » sont à l'opposé de son image de jeune femme prête à écraser tout le monde pour se hisser au sommet. Elle confie à Martin Burgoyne le design de la pochette du *single* « Burning Up » et Debi Mazar s'occupe de son maquillage pour le clip commandé par Sire pour la promotion du nouveau titre. Maripol en est la styliste et Ken Compton apparaît à l'écran. La vidéo, réalisée par Steve Baron, est l'occasion pour l'Amérique de découvrir le tempérament de feu de Madonna. Elle obtient un petit succès sur MTV, qui a commencé à diffuser des clips de dance music. Dans une scène, Madonna manque être renversée par une voiture conduite par un beau jeune homme, Ken Compton. A la fin du clip, elle a plaqué le type et c'est elle qui conduit la voiture. Le message, elle le répétera tout au long sa carrière : c'est elle qui commande.

Quand son deuxième *single* sort, en mars 1983, elle part presque immédiatement en tournée promo avec les membres de son équipe, dont Erika Belle et Bags Rilez. Comme des dizaines d'autres groupes de dance, ils se produisent dans de nombreux clubs. Madonna chante sur une bande-son enregistrée et tous dansent sur les trois chansons de leur spectacle. Puis ils se rendent dans une autre boîte et répètent leur prestation de vingt minutes. C'est le côté exténuant et pas très glamour du show business... En Floride, dans un club de Fort Lauderdale, ils se produisent après un numéro de pantomime équestre ; une autre fois, à Key West, toujours en Floride, après avoir conduit toute la journée sous une pluie torrentielle, ils jouent devant une poignée de jeunes apathiques... Même dans ces moments, Madonna insiste pour qu'ils répètent leur numéro avant d'entrer en scène, dans la chambre d'hôtel qu'ils partagent. « C'était amusant de les voir danser entre les lits, se souvient Bobby Shaw, qui les accompagnait. C'était une perfectionniste et j'admire cela. » Les shows dans les clubs new-yorkais sont à la fois plus glamour et plus amusants. Ils se déplacent en limousine, louée par la maison de disques, jouent avec les lumières multicolores, mettent la musique à fond et invitent des amis et presque tous ceux qui se trouvent là à venir déambuler avec eux dans New York après les spectacles. Pour une fille qui s'est surtout baladée sur sa vieille bicyclette, cette voiture de luxe est un vrai plaisir ! « On s'amusait, c'était le pied ! », se souvient Erika Belle, qui réfute la légende selon laquelle ils faisaient monter des jeunes Portoricains et couchaient avec eux à l'arrière de la limousine... « On flirtait, on s'amusait beaucoup et c'est tout en ce qui me concerne. Oui, c'était l'époque où les filles avaient des relations sexuelles sur la piste de danse du Pyramid, mais Madonna n'en faisait pas partie. Ces histoires ne collent pas avec ce qu'elle était et ce qu'elle est, toujours maîtresse d'elle-même. » Quand ils sont en dehors de New York, Madonna donne des interviews à des radios ou des journaux locaux après le spectacle, pendant que les autres se reposent. Professionnelle et énergique, elle prouve pendant ces tournées qu'elle a une volonté de fer. A la fin de leur spectacle, le manager du club leur demande souvent de faire un rappel : elle refuse systématiquement, préférant laisser le public sur sa faim. Une fois, ils jouent à Sag Harbor à Long Island. Le public, essentiellement BCBG, est plutôt chahuteur et peu attentif – une expérience à laquelle sont confrontés un jour ou l'autre la majorité des chanteurs et qu'il vaut mieux ignorer en serrant les dents et en gardant le sourire. Très peu pour Madonna : à la moitié du spectacle, elle s'arrête brutalement de chanter et crie au public : « Allez vous faire foutre ! » avant de sortir de scène. Les organisateurs sont furieux mais elle impressionne au moins une personne dans la foule ce soir-là, Frances Grill, directrice de l'agence Click Model. Habituée à repérer le talent dans des situations insolites, elle se rend immédiatement compte qu'elle a affaire à un authentique tempérament de star. Madonna commence elle aussi à le comprendre. Une nuit, alors qu'elle revient de Brooklyn avec Bags et Erika, Madonna s'allonge dans la limousine et regarde Manhattan rougir dans le soleil levant. « Cette ville m'appartiendra », dit-elle impassible.

Une telle ambition comporte bien sûr des limites ; parmi elles, le fait qu'il n'y ait qu'une manière de procéder – la sienne – n'est pas la moindre. Au studio, elle est constamment à couteaux tirés avec son producteur, Reggie Lucas. Après le succès de « Burning Up », qui a atteint la troisième place des classements de dance, elle prépare son premier album. Madonna n'a pas beaucoup de chansons et pas beaucoup de temps. Au milieu de l'enregistrement, elle part à Londres avec sa petite troupe – accompagnée de Mark Kamins – pour faire la promotion de son deuxième *single*. Elle va au Heaven, un club gay à la mode, au Camden Palace et au Beatroot Club, et se rend à Manchester pour jouer au Hacienda Club. Elle y rencontre The Smiths, The Fall et Jools Holland, mais le public, lui, est loin d'être séduit. « C'était un désastre, se souvient Kamins. Les gens n'ont rien compris. J'étais choqué. » De retour à New York, c'est une autre sorte de désastre qui attend Madonna. Elle a prévu d'utiliser « Ain't no Big Deal », qui n'est finalement pas sorti sur son premier *single*, pour lancer son album. Mais Steve Bray l'a vendu à un autre label et elle doit trouver d'urgence un autre titre. Elle considère en outre que

Reggie Lucas a massacré certaines chansons de l'album au montage : elle préférait le côté plus sobre des premiers enregistrements. Une solution de secours s'impose ! Par chance, Jellybean Benitez, son petit ami, a une maquette de « Holiday », une chanson écrite par Curtis Hudson et Lisa Stevens, du groupe Pure Energy. Il l'a déjà proposée à Mary Wilson, la star des Supremes, et à la chanteuse Phyllis Hyman, mais tous deux l'ont refusée. Madonna, elle, est plus que contente d'accepter l'offre de Benitez ! Elle maîtrise rapidement la partie vocale et Benitez, bien qu'il n'ait jamais produit la moindre chanson, commence à travailler les sons. Il passe ses jours et ses nuits au studio pour donner forme au titre avant la date fatidique d'avril 1983. Ensuite, il se met à retravailler quelques morceaux enregistrés sous la direction de Lucas dans un style qui convient mieux à Madonna. Juste avant que « Holiday » soit terminé, ils apportent la bande chez Fred Zarr à Brooklyn et lui demandent s'il peut y ajouter quelques-uns de ses « zarrismes », comme dit Madonna. Zarr pianote sur son clavier et propose le solo de piano qui apporte la touche finale au morceau.

Bien que, depuis, Madonna ait reconnu que les chansons de son premier album, *Madonna*, sorti en juillet 1983, étaient « plutôt faibles » et que son manque d'expérience l'avait cantonnée trop longtemps dans la mouvance disco, cet album est un énorme succès : il se vend à neuf millions d'exemplaires dans le monde. Le second *single* issu de cet album, « Lucky Star », sera le premier des quinze tubes de Madonna classés dans le « Top 5 » américain : mieux que les Beatles ou Elvis Presley. Le premier extrait, « Holiday », domine les classements de Thanksgiving à Noël 1983. L'incroyable succès de l'album prend tout le monde de court – même les dirigeants de la Warner, qui devront retarder de plusieurs mois la sortie du second album, *Like a Virgin*, jusqu'à ce que la demande pour le premier diminue. Cet album la fait connaître partout. Quand il sort en juillet 1983, elle n'a ni manager, ni comptable, ni avocat…

ni même de compte en banque. Avec l'aide de Jellybean Benitez, elle se met alors à construire autour d'elle ce qui deviendrait une formidable équipe professionnelle. Benitez, DJ respecté mais aussi habile homme d'affaires, lui présente Bert Padell, comptable et conseiller, un personnage haut en couleur qui écrit de la poésie et a été *batboy*[1] du grand Joe DiMaggio. Pendant quinze ans, sa société, qui s'est occupée d'innombrables légendes de la pop, des Beatles à Britney Spears, gérera les affaires de Madonna avec la plus grande compétence. Elle a aussi terriblement besoin d'un manager. Elle a déjà signé deux contrats avec Mark Kamins et Jellybean Benitez, mais son succès perdurant, ils lui coûtent cher ! Seymour Stein, désormais sur pied, lui suggère de rencontrer à Hollywood l'un des agents artistiques les plus réputés au monde, Freddy DeMann, de Weisner-DeMann Entertainment, qui vient juste de se séparer de Michael Jackson. La légende raconte que Madonna auditionna dans son bureau et qu'il en fut si bouleversé qu'il dit par la suite aux médias qu'« elle *[avait]* cette magie particulière qui émane de peu de stars ». Certaines personnes ont d'autres souvenirs et se rappellent qu'après cette première rencontre DeMann s'est demandé tout haut pour qui diable se prenait cette fille en haillons. Sans aucun doute, leur collaboration doit beaucoup plus à la relation entre DeMann et Stein qu'à la persuasion de Madonna... Au moment de signer un contrat qui allait durer quinze ans, Stein ne peut s'empêcher de plaisanter : « Comment allez-vous vous appeler : DeMann and DeWoman[2] ? »

Cet été-là, à New York, c'est pourtant vers un autre couple que se tournent tous les regards : Madonna et John Jellybean Benitez. Après des mois d'une cour un peu distante, on commence à les voir ensemble régulièrement et, quand leur emploi du temps le leur permet, ils arrivent

---

1. « Porteur de batte » de Joe DiMaggio, célèbre joueur de base-ball américain, ancien mari de Marilyn Monroe, mort en 1999.
2. Jeu de mots. « DeMann and DeWoman », « l'homme et la femme ».

bras dessus bras dessous dans les restaurants à la mode, les lieux branchés et les soirées tendance de Manhattan. En parlant de leur carrière, Benitez explique : « On passait notre temps à essayer de caler un rendez-vous puis de planifier quelque chose et ça finissait par tomber à l'eau parce qu'il fallait que je sois au studio et qu'elle aille en Europe ou ailleurs… » Pourtant, dans cette relation, il semble que Madonna a trouvé quelqu'un qui lui ressemble. A l'inverse de Jean-Michel Basquiat, Benitez est aussi ambitieux que sa petite amie. « On est tous les deux très concentrés sur notre carrière, on a un but à atteindre », déclara-t-il. Bien que calme et même timide, son désir de gloire est aussi fort que celui de Madonna ; il engage même son propre attaché de presse, David Salidor, quand il obtient une place de DJ au Funhouse. C'est habile ; Benitez est invité à des soirées et des rencontres auxquelles un DJ n'aurait pas accès. Madonna en profite pour harceler Salidor de questions sur la manière dont il faut s'adresser aux médias. « Elle s'est approprié ce savoir et l'a appliqué à sa propre carrière », commente Salidor. Grâce à Benitez, Madonna prend conscience des opportunités mondaines et commerciales qui s'ouvrent à elle. Le DJ lui montre comment utiliser et exploiter au mieux la scène new-yorkaise. En fait, il lui explique tous les jours comment être une star – ou plutôt comment se comporter en star. Comme elle l'a un jour reconnu, « j'ai toujours agi en star, bien avant que j'en sois une. »

Quand ils ne sont pas en train d'intriguer pour briller sur la scène new-yorkaise, ils s'échappent dans une maison perchée au sommet d'une falaise, dans les Hamptons, louée l'année précédente par l'acteur John Belushi peu de temps avant sa mort tragique par overdose. Le groupe, généralement constitué de Jellybean, Madonna, son frère Christopher, Arthur Baker et sa femme Tina, et le musicien de studio John Robie, a l'habitude d'arriver le samedi au petit matin, une fois Benitez libéré de son travail au Funhouse. S'ils ne tombent pas de fatigue, ils vont nager, regardent le soleil se lever et donnent à manger aux canards. D'autres amis les rejoignent et dorment sous la véranda. Le petit groupe fait la fête toute la nuit. La cocaïne et autres drogues ne manquent pas. Arthur Baker, alors au sommet de sa carrière avec cinq disques dans le Top 20, se souvient qu'ils étaient la plupart du temps « complètement déchirés ». Tout le monde, sauf Madonna. « J'ai toujours eu l'impression que ça ne l'intéressait pas, ajoute Baker. Il se passait des choses pour elle à ce moment-là. Elle voulait travailler. » Elle n'a pourtant pas tant d'occasions de faire la fête. Son association avec Freddy DeMann commence à porter ses fruits : il lui décroche un rendez-vous en septembre avec le producteur de cinéma Jon Peters, qui lui confie un rôle de chanteuse dans le film qu'il est en train de préparer, une comédie romantique, *Vision Quest*. Quelques semaines après, elle se retrouve à Spokane, dans l'État de Washington, pour le tournage. « Il fait froid, je m'ennuie et je suis seule. » Quelle injustice ! D'autant que ce mois-là, « Holiday », une chanson « aussi contagieuse que la peste », comme l'a dit un critique, est numéro 1 en Amérique dans la catégorie dance music !

Certes, il y a des compensations. Un an seulement auparavant, elle était une chanteuse noire à peine reconnue par sa propre maison de disques. En novembre 1983, dans un restaurant chinois, elle parle de sa musique, de ses crucifix et de sa vie avec la petite amie et associée de Jon Peters, Barbra Streisand. C'est la rencontre, sinon de deux âmes, du moins de deux femmes également poussées par un profond désir d'être adulées et acclamées par le monde entier. Elles ont besoin d'être le centre de l'attention, tous les jours, quel qu'en soit le moyen. Ce trait de personnalité déconcerte le père de Madonna : « Est-ce que tu t'habilles toujours comme ça ? C'est un déguisement ? », demande-t-il ironiquement ce mois-là à sa fille qui vient passer Thanksgiving chez lui avec Jellybean Benitez. Quelques semaines plus tard, elle croise une autre figure de son passé, le jeune acteur David Alan Grier, en allant au Studio 54 où elle doit chanter pour la maison Fiorucci à l'occasion d'une fête d'anniversaire. En regardant la salle, elle lance à Grier : « Toi et moi, on va être des stars et on va laisser ces imbéciles dans la poussière. »

Jusqu'alors, seuls ses amis et quelques relations ont eu l'occasion d'être les témoins de son ambition. Ça ne va pas durer. En janvier 1984, le succès de « Holiday » vaut à Madonna sa première télé nationale dans *American Bandstand*[1], le plus célèbre show dansant pour adolescents. Quand l'animateur, Dick Clark, lui demande ce qu'elle voulait faire quand elle était petite, elle répond sans hésitation : « Dominer le monde ». Clark sourit mais la réponse de Madonna est on ne peut plus honnête ; c'est l'expression parfaite de son désir le plus profond. Cette ambition pathologique, première et inflexible, a façonné sa volonté de tout sacrifier sur l'autel de la célébrité : amour, affection, amitié, stabilité, anonymat… Plus exactement peut-être, elle s'est préparée à poursuivre sa quête d'amour en se soumettant au dieu de la gloire, capricieux et changeant. Ce pacte faustien est devenu inévitable, tant son besoin est énorme de voir son nom en lettres de lumière et sa photo en couverture des magazines, d'entendre ses fans lui crier leur adoration. Finalement, elle n'a pas eu à attendre bien longtemps.

---

1. Littéralement, « le kiosque à musique américain ».

8

« I'm a sexy woman, yeah, yeah, yeah ! »

Le 14 septembre 1984, soir de la remise des premiers Video Music Awards de MTV, tout le monde n'a d'yeux que pour l'énorme gâteau blanc. Ou du moins, pour la jeune chanteuse perchée au sommet dudit gâteau. La cérémonie diffusée en direct du Radio City Music Hall de New York a été mille fois répétée. Pourtant, même la maîtresse de cérémonie, Bette Midler, paraît abasourdie lorsqu'elle découvre Madonna vêtue d'un bustier blanc moulant avec jupe et voile en tulle assortis, arborant sa fameuse ceinture « Boy Toy », des colliers de perles, des croix et une flopée de bracelets en caoutchouc. Lorsqu'elle entonne « Like a Virgin », la chanson titre de son deuxième album sur le point de sortir, ceux que le mot « vierge » n'a pas encore fait bondir de leur siège s'étranglent devant les déhanchements plus que suggestifs de cette jeune épousée pas précisément effarouchée. On n'a jamais rien vu de pareil.

Après la chanson, Bette Midler tente une ou deux blagues faiblardes devant un public estomaqué. Arthur Baker et sa femme Tina, assis près du premier rang, n'en croient pas leurs yeux. « Nous avons tous dit qu'elle était finie, qu'elle venait de se couler », se souvient Baker. Pourtant, si dans la salle, le numéro torride de Madonna a été diversement apprécié, en revanche, il passe très bien à l'écran et les téléspectateurs ont adoré. « Like a Virgin » est en passe de devenir le plus gros tube de Madonna. Plusieurs fois disque de platine, il restera en tête du hit-parade pendant six semaines à partir de décembre 1984. « C'est ça qui l'a lancée, concédera Baker plus tard. Cela montrait qu'elle était assez futée pour savoir utiliser la caméra à son avantage. » Ceux qui à Sire Records pensent encore que Madonna ne sera qu'une étoile filante doivent réviser leur jugement.

Son succès ne fait pourtant pas l'unanimité. A côté des nombreux fans qui semblent ne jamais vouloir se lasser du nouveau tube de Madonna, il y a la cohorte des moralistes indignés, prompts à condamner « Like a Virgin » qui selon eux sape les valeurs traditionnelles et encourage les relations sexuelles hors mariage. C'est une controverse à laquelle la chanteuse s'attendait, tout en sachant que le débat « vierge ou putain » serait, pour elle et pour le disque, une source de publicité. « C'était de la provocation, dit-elle. J'aime l'ironie. J'aime les choses qui ont plusieurs niveaux de compréhension. "Like a Virgin" a toujours été totalement ambigu. » Avec son clip, où Madonna apparaît tantôt en libertine chantant dans une gondole à Venise, tantôt en amoureuse vêtue d'une robe de mariée, la chanson parvient à séduire les romantiques qui se plaisent à en faire une célébration du grand amour, tout comme ceux qui voient là un hymne au désir et à l'épanouissement sexuel. Pendant ce temps, le personnage incarné par Madonna – une femme indomptable, sûre d'elle et assumant sa sexualité – commence à trouver un écho auprès d'une nouvelle génération d'adolescentes. A l'instar de leur héroïne, beaucoup d'entre elles ont grandi dans un monde soit dominé par des stéréotypes divisant les femmes en vierges et putains, soit régi par des valeurs féministes blâmant celles qui se servent de leur charme pour gravir les échelons de la société. Madonna, elle, dit à ces jeunes filles qu'on peut être fière de son corps comme de son cerveau, qu'on peut être sexy et réussir. Elle leur donne l'exemple d'une femme qui s'habille et se comporte comme une « dépravée », mais se voit richement récompensée au lieu d'être punie. De plus, alors que la mode des années 80 célèbre des beautés plates et anorexiques, les courbes de Madonna réconfortent les femmes aux formes plus classiques. Le néologisme américain *wan-nabe* – désignant les personnes qui prennent pour modèle une célébrité – semble avoir été créé pour les milliers de jeunes émules de la chanteuse. Les grands magasins Macy's iront même jusqu'à consacrer un étage entier au « look Madonna », où l'on trouve mitaines, bracelets en caoutchouc et fuseaux en dentelle.

Le phénomène Madonna prend bientôt une telle ampleur que, dans les universités, les spécialistes des études féministes discutent âprement, s'interrogeant sur son influence d'idole postmoderne. Sans aller chercher si loin, Angie – l'ex-épouse de David Bowie – déclare que sa devise est beaucoup plus simplement : « I'm a sexy woman, yeah, yeah, yeah[1]. »

Bien qu'elle jouisse enfin du succès et de l'adoration auxquels elle aspire depuis si longtemps, 1985 sera une année mitigée pour Madonna, dépassée par son nouveau statut de star. Dans un premier temps, elle savoure pleinement sa célébrité. Depuis le dossier sur la mode paru dans *Village Voice*, elle a gardé toutes les coupures de presse la concernant. Chaque matin, elle épluche les journaux à scandale new-yorkais et le *New York Times*, lisant tout ce qu'on dit sur elle. Puis elle parcourt les articles envoyés par son attachée de presse Liz Rosenberg. Publiquement, elle feint l'indifférence aux critiques cinglantes et aux ragots désobligeants que certains journalistes colportent sur son compte, mais, en réalité, elle se sent souvent blessée, jusqu'à en perdre le sommeil, si une remarque la pique au vif. Elle estime que ceux qui portent un jugement défavorable sur elle n'ont pas le droit de lui jeter la pierre, car ils ne la connaissent pas et n'ont jamais été à sa place. Il faudra encore quelques années avant que Madonna ne commence à se sentir à l'aise dans son rôle de star et qu'elle apprenne à gérer l'adoration et la solitude qui l'accompagnent.

---

1. « Je suis une femme sexy. »

Elle découvre peu à peu les revers de la célébrité. Plus question de se balader à vélo dans New York, de prendre le métro ni de se rendre incognito à la laverie automatique du coin. Au restaurant, les autres clients parlent d'elle, tandis que les paparazzi l'attendent à la sortie. Les plus téméraires s'aventurent parfois jusqu'à sa table pour l'immortaliser en train de manger.

Déconcertée, elle se rend compte que la célébrité ne l'amuse pas tant que cela. « Ça m'énervait vraiment », se souviendra-t-elle plus tard, avouant qu'elle avait alors l'impression d'être « en cage » dans sa chambre. Comme le déclare laconiquement Steve Bray : « Elle a toujours voulu être le centre d'intérêt. Maintenant, c'est son boulot. » Les paradoxes de sa nouvelle situation n'échappent pas à Ed Steinberg, qui l'a connue à l'époque où elle n'était encore qu'une inconnue bataillant pour une place au soleil. Il la rencontre au Lucky Strike Club. Au fond de la salle, entourée de gardes du corps et d'employés, elle essaie vainement de passer inaperçue. « Je me suis dit que ça devait être génial d'avoir son argent, ses relations et sa célébrité. Mais je n'aurais pas échangé ma place contre la sienne. Elle semblait très seule. En qui pouvait-elle avoir confiance maintenant ? Les gens recherchaient-ils son amitié ou ce qu'elle pouvait faire pour eux ? »

Son ascension reste aussi en travers de la gorge de certains de ses proches. Jean-Michel Basquiat plonge dans une profonde dépression lorsqu'il découvre le visage de la jeune femme en couverture du prestigieux *Time Magazine*, en mai 1985. Il se sent blessé dans sa sensibilité d'artiste. S'estimant plus talentueux qu'elle, il pense que c'est son portrait à lui qui devrait se trouver là. Même Paula, la jeune sœur de Madonna, se plaint à Steinberg, pour qui elle travaille à l'époque. Elle chante mieux que son aînée et, en toute justice, elle devrait être la star de la famille. « Paula souffrait d'être toujours dans l'ombre, compatit Steinberg. C'était une gentille gosse et la faune new-yorkaise en profitait, l'utilisant comme un substitut de sa sœur. » D'autres encore ont l'impression que Madonna est prête à les écraser pour atteindre le sommet, ou lui reprochent de les laisser tomber sans pitié. Fidèle à elle-même, Madonna ne s'en formalise pas. « Je suis dure, je suis ambitieuse et je sais exactement ce que je veux. Tant pis si je passe pour une salope. » Après avoir promis la chanson « Into the Groove » à Cheyne, la dernière protégée en date de son ex-petit ami Mark Kamins, Madonna décide finalement de l'utiliser sur la bande originale de *Recherche Susan désespérément*. Celui-ci tombe des nues lorsqu'il apprend la nouvelle, alors qu'il a déjà payé l'enregistrement. Cette chanson, qu'on qualifiera un jour de « premier grand *single* » de Madonna, aura coûté cher à Kamins. « J'étais furieux contre elle », reconnaîtra-t-il, plus affecté par la négligence de Madonna qui ne l'a pas averti que par l'argent gaspillé.

Si certaines relations passent à la trappe, d'autres se consolident, ainsi sa collaboration artistique avec Steve Bray, le batteur du nouveau Breakfast Club. Il est d'ailleurs l'auteur de la moitié des chansons de l'album *Like a Virgin*, produit par Niles Rodgers. « Je fais d'abord la cage thoracique et le squelette *[la musique]* de la chanson, explique Bray, décrivant leur méthode de travail. Elle arrive pour les finitions – les sourcils et la coupe de cheveux *[les paroles]*. Quand elle écrit, elle se laisse porter par l'humeur du moment. » Leur amie commune Erika Belle assiste à certaines séances au studio Sigma Sound. Un jour, voyant Bray peiner sur un enchaînement de « Into the Groove », Madonna s'approche du micro et, imperturbable, chante : « Live out your fantasy here with me. » « Les mots semblaient couler naturellement, se souvient Erika Belle. J'étais clouée sur place. »

Diplomate, Jellybean Benitez, son compagnon depuis deux ans et demi, reconnaît que les gens peuvent se sentir exploités par Madonna, ajoutant aussitôt qu'ils ont des attentes démesurées. « Dès qu'elle prend un peu de distance, ils crient tout de suite au rejet », déclare-t-il. En fin de compte, il sera lui aussi victime du succès de la jeune femme. Au début, beaucoup ont cru qu'ils finiraient par se marier, surtout après leurs fiançailles, lorsqu'ils ont emménagé ensemble dans le quartier branché de Soho, à New York. « Il était amoureux d'elle, observe Arthur Baker, un ami proche du DJ. Je savais qu'il était vraiment accro. Ils étaient tous les deux ambitieux et formaient une sacrée équipe. Mais c'était elle qui menait la barque. C'est une diva. Les chanteurs veulent être le centre d'intérêt. Ils sont tous comme ça. » Jellybean aime lui aussi attirer l'attention, et c'est là le problème. Tous deux très ambitieux, ils sont trop préoccupés par leurs carrières respectives pour se consacrer à leur vie de couple. « Il est scorpion et nous voulons tous les deux être des stars, c'est donc galère sur toute la ligne », admet Madonna à l'époque. Ils s'entendent pourtant à merveille lorsqu'ils parlent de sa carrière de chanteuse, discutent de ses derniers morceaux, explorent de nouvelles orientations artistiques ou financières. Mais même ce partenariat a ses limites, Madonna ne se le cache pas. « Lorsqu'on travaille et qu'on voit sa vie de couple se désagréger, c'est difficile de continuer. Quand on est ensemble, on ne peut pas s'empêcher de parler boulot et, au bout d'un moment, on se demande si on a quelque chose d'autre en commun. »

Ces limites apparaissent encore plus nettes le jour où Benitez découvre que Madonna voit en cachette Steve Neumann, un journaliste qui fréquente Erika Belle depuis longtemps. Leur liaison sera brève, peut-être à cause de la réaction de Benitez qui fait irruption dans l'appartement de Neumann pour récupérer son amie. Mais l'attitude de Madonna n'aide guère à développer une relation de confiance. Cependant, Erika Belle semble faire peu de cas de l'aventure. A propos de Benitez, elle dit simplement : « Il avait tendance à être un peu jaloux. C'est son sang latin. Mais il ne faut pas sous-estimer les liens qui les unissaient, Madonna et Jellybean étaient très proches. »

La plus grande contribution de Jellybean Benitez à la vie de Madonna est peut-être simplement d'avoir été là au moment où la célébrité lui est tombée dessus. Comme il le fera remarquer plus tard à l'écrivain Mark Bego : « Je pense qu'en fin de compte, on s'est recontré quand il le fallait. On s'est soutenu mutuellement pendant une période difficile. » Non seulement il s'occupe des chasseurs d'autographes, qui souvent ne se gênent pas pour lui faire des remarques du genre : « Oh, vous êtes plus petite que sur les photos », quand ils ne lui offrent pas des conseils sur sa coiffure, mais il la protège aussi des photographes et il est à ses côtés pour la rassurer lorsqu'elle s'attire les critiques de la presse. Cependant, même Jellybean finit par se lasser d'être Mr Madonna, un titre un peu vexant pour un DJ célèbre, également producteur, qui employait déjà un attaché de presse à une époque où sa petite amie était encore une parfaite inconnue. Pour tenter de recoller les morceaux épars de leur relation, ils font une escapade aux îles Vierges à Noël 1984. Mais ces vacances ont surtout pour effet de souligner le fossé qui se creuse entre eux. Pendant le vol de retour, Jellybean doit endosser le rôle de responsable des relations publiques et de garde du corps pour s'occuper de la procession de fans pleins d'espoir qui essaient d'approcher Madonna.

Moins d'un mois plus tard, en janvier, elle se rend à Los Angeles pour tourner le clip de son dernier *single* « Material Girl », un film de trois minutes réalisé par Mary Lambert, qui a déjà filmé « Like a Virgin ». Dans ce clip qui deviendra un classique, on découvre une Madonna réinventée, archétype de la déesse hollywoodienne sexy des années 50, jouer les Marilyn Monroe dans le film de Howard Hawks, *Les hommes préfèrent les blondes*. A Los Angeles, un programme chargé l'attend : ils n'ont que deux jours pour filmer et on frôle la crise lorsque, sur le tournage, Madonna se rend compte qu'elle est enceinte de Benitez. Pour une femme déterminée à contrôler sa vie de A à Z, la nouvelle est un choc. Après en avoir discuté avec son compagnon, Madonna décide d'avorter, bien que bouleversée et inquiète. Son manager, Freddy DeMann, est sur place pour s'occuper du nécessaire.

« Elle est venue nous trouver complètement retournée », racontera l'assistante de DeMann, Melinda Cooper, à Christopher Andersen. « Elle n'était plus qu'une gamine effrayée qui ne voulait pas que sa famille l'apprenne. Madonna aimait Jellybean, mais elle avait sa carrière et lui la sienne. Nous nous sommes donc occupés de l'avortement. C'est nous qui l'avons conduite chez le médecin. Elle avait l'air tellement innocent ce jour-là ! » D'après Erika Belle, elle aurait subi trois interruptions volontaires de grossesse à l'époque où elle vivait avec Benitez. Mais Erika précise que si leurs conversations touchaient à la contraception, aux règles et à d'autres sujets intimes, l'avortement n'en faisait pas partie : « Sous sa carapace, elle est humaine. Elle aime les enfants, elle a des hormones, elle est assujettie à son fonctionnement biologique. Mais l'avortement était un sujet que nous n'abordions jamais. »

Des années plus tard, lorsque Madonna et son compagnon de l'époque Jim Albright projetteront d'avoir des enfants, elle lui parlera de ses avortements, et en particulier de celui qu'elle a subi en Californie. « Ça a été un gros traumatisme pour elle », affirmera Albright, expliquant que sa soif inextinguible de célébrité se heurtait à ses sentiments maternels et à sa culpabilité, due en partie à son éducation catholique. Début 1985, elle n'a cependant guère l'occasion de s'appesantir sur la question. Après le tournage à Los Angeles, Madonna s'envole pour Hawaï, où elle pose sur la plage pour le photographe des stars Herb Ritts, qui réalise un « calendrier Madonna ». Pendant ce temps, *Like a Virgin* détrône Bruce Springsteen et caracole en tête du hit-parade des albums. Lorsqu'elle fait un bref séjour promotionnel à Osaka, au Japon, elle est devenue la vedette la plus demandée de la planète, avec 80 000 disques et cassettes vendus par jour à travers le monde.

Madonna a toutes les raisons de se réjouir. Pourtant, elle se sent « seule et bouleversée » depuis l'avortement. Elle se rend compte qu'elle est en train de perdre Benitez et, comme si cela ne suffisait pas, elle reçoit un appel d'un mauvais plaisant qui prétend que son père est décédé. Elle a beau demander à son équipe de faire venir son compagnon sur la Côte Ouest, le couple ne sera à nouveau réuni que le 25 janvier 1985. Jellybean Benitez l'escorte aux American Music Awards de Los Angeles, où Madonna apprend qu'elle a perdu son titre de « chanteuse pop préférée » au profit de Cyndi Lauper. Ce sera leur dernière sortie en couple. Madonna restera cependant en bons termes avec lui, comme avec bon nombre de ses anciens amants et amoureux.

Mais déjà de nouveaux horizons s'ouvrent devant elle. La rencontre fatidique avec celui qui va devenir son mari a déjà eu lieu. D'après la légende, alors qu'elle attendait nerveusement en haut d'un escalier, sur le plateau de « Material Girl », elle pencha la tête et vit pour la première fois son futur époux. La réalisatrice Mary Lambert a en effet invité sur le tournage son ami Sean Penn, fils du réalisateur de télévision Leo Penn et de l'actrice Eileen Penn. Très doué, quoique buveur, violent et volontiers injurieux, Sean Penn fait partie d'un groupe de jeunes talents prometteurs d'Hollywood, aux côtés de Rob Lowe, Tom Cruise et James Foley. Star des années 50 jusqu'au bout des ongles dans sa robe fourreau fuchsia, Madonna remarque Sean Penn qui traîne derrière le décor, en blouson de cuir et lunettes de soleil. A cet instant, prétendra-t-elle plus tard, elle a eu « immédiatement le pressentiment qu'ils tomberaient amoureux et se marieraient un jour ».

Si elle dit vrai, ce pressentiment la préoccupe assez peu au cours des semaines suivantes. Incapable de tenir en place, elle est déterminée à exploiter au mieux son séjour à Hollywood. En dépit de son raffinement new-yorkais et de son succès, dès qu'elle arrive sur la Côte Ouest, elle redevient une gamine du Midwest émerveillée qui ne se sent plus de joie à l'idée de côtoyer les étoiles du cinéma. En l'espace de quelques jours, elle rencontre Keith Carradine, qui interprète un grand ponte d'Hollywood un peu louche dans le clip de « Material Girl », Jack Nicholson, Warren Beatty et surtout Prince, qui l'invite à un de ses concerts après qu'elle lui a remis son American Music Award. « Elle était comme une gosse dans un magasin de bonbons, se souvient Erika Belle. Elle était béate d'admiration devant toutes ces célébrités. Elle m'a dit avoir rencontré pêle-mêle Elizabeth Taylor, Sean Penn et un roi du pop-corn. Elle était grisée mais, en même temps, fermement décidée à se faire un nom. » Prince joue les chevaliers servants, la promène en ville et l'invite dans des restaurants japonais. Une limousine vient la chercher pour l'emmener à son concert au Los Angeles Forum. Les journaux à scandales peuvent bien gloser tant et plus sur leur « idylle passionnée », Madonna s'intéresse surtout à la manière dont Prince mène sa carrière : au cours des douze derniers mois, il peut se targuer d'avoir sorti un tube, un album et un film, sans compter son Academy Award pour la bande originale du film *Purple Rain*. Si leur « idylle passionnée » ne fait pas long feu, leur amitié va déboucher sur une fructueuse collaboration musicale et financière. Ils renonceront à leur projet d'écrire une comédie musicale ensemble, mais chanteront en duo « Love Song » sur *Like a Prayer,* un album de Madonna. Plus tard, elle prendra également une participation dans ses studios d'enregistrement de Paisley Park.

Il semble que Prince lui ait servi de modèle pour sa propre carrière artistique, qui conjugue musique, vidéo et cinéma. Au cours du premier semestre 1985, Madonna sort six *singles* bien placés au hit-parade, cinq clips et apparaît dans deux films : *Vision Quest* et *Recherche Susan désespérément*. Elle se démène pour attirer l'attention du public – et celle de la critique. Elle se rêve depuis toujours en reine du grand écran et, n'étant pas du genre à se reposer sur ses lauriers, elle se lance à l'assaut d'Hollywood. Grâce à un petit rôle dans *Vision Quest*, tourné en novembre 1983, dans lequel elle chante « Crazy for You » – chanson qui donnera son titre au film en Grande-Bretagne – et « Gambler », elle a décroché le rôle de Susan, au détriment d'actrices confirmées comme Kelly McGillis, Ellen Barkin ou Mélanie Griffith, dans un film à petit budget qui a remporté un succès inattendu. *Recherche Susan désespérément* de Susan Seidelman sort le 29 mars 1985, avec sur la bande originale la chanson « Into the Groove » écrite par Madonna et Steve Bray. Le film qui rapportera 27,3 millions de dollars rien qu'aux États-Unis sera classé cinquième de l'année en termes de bénéfices. Cette satire sociale légère et pleine de drôlerie raconte l'histoire d'une épouse au foyer désenchantée qui, après avoir perdu la mémoire, prend la place de Susan, une femme aux mœurs et à l'esprit libres. Initialement destiné à faire valoir Rosanna Arquette, qui recevra d'ailleurs un British Film Academy Award pour son interprétation, la star du film est sans conteste Madonna. A propos de son personnage, la chanteuse déclare : « Elle n'a pas de racines, elle représente la liberté, l'aventure et toutes ces choses que la plupart des gens normaux pensent ne pas pouvoir faire. » En aparté, elle ajoute que Susan est aussi délibérément opportuniste. Chose intéressante, voire révélatrice, elle précise aussitôt : « Mais elle n'est pas insensible. Quand on se conduit comme si on n'en avait rien à faire des autres c'est pour se protéger, bien sûr, pour cacher ses véritables sentiments. » Les critiques saluent son jeu, tout en remarquant au passage qu'il ne s'agit pas vraiment d'un rôle de composition. Camille Barbone, son ancien manager, juge son interprétation « brillante », révélant que Madonna avait l'habitude de s'allonger sur le sol de son salon pour se prendre en photo, comme dans le film. Quant à son ex-petit ami Mark Kamins, il affirme : « Susan n'était pas un personnage, c'était Madonna : une gosse impertinente toujours en train de mâcher son chewing-gum, une grande gueule futée et délurée. C'était la "night-clubbeuse" type qui avait la bougeotte et sillonnait New York à vélo. »

Madonna a décidé que Hollywood serait le prochain objectif sur sa liste. Elle aspire toujours à être reconnue en tant qu'actrice. Sur la Côte Ouest, elle trouvera aussi l'homme de ses rêves, et se laissera embarquer dans un tourbillon amoureux qui se transformera en une tornade de gros titres, de larmes et de regrets. Pendant que les journaux populaires se repaissent de l'idylle supposée entre Madonna et Prince, Sean Penn avance ses pions dans l'ombre. Les prémices s'annoncent prometteuses. Elle qui attache une grande importance aux dates le considère avec un nouvel intérêt lorsqu'elle apprend qu'ils sont nés à un jour d'écart. Il y a également dans la courbe tombante et cruelle de la bouche, dans les yeux un peu trop rapprochés et dans l'épaisse tignasse de l'acteur quelque chose qui lui rappelle un autre homme : son père. Il suffit de jeter un coup d'œil sur une photo de Tony Ciccone jeune pour s'en convaincre. Comme Madonna, Sean Penn sort d'une longue relation. Pendant deux ans, il a été fiancé à l'actrice Elizabeth McGovern, avec qui il a tourné dans *Les Moissons du printemps.* Irascible, d'une jalousie maladive, Sean Penn aurait tambouriné violemment contre sa caravane un jour où, entre deux prises, un journaliste l'interviewait en tête-à-tête. Une autre fois, l'impétueux acteur lui aurait soi-disant arraché la montre du poignet d'un coup de feu. Que ces scènes en soient la cause ou non, en 1985, le couple a décidé de se séparer. Ils ont rompu leurs fiançailles peu de temps avant l'arrivée de Madonna à Los Angeles. Penn fait les honneurs de la ville à Madonna, lui montrant divers lieux célèbres, notamment la tombe de Marilyn Monroe, au cimetière de Westwood. Elle voit aussi sa collection d'armes à feu, apprend qu'il en garde toujours une dans son 4 x 4 et découvre son stand de tir privé. Lors de leur première soirée ensemble, Sean Penn emmène Madonna chez son ami Warren Beatty, où, entre autres vedettes, elle rencontre Jack Nicholson, le mentor du jeune homme, Mickey Rourke et la comique Sandra Bernhard, qui deviendra une amie très proche.

Cependant, à peine entamée, leur histoire s'annonce houleuse. Début mars, le couple se dispute : Sean reproche à Madonna de s'exhiber avec Prince, elle l'injurie abondamment en public suite à un rendez-vous avec son ex-fiancée dans un restaurant de Manhattan. De plus, il n'a pas l'habitude de voir sa vie amoureuse s'étaler dans les médias, mais là où se trouve Madonna, la meute des journalistes n'est jamais loin. Sous bien des aspects, Sean Penn – qui fume cigarette sur cigarette et se montre souvent colérique et grossier – semble un choix amoureux étonnant de la part de Madonna. Néanmoins, il lui fait indéniablement de l'effet. « Il m'inspire et me choque à la fois », explique-t-elle au journaliste Fred Schruers.

A son retour à New York, ses amis constatent avec amusement qu'elle porte maintenant au quotidien des vêtements de sport rustiques plus adaptés à la montagne qu'à Manhattan. Apprenant qu'elle a une nouvelle liaison, beaucoup de ses proches pensent que c'est surtout l'étiquette « Hollywood » de Penn qui l'a séduite. Après plusieurs semaines de « Sean par-ci », « Sean par-là », ils doivent pourtant se rendre à l'évidence : Madonna est vraiment amoureuse. La stupéfaction de ses amis n'a d'égale que leur inquiétude lorsqu'ils découvrent Penn. Son premier séjour à New York n'est pas une réussite, et une méfiance mutuelle s'installe aussitôt, exacerbant le gouffre culturel entre les Côtes Est et Ouest. Le cercle de Madonna a l'impression qu'il peut à peine contenir sa répulsion devant l'homosexualité d'Andy Warhol, Keith Haring ou Martin Burgoyne. Leur façon de s'habiller, leurs valeurs et leur orientation sexuelle le déroutent et l'intimident. « Il était horrifié, se souvient Erika Belle. Il hallucinait devant notre bande de tordus. On lui donnait la chair de poule, il n'avait qu'une idée en tête : se tirer le plus vite possible. Il n'essayait pas de nous parler, il se contentait de grimacer d'un air méprisant. » En vérité, aucun des deux camps n'accorde de chance à l'autre et chacun reste sur ses positions, s'accrochant à ses préjugés. Après cette mésaventure, Madonna, désireuse de ménager la sensibilité de son ami, s'efforcera de le tenir à distance de son groupe new-yorkais. Cependant, Sean Penn vaut mieux que son personnage public de sale gosse immature et trop gâté. Semblable en cela aux autres amis de Madonna, il se consacre avec passion à son art, il est prêt à prendre des risques et à faire des pieds de nez aux studios d'Hollywood. Comme l'écrivain Lynn Hirschberg le fait observer : « Il ressemble aux hommes qui hantent les chansons de Bruce Springsteen et les écrits de Charles Bukowski : des durs pensifs et un peu dangereux, pleins de sentiments inarticulés. »

Au cours de sa carrière, il a constamment fait preuve d'une volonté de bousculer l'ordre établi, mâtinée de solides valeurs morales qui lui ont permis de préserver la pureté de son art. Madonna le qualifiera un jour de « cowboy poète », une formule certes simplificatrice, mais qui en dit long sur l'honnêteté et l'intégrité de l'acteur. Ce n'est pas seulement le Sean Penn mauvais garçon et rebelle qui attire Madonna, c'est aussi son sens moral et ses principes chevaleresques d'un autre temps. Plus cyniquement, et à l'instar de ses amis les plus dubitatifs, on peut alléguer qu'elle sait très bien qu'une union avec Penn lui ouvrira de nombreuses portes à Hollywood, même si elle est sincèrement amoureuse. « Ses sentiments pour lui étaient authentiques, commente un proche. Elle qui veut tout contrôler s'est fait vulnérable pour ménager sa susceptibilité et son bien-être. » Toutefois son dévouement s'arrête là où commence sa carrière, et le travail vient une fois de plus contrecarrer ses amours. Madonna partage son temps entre New York et Los Angeles, répétant avec frénésie pour sa première grande tournée à travers tous les États-Unis, The Virgin Tour, prévue pour avril 1985. Pendant ce temps, Sean Penn se prépare à passer deux mois dans le Tennessee pour le tournage de *Comme un chien enragé*, un film où il doit jouer aux côtés de son frère Chris et de Christopher Walken. Leur relation se réduit donc bientôt aux appels longue distance et aux visites d'un week-end quand leurs emplois du temps respectifs le permettent.

Pour The Virgin Tour, Madonna et Freddy DeMann s'inspirent de Michael Jackson ainsi que des accessoires et des décors de Prince. Après plusieurs semaines de répétions impitoyables supervisées par Madonna, la tournée débute à Seattle, où Sean se fait un devoir de se rendre. Il se trouve aussi dans le public en mai, à Pontiac, la ville natale de Madonna. A Detroit, elle offre une version édulcorée de son spectacle, par respect pour sa famille, et son père en particulier. A cette occasion, Penn est présenté à Tony Ciccone, Christopher Flynn et plusieurs professeurs du lycée Adams High de Rochester. Le succès de sa tournée est phénoménal. Des centaines de milliers de jeunes filles habillées comme leur idole se pressent devant la scène. A la fin de sa tournée triomphale, en juin 1985, ses amis de New York l'accueillent avec enthousiasme. Ils ont suivi son ascension avec ferveur, la regardant comme l'ambassadrice de leur style de vie dans un pays où le conservatisme fait loi. « Nous étions très heureux pour elle, explique Jimi LaLumia, l'ancienne star du Max's Kansas City. Elle était celle d'entre nous qui avait réussi. » Elle ne renie pas son passé pour autant : le groupe qui a assuré sa première partie, les Beastie Boys, comptait parmi les habitués de la Danceteria, au temps des vaches maigres. A la fin de la tournée, lors d'une soirée chez la styliste Maripol, Madonna retrouve sa vieille bande de copains. Pour une fois, elle n'est pas d'humeur à échanger des mondanités avec la faune branchée. Elle a juste envie de faire la fête, de redevenir la Madonna anonyme d'autrefois. Après une brève conversation avec Andy Warhol, Madonna, Five Fab Freddie et quelques autres sautent dans une limousine et ordonnent au chauffeur de les emmener à l'Alphabet City, où elle espère trouver un jeune Latino du nom de Pedro. La voiture s'arrête devant la boîte miteuse. Elle ouvre le toit, hurle son nom mais, n'obtenant pas de réponse, ils mettent le cap sur le Palladium pour aller danser. Mais Madonna n'est plus une « clubbeuse » comme les autres. A leur arrivée, des paparazzi les attendent. La lumière crue des flashs illumine une échauffourée entre les photographes, un garde du corps et un couple venu avec elle. L'incident ne parvient pourtant pas à entamer son euphorie. Dans la discothèque, le DJ passe « Into the Groove ». Madonna, Freddie et les autres se précipitent sur la piste. Sa bonne humeur est telle qu'elle se contente de rire lorsque deux curieux, croyant l'avoir reconnue, s'approchent, puis repartent, déçus, persuadés d'avoir fait une méprise. « Elle débordait de joie, se souvient Freddie, on sautait dans tous les sens. Elle était comme avant et en même temps différente. »

Ce mois-là, après seulement quelques semaines de vie de couple, Penn demande Madonna en mariage. Il lui pose la question un dimanche matin, à Nashville, alors que la jeune femme, dans le plus simple appareil, fait des bonds sur leur lit d'hôtel. Elle accepte. A l'époque, le bruit court qu'elle est enceinte. Un plaisantin anonyme leur fait même envoyer un bouquet de ballons gonflables avec une carte où l'on peut lire : « Sean et Madonna, félicitations. Papa et maman. » Le couple ne fait aucun commentaire mais, plusieurs années plus tard, elle avouera à ses amis avoir subi un autre avortement cette année-là. Que ce soit à cause de sa carrière ou de Sean, malgré leur projet de mariage, elle a encore une fois décidé que ce n'était pas le moment d'avoir un enfant. Bien que son acte soit motivé par le besoin impérieux de maîtriser sa destinée, subir deux IVG en l'espace de quelques mois laisse à penser que certains aspects de sa vie échappent à son contrôle. « A ce stade de leur relation, le second avortement a été traumatisant pour tous les deux », remarque un proche. Le sujet a sans doute été un des principaux points de discorde de leur mariage. « Je voulais un enfant, elle n'en voulait pas », concédera Sean Penn au cours d'une interview ultérieure pour le magazine *Fame*. Aux tensions liées à l'avortement s'ajoute bientôt un nouveau problème...

A première vue, Ed Steinberg, Freddy DeMann et Seymour Stein passent une soirée entre copains chez Steinberg, à Manhattan, savourant leur cognac et les cigares de contrebande que leur hôte a rapportés de La Havane. Cependant, les affaires reprennent bientôt leurs droits et la conversation roule sur la publication d'une série de nus de Madonna. Les photographies en question datent de 1979, de la période où

Madonna, complètement fauchée, posait pour Bill Stone et Martin Schreiber, à New York. *Playboy* et *Penthouse* s'apprêtent à les publier simultanément. Madonna et son équipe n'ont aucun recours, celle-ci ayant cédé ses droits à l'époque contre la maigre somme de 25 dollars la séance. Maintenant, ils doivent se contenter d'observer la poussée de fièvre médiatique et la course entre les deux magazines, tandis que les photographes empochent leurs 100 000 dollars par cliché. Je n'ai honte de rien : telle a été la réponse de Madonna, communiquée par son attachée de presse Liz Rosenberg. Néanmoins, au concert Live Aid de Philadelphie, en juillet, tandis que les magazines envahissent les kiosques de tout le pays, elle monte sur scène dans un manteau en brocart par une température supérieure à trente-deux degrés. En réponse à l'introduction de Bette Midler, qui annonce : « Voici une femme qui s'est hissée au sommet par la force de ses bretelles de soutien-gorge, et qui les a laissé glisser à l'occasion », elle hurle à ses quelque quatre-vingt-dix mille fans : « Aujourd'hui, j'enlève que dalle. Vous seriez capables de me le reprocher dans dix ans ! »

Dans l'appartement de Manhattan, Ed Steinberg demande à Freddy DeMann : « On dirait que ça ne t'embête pas plus que ça ? » En réponse, le manager de Madonna regarde le producteur comme s'il était le dernier des imbéciles. « Ed, tu es lent à la détente ou quoi ? Qu'est-ce que tu crois que ça coûterait s'il fallait payer pour ça ? Ce genre de pub ne s'achète pas ! » L'éventualité d'un coup de pub organisé traverse d'autres esprits. Le magazine *Rolling Stone* s'étonne que *Playboy* et *Penthouse* soient tombés sur ce filon quasiment en même temps, la concurrence féroce entre les deux magazines n'expliquant pas tout. « Si ce n'est pas un coup monté, il faut se rendre à l'évidence : Dieu a un faible pour les vilaines filles catholiques », lit-on dans *Rolling Stone*. Bien que la plupart des gens doutent que Madonna soit réellement à l'origine de ces publications, personne ne songerait à la poser en victime de la situation. Les médias glosent sur son opportunisme. Le directeur de la publication de *Penthouse*, Bob Guccione, ravive la polémique en déclarant avoir offert sans succès 1 million de dollars à Madonna pour poser nue dans son magazine. Si elle avait accepté, il aurait soi-disant renoncé à publier les autres photos.

Le passé de Madonna n'en finit pas de lui courir après. A son tour, Stephen Lewicki renifle l'aubaine et décide de sortir des copies vidéo de *A Certain Sacrifice*, le petit film underground qu'il a tourné avec elle en 1979. Pour 59,95 dollars par cassette, il offre à la société d'Ed Steinberg, Rock America, de distribuer ce film qui se distingue par son avalanche de corps nus, d'esclaves sexuels, de viols et de sacrifices. Steinberg dit à DeMann que pour quelques milliers de dollars, il pourrait signer un contrat exclusif avec Lewicki, et faire disparaître le film de la circulation. Mais le manager de Madonna n'en voit pas l'intérêt. « Distribue-le, vas-y », dit-il à Steinberg. Pour DeMann, toute publicité est bonne à prendre. Lewicki sort donc les vidéos, ce qui lui aurait rapporté plusieurs centaines de milliers de dollars. De son côté, Madonna ne partage pas l'optimisme de son manager. Certes, elle n'a jamais vraiment cru que Lewicki accepterait son offre de 10 000 dollars pour retirer le film de la vente, et, après tout, les poursuites qu'elle a engagées lui ont valu une publicité appréciable, malgré leur échec. Cependant, son fiancé et la famille de Madonna, en particulier sa grand-mère maternelle, ont été choqués par la publication de ses nus. Mais ce qui la fait réellement enrager, c'est son impuissance : « Lorsque je l'ai appris, ce qui m'a le plus ennuyée, ce n'était pas tant les photos de nus en elles-mêmes, mais le fait que je n'avais aucune prise sur leur publication. »

Comme Freddy DeMann l'a prédit, la publicité ne cause aucun préjudice professionnel à Madonna. L'incident tempère néanmoins son enthousiasme de future mariée. Depuis l'annonce de leur union, un vent de folie souffle sur la presse. Des paparazzi avides pourchassent le couple sans répit. Les rues de New York sont la scène de courses-poursuites effrénées. Ne supportant aucune ingérence dans sa vie privée, Penn s'est déjà attiré l'inimitié de la presse à Nashville en jetant une pierre sur deux journalistes britanniques, qui ont porté plainte pour coups et blessures. Il n'a pas jugé bon de se défendre et a été condamné à une courte peine avec sursis, ainsi qu'à une amende. Madonna, qui d'habitude se montre plutôt coopérative avec les médias, proteste, affirmant que son chevaleresque époux a simplement voulu la protéger de leur curiosité excessive. Elle ne tardera pas à apprendre à ses dépens que, parfois, il vaut mieux éviter de se mettre la presse à dos.

Le couple décide de se marier le jour de l'anniversaire de Madonna, le 16 août, dans un lieu tenu secret en Californie. Elle consacre sa prodigieuse énergie, son souci du détail, son perfectionnisme et sa volonté de tout contrôler à l'organisation de la réception. Elle souhaite que ce jour reste une date mémorable pour sa famille et ses amis. Chaque jour, elle passe des heures au téléphone, s'occupant elle-même de la liste des invités, de la restauration, de la décoration et du bal. Survoltée, elle appelle au moins une demi-douzaine de fois par jour sa sœur Paula qui doit être sa demoiselle d'honneur. Attentive à entretenir la fable typiquement américaine de son ascension sociale spectaculaire, elle organise le mariage autour du thème de Cendrillon et du prince charmant. Une pantoufle d'or trône au centre de chaque table. La styliste Marlene Stewart est chargée de lui dessiner une robe de mariée style années 50, digne d'une princesse, que « Grace Kelly aurait pu porter ». Tandis que le mariage de l'année se prépare, avec une liste d'invités où figurent les grands noms d'Hollywood qui la faisaient rêver il n'y a pas si longtemps, elle proclame au monde, s'il en doutait encore, que la gamine du Middle West a fait un sacré bout de chemin.

L'attitude du couple, qui fait des pieds et des mains pour tenir la presse à distance, frôle parfois la paranoïa. En guise de clin d'œil à leur mauvaise réputation, ils se rebaptisent les « Poison Penn » sur les invitations humoristiques qu'ils envoient à leurs deux cent vingt invités. Sur la carte illustrée par le frère de Sean, Michael, Sean et Madonna sont représentés en couple démoniaque, cette dernière arborant une ceinture « Sean Toy ». Pour préserver le secret, l'heure et le lieu des réjouissances sont délibérément omis. Mais, malgré toutes les précautions prises – le personnel du restaurant Spago chargé du repas apprend l'adresse quelques heures seulement avant la réception –, les journalistes découvrent que leur garden-party se déroulera à Malibu, chez un vieil ami des Penn, le promoteur immobilier Kurt Unger. Avec le concours des médias, le mariage de conte de fées de Madonna va dégénérer en farce sordide. La maison d'Unger, située en haut d'une falaise, est rapidement cernée par les journalistes et les photographes. Juste au-dessus de leur tête, le vrombissement des hélicoptères de la télévision couvre les voix du couple, qui tente de prononcer ses vœux devant le juge John Merrick. Avant la cérémonie, un Sean Penn furibond court sur la plage pour tracer dans le sable « ALLEZ VOUS FAIRE FOUTRE » en lettres géantes, puis armé d'un 45, il tire des coups de semonce en direction d'un hélicoptère. Dérangée en pleine séance photo avec Herb Ritts, Madonna se précipite à la fenêtre pour crier à Sean d'arrêter. Mais elle ne maîtrise plus la situation et ne peut qu'assister au naufrage de sa réception, si soigneusement planifiée. Non contents d'envahir l'espace aérien, certains journalistes réussissent à s'infiltrer parmi les convives, avant d'être jetés dehors sans ménagement. Quant aux invités officiels, ils ne se mélangent guère. Le clan hollywoodien, notamment Cher, Martin Sheen, Diane Keaton et Carrie Fisher, évitent ostensiblement la clique new-yorkaise, qui compte Andy Warhol, Keith Haring, Debi Mazar et Steve Rubell. « L'atmosphère n'était pas très chaleureuse », concède Erika Belle. Pour couronner le tout, Steve Rubell, un propriétaire de discothèque, vomit dans la piscine, tandis que Paula Ciccone fait irruption dans les toilettes pour dames en hurlant, au plus grand embarras des personnes présentes : « Ce devrait être mon mariage, pas le sien ! C'est moi qui devrais être célèbre. Ce succès me revenait. C'est moi qui méritais toute cette attention ! »

« Je n'arrive pas y croire », soupire un Andy Warhol médusé, qui secoue la tête, se demandant ce qu'il fait là. L'humeur n'est pas précisément à la fête. Les amis de Madonna détestent son mari, quant aux proches de Sean, ils estiment que ce mariage est une regrettable erreur. Tandis que le couple danse sur l'interprétation mélancolique de « Mad About the Boy[1] », par Dinah Washington, nombreux sont ceux qui se disent que le terme « folle » définit parfaitement cette union. Maintenant, c'est officiel : Madonna a laissé derrière elle son passé de New-yorkaise affranchie. Désormais, elle est une jeune mariée d'Hollywood.

---

1. « Folle de ce garçon ».

9

Recherche Hollywood désespérément

Une fois la débâcle de la réception oubliée, Madonna doit s'adapter à sa nouvelle situation de femme mariée et apprendre à connaître l'homme qu'elle a épousé. Après une lune de miel au très sélect Highlands Inn de Carmel, en Californie, son mariage lui apparaît d'abord comme une grande aventure, un exercice public et privé. Bien que le rôle d'épouse, et en particulier d'épouse d'un mauvais garçon d'Hollywood, lui plaise – son entourage demeure convaincu de la profondeur de son amour –, elle se rebelle rapidement contre les limites de sa nouvelle vie, pas tant parce qu'elle doit désormais prendre en compte quelqu'un d'autre, mais plutôt parce que la spontanéité de la vie new-yorkaise lui manque.

Le luxe de Los Angeles l'ennuie. Si à New York, tout semblait se passer quasiment sur le pas de sa porte, ici, la vie sociale est planifiée et orchestrée avec trop de soins pour son goût. Comme un animal sauvage enfermé depuis peu, elle se heurte aux barreaux d'une cage qu'elle a construite elle-même. Pour se réconforter, elle invite quelques amis de New York à Malibu, où elle vit maintenant avec son mari. Le week-end s'avère décevant. Ses convives se tiennent sur leurs gardes et s'efforcent de policer leur attitude, ce qui ne leur ressemble guère. Sean les rend nerveux et l'idée de s'amuser en sa compagnie n'enthousiasme personne. « Cela ne laissait pas beaucoup de place à l'improvisation, se souvient Erika Belle.

Et l'attitude de Sean qui nous tolérait tout juste n'arrangeait rien. »

Sa vie sociale n'est peut-être pas aussi stimulante que Madonna le souhaiterait, toutefois, à l'automne 1985, son troisième album s'annonce bien. Cette fois, elle a décidé de le coproduire et elle participe à l'écriture de huit des neuf chansons. Elle l'appelle *True Blue*, une des expressions favorites de Sean[1]. Bien que seul ce titre soit un hommage direct à son mari, l'ensemble de l'album est inspiré par ses sentiments pour lui. « Elle était très amoureuse, confirme Steve Bray qui a travaillé avec elle sur le disque. Quand elle est amoureuse, elle écrit des chansons d'amour. Sinon, vous pouvez être sûr qu'elle n'en écrit pas. » Bien qu'à sa sortie, fin juin 1986, *True Blue* ne reçoive pas un accueil dithyrambique de la critique, il se vend à cinq millions d'exemplaires aux États-Unis et à douze millions dans le reste du monde. Il devient numéro un dans vingt-huit pays. Quelles que soient les ambitions de Madonna à l'époque, le succès de l'album consolide sa place d'étoile montante de la musique pop. Toutefois, cette reconnaissance ne lui suffit pas. Elle a peut-être l'homme qu'elle désirait, la reconnaissance dont elle avait soif, mais elle rêve avant tout de triompher sur le grand écran. « La musique revêtait une grande importance pour moi, expliquera-t-elle plus tard, mais le cinéma me passionnait depuis toujours et l'idée de continuer à ne faire que des disques pendant le restant de mes jours me remplissait d'horreur. »

En 1985, le producteur John Kohn, un ami de longue date des Penn, lui envoie le scénario d'une comédie, *Shanghai Surprise*. L'histoire de cette missionnaire américaine qui arrive en Chine dans les années 30, en pleine guerre sino-japonaise, et qui s'éprend d'un jeune et séduisant racketteur intrigue Madonna. Elle se voit très bien dans le rôle de l'héroïne et pense que son mari ferait un irrésistible gangster. Bien que Sean ne partage pas entièrement son

---

1. True blue, « d'une loyauté à toute épreuve ».

avis, ils acceptent de rencontrer Kohn pour discuter du projet. Sean a déjà travaillé avec le producteur sur deux autres films : *Les Moissons du printemps* et *Bad Boys*. Kohn et les Penn se donnent rendez-vous dans un restaurant d'Hollywood, en partie pour persuader Sean d'accepter le rôle. Quelques minutes après leur arrivée, le couple voit surgir le coproducteur, l'ex-Beatles George Harrison, qui dirige HandMade Films. « Ils ont failli en tomber de leur chaise, se souvient Kohn. Il est resté quinze minutes et, après son départ, Madonna m'a dit : "Une légende s'en va. Jamais je n'avais rencontré de légende, et cet homme est une légende vivante." » Le mot semble avoir marqué Kohn qui, en rentrant chez lui, annoncera à sa femme qu'il vient de rencontrer une future légende. « J'ai cru que nous avions mis la main sur la nouvelle Judy Holliday, avoue-t-il à propos de Madonna. Elle me rappelait aussi Raquel Welch, avec qui j'avais travaillé. Elle était incollable sur le maquillage, la publicité et les costumes, mais elle ne savait pas jouer. Je croyais pourtant deviner en elle le potentiel d'une actrice formidable. » Sean se laisse convaincre d'accepter le rôle. Les contrats sont rédigés et signés. Au départ, les augures semblent favorables. Les rencontres préliminaires entre John Kohn, les Penn et Jim Goddard, le réalisateur, ont été cordiales. Le tournage débute à Hong Kong, en janvier 1986. Les époux gagnent le cœur de l'équipe lorsqu'ils décident de renoncer à leur suite luxueuse au Regent, un hôtel cinq étoiles, pour s'installer avec les autres dans un établissement plus modeste. Cette fois, ils réussissent à conserver un anonymat quasi total et peuvent se promener dans les rues de Hong Kong sans crainte d'être reconnus.

Hélas, l'équipe ne tarde pas à déchanter. Neuf jours après le début de ce tournage à 16 millions de dollars, le producteur exécutif se rend compte que le film, à l'origine une comédie pleine de charme et de sensibilité, court à l'échec. De plus, des luttes de pouvoir dégradent l'ambiance. Penn, qui pense en savoir plus que Jim Goddard, refuse d'écouter ses instructions et conteste jusqu'à ses cadrages. Chaque scène vire à l'affrontement. L'acteur ne peut, ou ne veut, abandonner sa moue renfrognée pour jouer le fringant personnage qu'on lui demande d'incarner. La crise atteint son paroxysme le jour où Jim Goddard, excédé, quitte le plateau, laissant Sean Penn l'œil collé au viseur d'une caméra. Devant la tournure que prennent les événements, Kohn prévient l'acteur récalcitrant que, s'il ne se discipline pas, il sera dans l'obligation de rompre le contrat. Totalement à l'opposé de son mari, Madonna adopte une attitude très professionnelle. Toujours à l'heure, toujours prête à donner sa réplique, elle est aussi toujours satisfaite de sa première prise, ce qui ne facilite pas le travail de l'équipe, déjà harassée. Ainsi qu'elle le montrera à maintes reprises au cours de sa carrière d'actrice, elle manque de recul sur son jeu et fronce les sourcils dès qu'on lui demande de refaire une scène ou de la jouer différemment. En outre, son absence d'expérience devient rapidement une cause d'inquiétude. Si, en lisant le scénario, elle s'imaginait très bien dans le rôle de Gloria Tatlock, elle n'a pas vraiment réfléchi à son interprétation. Avec l'impertinence qui le caractérise, Sean ne demande qu'à lui expliquer comment il conçoit le personnage de la missionnaire. Mais, depuis son altercation avec le réalisateur, l'équipe préférerait se passer de son avis. John Kohn a de bonnes raisons de se souvenir des défauts de son actrice principale, bien qu'il en parle sans amertume. « Avant une scène, elle ne posait jamais de questions sur les motivations intérieures de Gloria, ne s'interrogeait pas sur ses liens avec les autres personnages. A l'instant où l'on criait "Action !", elle n'avait aucune idée de ce qu'elle était censée faire. Elle ne s'en sortait bien que dans les scènes d'amour avec Sean, parce qu'elle l'aimait vraiment. C'était elle, pas le personnage. Autrement, elle était raide comme un piquet. Elle manquait d'expérience. Elle traversait les scènes, persuadée d'avoir été magnifique, alors qu'il n'en était rien. C'était un rôle plein d'humour, mais elle n'a pas su trouver le personnage. » Depuis le commentaire perspicace d'un critique de *Recherche Susan désespérément* qui la soupçonnait de ne pas être capable d'interpréter un autre rôle que le sien, Madonna a été plus d'une fois confrontée à ce problème. Elle ne manque pourtant pas de charisme, ni sur une scène de concert, ni dans ses clips qui lui ont souvent valu des louanges. Ainsi, en 1986, à vingt-huit ans, elle incarne dans « Papa Don't Preach » une adolescente enceinte tout à fait convaincante. Mais son talent semble s'évanouir devant une caméra de cinéma.

Plus tard, Madonna reconnaîtra que son rôle dans *Shanghai Surprise* lui a donné du mal, en partie parce que l'innocence et la personnalité refoulée de l'héroïne étaient très loin d'elle. Néanmoins, à la sortie du film, en août 1986, devant les réserves des critiques et le peu d'entrées, elle s'empresse de remettre en question tout le monde, sauf elle. Le tournage aurait été un « cauchemar infernal » et elle se dit « extrêmement déçue ». Sans une once d'ironie, elle ajoute : « Apparemment, le réalisateur ne sait pas vraiment ce qu'est le cinéma. Il semble qu'il ait visé un peu haut. » Elle ne comprend pas qu'un film si prometteur soit traité en objet de dérision et qu'on la cloue au pilori alors qu'elle s'attendait à des louanges. Des années plus tard, à un ami ayant eu le malheur de mentionner la faiblesse de son jeu dans *Shanghai Surprise*, elle répondra d'un ton cassant : « Tu ne manques pas de culot. Au moins, j'ai essayé. Il faut bien commencer. »

Alors que tous les morceaux de l'album *True Blue* se classent parmi les dix premiers au hit-parade, sa carrière cinématographique refuse de décoller. Bien sûr, on lui propose une foule de scénarios, mais, maintenant, Madonna se méfie de ses choix. Quant aux producteurs, ils se montrent encore plus hésitants. Heureusement, elle s'apprête à faire ses premiers pas sur les planches. Elle joue, encore avec son mari, dans *Goose and Tom-Tom*, une pièce de David Rabe dans laquelle elle interprète la petite amie d'un gangster. La pièce se joue fin août au Mitzi Newhouse Theater, au Lincoln Center de New York. Bien qu'à ce stade ce soit un travail en cours présenté devant un public trié sur le volet, la foule massée à la sortie a droit à sa part de spectacle lorsque Sean s'en prend à deux photographes : il frappe Vinnie Zuffante plusieurs fois et crache sur Anthony Savignano avant de lui donner un coup de poing. Ce n'est pas le genre de publicité que souhaitait Madonna, d'autant plus que les deux photographes porteront plainte. Elle enchaîne sur une autre comédie. Initialement intitulé *Slammer* – « La Taule », le film sera rebaptisé *Who's That Girl?* car sa sortie correspond à l'incarcération de Sean, condamné à soixante jours de prison. En effet, il a molesté un figurant qui prenait des photos sur son dernier tournage, alors qu'on lui avait déjà infligé une peine avec sursis pour avoir agressé un ami de sa femme, en 1986. Le nouveau film de Madonna raconte l'histoire de Nikki Finn, une fille de la rue à la langue bien pendue qui se retrouve en prison pour un crime qu'elle n'a pas commis. L'aspirante actrice doit se battre pour convaincre les producteurs de la Warner, refroidis par les scandales autour de son couple et l'échec retentissant de *Shanghai Surprise*. De plus, Madonna veut confier la réalisation du film à son ami James Foley, le garçon d'honneur de Sean et le réalisateur des clips de « Papa Don't Preach » et « Live To Tell ». Bien que Madonna soit persuadée du génie de Foley, le tandem formé par une actrice au talent douteux et un jeune réalisateur n'offre guère de garanties de succès. Pourtant, la Warner donne son feu vert.

Cette fois, l'atmosphère est plus légère sur le tournage qui débute à New York, en octobre 1986. Loin de jouer les stars, Madonna signe des autographes pour les enfants des techniciens et plaisante avec tout le monde. Une fois, on la trouve même en train de danser autour d'un petit radiocassette avec Coati Mundi – de son vrai nom Andy Hernandez –, ami de longue date et membre de la formation originale de Kid Creole and the Coconuts. Mais elle a une conception assez expéditive de la façon de se préparer avant une scène. Ainsi, lorsqu'elle est censée être essoufflée fait-elle une série de pompes avant d'arriver sur le plateau.

Comme toujours, elle se montre très ponctuelle et professionnelle. Et comme toujours, elle est convaincue d'être
parfaite dès la première prise. Cela devient vite une source
de conflits. « Elle trouvait toujours que sa première prise
était la meilleure, commente Griffin Dunne, le premier rôle
masculin. En ce qui me concerne, c'est en général la quatrième. Elle disait toujours : "Tu le tiens, tu le tiens !" Elle
me rendait fou, comme son personnage était censé le faire
dans le film. » Une autre fois, un James Foley facétieux se
met à genoux devant elle, lui baisant les pieds pour la persuader de rejouer une scène. Plus tard, il remarquera, non
sans sarcasme : « Elle est très instinctive, elle ne s'encombre
d'aucune sorte d'analyse. » Même Coati Mundi avoue que
parfois « elle *[lui]* tapait sérieusement sur les nerfs », bien
qu'il ait gardé de bons souvenirs du tournage et que
Madonna l'ait impressionné par son sang-froid un jour où
ils répétaient une scène avec un puma. « Elle ne s'arrête
jamais, se souvient-il. Elle est perfectionniste. Elle jouait
dans le film, s'occupait de la bande originale et préparait
en même temps la tournée *[Who's That Girl ? World Tour]*.
Elle faisait tout ça, plus le rôle principal ! »

Une fois encore, le film est un fiasco, malgré le succès
de la bande originale et un lancement ronflant devant des
milliers de fans en délire, au National Theater de Times
Squares, en août 1987. Maigre consolation, les critiques,
quoique peu enthousiastes, ne descendent pas le film en
flammes. « En Madonna, Hollywood dispose d'une mini-
bombe sexuelle en puissance. Mais pour l'instant, elle se
contente de faire tic-tac », commente Vincent Canby dans le
New York Times. Bien que personne ne s'extasie devant
l'interprétation de Madonna, on lui reconnaît un certain
talent comique. Les spectateurs américains ne se ruent pas
dans les salles et le film marche mieux à l'étranger, ce qui
amènera Madonna à affirmer, sans convaincre grand
monde, qu'on apprécie plus ses idées en Europe et au
Japon que dans son propre pays. Pourtant, si l'on se fonde
sur le succès de son tube, numéro un aux États-Unis, et de

ses concerts qui se jouent à guichets fermés dans tout le pays, ses compatriotes semblent bouder son jeu plus que ses idées. Les Américains ne veulent pas d'une actrice de plus. Ils veulent Madonna.

A cette époque, la jeune femme doit également faire face à des problèmes dans sa vie privée. Les spéculations des médias sur son ménage touchent un point sensible. L'absence de Sean sur le tournage de *Who's That Girl ?* alimente la rumeur. On parle de séparation imminente. Si Madonna admet qu'un couple aussi célèbre ne peut échapper à la curiosité des journalistes, leurs commentaires ne font qu'exacerber les difficultés existantes. « La presse a souvent inventé des choses horribles que nous n'avons jamais faites, des disputes que nous n'avons jamais eues, se souvient Madonna. Ils n'arrivaient pas à se décider. Tantôt ils me voulaient enceinte, tantôt sur le point de divorcer. Ça a fini par créer des tensions dans notre relation. » Les Penn ripostent comme ils le peuvent, Sean le plus souvent avec ses poings, Madonna avec humour. Elle n'hésite pas à tourner en dérision leur réception de mariage dans l'émission comique *Saturday Night Live*. Avec *La Chevauchée des Walkyries* de Wagner en fond sonore – la musique utilisée dans *Apocalypse Now* lorsque l'armée américaine envoie ses hélicoptères sur un village vietnamien – et sur des images de l'invasion aérienne qui a sapé son mariage, Madonna affirme d'un ton mutin : « Le spectacle continue… Je ne suis pas enceinte et nous reviendrons bientôt. »

Le temps est loin où leurs démêlés avec la presse renforçaient leur entente. La Madonna qui voyait dans les crises de furie de son mari autant de preuves de son caractère chevaleresque est lasse de ses emportements. Ils nuisent à son image et leur coûtent cher. Pendant le tournage de *Shanghai Surprise*, Sean s'est bagarré avec Leonel Borralho, photographe et politicien influent de Hong Kong, qui lui a intenté un procès, réclamant 1 million de dollars de dommages et intérêts. Quelque temps plus tard, en avril 1986, un soir où Sean et Madonna se détendaient dans une boîte de nuit de Los Angeles, Sean a infligé une raclée à l'auteur de chansons David Wolinski qui s'était approché pour saluer la jeune femme et avait eu le malheur de l'embrasser sur les joues. La propriétaire de la discothèque, Helena Kallianotes, et Madonna ont dû le traîner dehors. Traumatisé, Wolinski a engagé des poursuites contre Penn qui s'est vu condamner à une amende de 1 000 dollars et à un an de prison avec sursis. Sa condamnation ne suffit pas à le calmer. Il semble qu'il ne se passe pas une semaine sans qu'il soit impliqué dans un incident. Tandis que le couple continue sa partie de cache-cache avec les paparazzi, Madonna rencontre par hasard Dan Gilroy, venu tourner le clip du premier et dernier album du Breakfast Club à Hollywood. Ils parlent un peu du bon vieux temps. A propos de l'attention obsessionnelle des médias, elle lui dit d'un air nostalgique : « Tu te rappelles l'époque où j'étais prête à tout pour qu'on me remarque ? Maintenant, je passe mes journées à me cacher. »

Si les railleries des journalistes glissent sur Madonna, consciente qu'en réagissant elle joue leur jeu, Sean, lui, fonce tête baissée dans leurs pièges. Courant 1986, la situation prend un tour dramatique. Les photographes le narguent chaque fois qu'il sort de chez lui. Ils espèrent qu'il va répondre par une agression à leurs injures grossières dirigées contre lui ou sa femme, leur fournissant ainsi un papier croustillant et un cliché de première page lucratif. A New York, en août, peu après leur premier anniversaire de mariage, alors que le couple rentre à pied, Sean s'en prend à un groupe de paparazzi. L'altercation dégénère et, le lendemain, les photos font la une de tous les journaux. Le jour suivant, on le voit encore partout dans la presse en train de cracher sur des photographes et des fans depuis le premier étage d'un restaurant du centre-ville.

Mais les incartades de son mari sont un moindre mal. Depuis le mois de juin, Madonna sait que son ami Martin Burgoyne souffre du sida. C'est un coup terrible pour Martin qui a seulement vingt-trois ans, mais également

179

pour ses proches, conscients qu'il est condamné à mort. L'hystérie et la méconnaissance du virus qui prévalent à l'époque n'arrangent rien. En plus de leurs souffrances physiques, les malades sont souvent frappés d'ostracisme, situation envenimée par les vociférations de prétendus moralistes, hommes d'Église ou sénateurs dont la véhémence n'a d'égale que l'ignorance, qui qualifient la maladie de « peste gay ». Tandis que les amis de Martin Burgoyne digèrent la nouvelle, peut-être inquiets pour leur propre santé et leur vie, Madonna, elle, met ses problèmes personnels de côté et fait tout ce qui est en son pouvoir pour améliorer le sort du malade. Son ascension fulgurante n'a jamais entamé son amitié avec Martin et, sans qu'il ne lui demande rien, elle paie ses traitements coûteux et lui loue un appartement à côté de l'hôpital Saint-Vincent de New York, où il reçoit des soins.

La presse ne tarde pas à renifler le scoop. Dès la première semaine d'août, on signale que Madonna a été vue en train d'acheter des livres pour un ami malade. Le 13 octobre 1986, Sean et Madonna font la couverture du *National Enquirer,* qui titre : « L'ANCIEN COLOCATAIRE DE MADONNA A LE SIDA : SEAN EST TERRIFIÉ ET FURIEUX. C'EST CE QUI DÉTRUIT LEUR MARIAGE. » De son côté, Martin Burgoyne est atterré par le tapage orchestré autour de son état de santé. Les médias ne se privent pas de jaser sur Sean, sa peur d'attraper le virus et son insistance pour que sa femme passe un test, en dépit du refus obstiné de celle-ci. Pourtant, il trouve la force de surmonter ses préjugés et ses inquiétudes concernant les relations entre Madonna et Burgoyne. Lorsque la chanteuse, qui cherche par tous les moyens à prolonger la vie de son ami, apprend l'existence d'un médicament expérimental, non commercialisé aux États-Unis, mais disponible au Mexique, c'est Sean qui se charge d'aller le chercher. Ses efforts touchent beaucoup sa femme et rehaussent momentanément le statut de l'acteur auprès de son cercle d'amis new-yorkais. Fait intéressant, Martin Burgoyne a été l'un des rares proches de Madonna à approuver sa relation avec Sean Penn. « Elle a beaucoup à apprendre de lui, et inversement », avait-il déclaré au moment de leur mariage. Madonna fait de son mieux pour remonter le moral du malade, mais son état de santé se détériore rapidement. Des amis qui le voient fin août s'avouent effrayés par les plaies sur son visage. Elle l'appelle presque quotidiennement, toujours vive et de bonne humeur, consacre du temps à lui chercher des livres et des cadeaux amusants. Lorsqu'elle se trouve à New York, elle lui rend régulièrement visite, elle le serre dans ses bras et l'embrasse comme avant, ignorant les conseils de ceux qui s'inquiètent pour elle. Un jour, elle lui offre même de croquer dans sa barre de chocolat avant de la terminer tranquillement. « Il attendait ses visites avec impatience, elle lui redonnait des forces », se souvient une relation commune.

Andy Warhol et Madonna sont les invités d'honneur d'une soirée organisée pour le jeune styliste au Pyramid Club, où ce dernier a travaillé quelque temps. Le 10 novembre, une brochette de célébrités participe à un gala de bienfaisance au profit des malades du sida. Madonna défile vêtue d'un blouson en jean orné d'un motif créé par Burgoyne. Il s'éteindra le dimanche suivant Thanksgiving. A l'approche de la fin, chaque respiration lui coûte un effort surhumain. Il oscille sans cesse entre la veille et l'inconscience. Bien que sa famille soit à ses côtés, il semble décidé à s'accrocher à la vie jusqu'à l'arrivée de Madonna qui se trouve entre Los Angeles et New York. C'est une attente à peine soutenable pour ses proches, d'autant plus que l'avion de Madonna atterrit avec du retard et que sa limousine se retrouve coincée dans les embouteillages. Lorsqu'elle pénètre dans la chambre, il peut enfin abandonner la lutte. Elle le prend dans ses bras, lui chuchote quelques mots et reste auprès de lui jusqu'à ce qu'il rende son dernier souffle. Le souvenir de ce moment est resté très vif dans la mémoire d'Erika Belle : « Leur amour était très profond. Lorsqu'il l'a entendue entrer, il a su qu'il pouvait mourir. C'était très beau, très touchant. Il m'arrive encore de pleurer quand j'y pense. » La disparition de Burgoyne à un âge aussi tendre est un choc terrible pour ses amis. Au cours d'une interview pour *Rolling Stone,* Madonna avouera à l'actrice Carrie Fischer que la rage du jeune homme à l'idée de sa mort précoce la hante encore. Cependant, à tout juste vingt-huit ans, elle a su faire preuve d'une force hors du commun face à la tragédie. Elle s'est occupée de son ami, a réconforté sa famille et organisé une veillée en son honneur. Cette mort marque le début d'années terribles au cours desquelles elle perdra de nombreux proches, notamment Christopher Flynn, Keith Haring, Steve Rubell et Haoui Montaug. Tout au long de cette période, elle gardera une attitude à la fois énergique, efficace et discrète. Elle verse des sommes considérables pour la recherche et les soins des malades du sida. Elle se fait également la championne des droits des homosexuels et de l'information sur le virus. Elle participe à de nombreux événements philanthropiques, prêtant son nom et apportant son soutien bénévole à diverses manifestations liées au VIH. En 1991, elle devient la première lauréate de l'Amfar (la Fondation américaine pour la recherche contre le sida), qui lui décerne le prix du courage pour son soutien financier et son action d'information auprès du public. Les estimations les plus prudentes évaluent les fonds qu'elle a levés à plus de 5 millions de dollars.

Si les médias font un large écho à l'engagement de certaines célébrités, en particulier Elton John et Lady Di, les actions de Madonna sont souvent éclipsées par les multiples controverses autour de son nom. Il est vrai qu'en ces temps où le puritanisme fait un retour en force, loin de s'assagir, elle continue, sur scène, à utiliser le sexe sans vergogne. En décembre 1986, la sortie du clip de « Open Your Heart » déchaîne la tempête : après avoir dansé dans un peep-show, elle resurgit habillée en homme pour embrasser sur les lèvres un jeune voyeur, manifestement mineur. Jamais Madonna n'a sorti clip plus explicite que ce petit film réalisé par Jean-Baptiste Mondino. Pourtant, il ne donne qu'un avant-goût de la direction que va prendre son travail. On est loin de la mièvrerie de « True Blue », qualifié par certains de « déclaration d'amour sans pudeur » dédiée à Sean Penn.

Bien que ce dernier soit momentanément rentré en grâce pendant la maladie de Martin Burgoyne, le répit est de courte durée. Au printemps 1987, au West Beach Café de Venice en Californie, il crache sur Cesare Bonazza qui s'apprête à le prendre en photo. Le paparazzi raconte que l'acteur est « devenu fou », ajoutant qu'il l'a menacé de sortir une arme. Il est devenu impossible de raisonner Sean qui boit de plus en plus. Sa susceptibilité ne tarde pas à lui attirer de sérieux ennuis. En avril 1987, sur le tournage de *Colors*, un film de Dennis Hopper dans lequel il interprète un policier, il surprend un figurant, Jeffrey Klein, en train de le photographier. Devant Hopper et l'acteur Robert Duvall médusés, Penn l'injurie et lui crache au visage. L'altercation dégénère en bagarre. Lorsque la sécurité les sépare, Klein, coupé au visage, est bien décidé à porter plainte. Toujours sous le coup d'une peine avec sursis pour avoir agressé David Wolinski, Penn sait qu'il risque la prison. Pourtant, il ne se calme pas, au contraire. Le 25 mai, à Los Angeles, il est arrêté pour excès de vitesse et pour avoir brûlé un feu rouge. L'alcootest confirme qu'il a bu. Il est donc arrêté et mis en examen. Le 23 juin, au cours d'une audience de dix minutes, on le juge pour coups et blessures et conduite en état d'ivresse. Il ne conteste aucun des chefs d'accusation. Condamné à soixante jours de prison et à deux ans de mise à l'épreuve, on lui intime aussi de demander une aide psychologique. Après le procès, des journalistes avides d'informations interrogent Liz Rosenberg, l'attachée de presse de Madonna, sur la situation du couple : « Ils ont quelques problèmes et réfléchissent à la meilleure manière de les régler », leur répond-elle avec un sens de la litote admirable. Penn entre à la prison du comté de Mono, en Californie, le 7 juillet. Au bout de trente jours, on l'autorise à sortir pour un tournage en Allemagne, mais il manque leur second anniversaire de mariage. En revanche, un expéditeur anonyme s'assure qu'il ne rate pas le dernier numéro de *Penthouse*, qui publie une nouvelle série de photos de nus de sa femme datant de l'époque où elle aspirait à devenir danseuse. Furieuse, Madonna blâme *Penthouse*. Guère plus satisfaite de son mari, elle lui réserve un accueil pour le moins mitigé lorsque, après sa libération, en septembre 1987, il rentre chez eux, une pizza à la main. « Un séjour en prison ne risque pas d'améliorer la situation dans un couple », observera-t-il. Au moins, lorsqu'il était en prison, où il lisait les livres de James Thurber et a même écrit une pièce, *The Kindness of Women*, Madonna avait la consolation de savoir que son mari ne faisait pas de bêtise. Comme tout le monde, elle n'ignore rien de ses frasques dans les bars et les hôtels de Los Angeles, où il boit parfois jusqu'au petit matin, lorsqu'il ne passe pas la nuit avec d'autres femmes. Bien qu'elle feigne l'indifférence, son infidélité la tourmente. Elle souffre dans ses relations amoureuses d'un manque de confiance chronique, réagissant en privé comme elle réagit en public aux critiques des médias.

Son mariage chancelant n'entame pas l'ambition de Madonna, qui se démène pour consolider sa carrière. En avril, sa chanson « La Isla Bonita », extraite de l'album *True Blue*, devient son douzième *single* consécutif classé parmi les dix premiers au hit-parade. C'est également son plus grand succès international depuis ses débuts. Par ailleurs, elle consacre son été à préparer le Who's That Girl? World Tour. Le look hispanisant qu'adopte Madonna dans le clip de « La Isla Bonita », où elle apparaît en danseuse de flamenco, lance la mode des boléros et des grandes jupes à volants. Ses changements de style successifs déroutent ses émules. Elles s'évertuent à suivre la chanteuse, qui a déjà tourné le dos au glamour et délaissé son image de sirène hollywoodienne, pour se métamorphoser en garçon manqué dans « Papa Don't Preach », où elle arborait une courte tignasse décolorée, un jean et un blouson de cuir noir. La mode n'est pourtant pas sa préoccupation première.

Elle prépare son show – sa première véritable grande tournée mondiale – comme une campagne militaire. Ses journées débutent par deux heures de mise en forme, ensuite, elle étudie tous les aspects de son concert de quatre-vingt-dix minutes, son « spectacle théâtral multimédia », ainsi qu'elle l'appelle. Rien ne manque : ni le sexe, ni le sensationnel, ni, surtout, la controverse, lorsque des photos du pape et du président Reagan sont projetées pendant « Papa Don't Preach ». Et à la fin de « Like a Virgin », elle offre à son public un frisson érotique sulfureux lorsqu'elle dépose un baiser sur les lèvres du tout jeune danseur Chris Finch. Du point de vue vestimentaire, la palme revient sans nul doute à son costume orné d'objets – des montres d'enfants, des cendriers, un homard en plastique – créé par Marlene Stewart. C'est Madonna dans toute sa splendeur, mêlant références au surréalisme et second degré. Lorsqu'elle se penche pour saluer, les spectateurs découvrent le mot *KISS* (embrasser) sur sa culotte. Elle adresse également un clin d'œil à Andy Warhol avec son costume en forme de rébus : sur le côté, on voit une boîte de soupe Campbell (CAN en anglais), devant, la lettre U (prononcer YOU), et dans le dos, le mot DANCE. Quand elle se tourne, le public peut alors lire YOU CAN DANCE, le titre de son album.

Tandis qu'elle consacre sa prodigieuse énergie à ces préparatifs, Madonna est la seule personne qui semble douter d'elle-même. Bien qu'elle paraisse de plus en plus sûre d'elle sur scène et enchaîne les chansons, se glissant naturellement dans la peau de ses personnages, elle admettra plus tard avoir pensé : « Mon Dieu, qu'ai-je fait ? Qu'ai-je créé ? Qui suis-je ? Moi ici, ou cette petite personne sur scène ? » En dépit de ses doutes, les fans comme les critiques en redemandent. « Ni grand message ni révélation. Des sons et des images familiers, des airs accrocheurs à profusion : on ne peut qu'apprécier ce spectacle », lit-on dans le *New York Times*.

La tournée débute le 14 juin au Japon, au stade d'Osaka. A l'aéroport, un millier de militaires s'efforcent de contenir une foule de vingt-cinq mille personnes lorsque l'avion de Madonna atterrit. A son arrivée en France, sa popularité est telle que le Premier ministre de l'époque, Jacques Chirac, intervient auprès du maire de Sceaux qui veut interdire le concert dans sa ville par crainte des débordements. La série de concerts s'achève en Italie. A Turin, devant soixante-cinq mille fans en délire, elle se déclare fière d'être italienne. Elle profite de l'occasion pour s'arrêter à Pacentro, le village où ses grands-parents Gaetano et Michelina Ciccone se sont mariés. Bien qu'on l'accueille sans grand enthousiasme, sa renommée intrigue sa famille et il est même question de la nommer citoyenne d'honneur de Pacentro. Toutefois, il ne fait aucun doute que son apparence et son attitude scandalisent. Comme sa tournée précédente, le Who's That Girl ? World Tour est un succès retentissant, même si, à la fin, elle clame ne plus vouloir jamais entendre une seule de ses chansons et ne pas savoir si elle en écrira d'autres. « Je suis rentrée vidée et bien décidée à ne pas refaire de musique avant un sacré bout de temps », déclare-t-elle.

Bien que le film *Who's That Girl ?* ait déjà disparu de l'affiche, elle ne désespère pas de crever l'écran. La rumeur court bientôt qu'elle va jouer dans *Bloodhounds of Broadway*, avec Matt Dillon, Randy Quaid et Jennifer Grey. Malheureusement, le réalisateur Howard Brookner, atteint du sida, mourra avant la fin du tournage et ne verra jamais le film achevé. Cette fois, le scénario, librement inspiré de nouvelles de Damon Runyon, n'est pas centré sur la personnalité de Madonna, qui espère améliorer son image d'actrice en s'essayant au cinéma d'art et d'essai. Mais la reconnaissance la boude toujours : le film tourné dans le New Jersey avec un budget restreint ne reçoit pas un accueil plus favorable de la critique que du public. On lui reproche son côté théâtral et laborieux. D'ailleurs, lorsqu'à New York une bobine disparaît pendant deux semaines, personne ne semble s'en émouvoir outre mesure. Maigre consolation, cette fois, personne ne peut blâmer Madonna pour cet échec.

Ce fiasco, après un *Shanghai Surprise* catastrophique et un *Who's That Girl?* à peine moins désastreux – aux États-Unis du moins –, ne déclenche apparemment aucune remise en question chez Madonna. Elle semble toujours dénuée de regard critique sur son jeu, hypothèse que confirme la facilité avec laquelle elle se satisfait encore de ses premières prises. Paradoxalement, les causes de son échec sont sans doute celles-là mêmes, à l'origine de son succès dans la chanson : son ambition, sa quête obsessionnelle de la perfection, son besoin de tout contrôler et sa réticence à avouer sa vulnérabilité. Les rares moments où Madonna baisse sa garde et révèle son humanité sont sans conteste ceux où on la trouve la plus attachante. Les difficultés auxquelles elle se heurte tiennent autant à sa personnalité qu'à son jeu. Depuis *Recherche Susan désespérément*, elle choisit instinctivement des rôles qu'elle peut modeler à son image : des femmes fortes qui triomphent grâce à leur intelligence, leur charme ou leur courage, ou encore une combinaison des trois. Considérant ses personnages comme un reflet d'elle-même, elle s'efforce toujours de les rendre aimables, parfois au préjudice de leur crédibilité. Il n'est donc guère surprenant que son film le plus plébiscité après *Recherche Susan désespérément* soit *In Bed With Madonna*, un documentaire sur elle-même.

Malgré ses assauts répétés, les collines d'Hollywood demeurent imprenables. Pourtant, loin de désespérer, Madonna continue à chercher le rôle qui lui vaudra enfin les louanges et la reconnaissance souhaitées. Elle décide de se consacrer pendant quelque temps à sa carrière d'actrice. Après la sortie de son quatrième album, à l'automne 1987, elle n'enregistrera aucun morceau pendant plus d'un an. L'esprit aventureux, désireuse d'élargir ses horizons artistiques, elle s'apprête à affronter les planches une nouvelle fois, début 1988. Lorsqu'elle apprend qu'Elizabeth Perkins ne jouera pas dans *Speed-the-Plow*, la dernière pièce de David Mamet, elle annonce aussitôt au metteur en scène Gregory Mosher, avec qui elle a travaillé sur *Goose and*

Tom-Tom, qu'elle souhaite passer une audition pour le rôle de Karen. Grande admiratrice de l'auteur, elle lui a écrit pour le féliciter à la sortie du film *Engrenages*, en 1987, qu'elle qualifie de « stimulant ».

C'est une pièce pour trois personnages : une secrétaire temporaire, Karen, face à un tandem de pontes d'Holly-wood, le magnat Bobby Gould et le producteur Charlie Fox, interprétés par deux vétérans de la scène, Joe Mantegna et Ron Silver. Au fil de la pièce, la modeste Karen révèle sa force de caractère et sa sagacité. Elle parvient à toucher le magnat endurci qui avait parié 500 dollars avec Fox qu'il parviendrait à la séduire. Finalement, il se laisse convaincre par la jeune femme de tourner un film basé sur un livre plein d'optimisme, en lieu et place du scénario scabreux, mais tellement plus commercial, que lui propose un ami. Le rôle attire Madonna pour des raisons évidentes. « C'est une héroïne généreuse et incomprise, toujours sincère, quels que soient les risques », déclare-t-elle. Son manager Freddy DeMann, plus mitigé, se plaint qu'avec un cachet de 1 200 dollars par semaine, son pourcentage ne lui permettra même pas de couvrir ses frais de cigares. La compétition est rude, mais elle obtient le rôle devant trente autres comédiennes. Pendant les six semaines de répétition, elle ne se plaindra jamais, sauf le jour où Mosher terminera une séance un peu tôt. Consciencieuse, elle connaît son texte sur le bout des doigts, arrive toujours à l'heure et envoie des fleurs à toute l'équipe avant la première, en mai. Hélas, une fois de plus, ce n'est pas son attitude qui pose problème, mais son interprétation. Les premières difficultés surgissent au bout de quelques jours, lorsque Madonna se rend compte que son personnage n'est pas l'ange de miséricorde qu'elle imaginait. Dans l'esprit de Mamet et Mosher, Karen est plus ambiguë, à la fois intrigante rusée et idéaliste naïve. « Tout le monde me voyait comme une mégère à l'esprit noir et maléfique, se lamentera Madonna. Je ne m'en suis rendu compte qu'après le début des répétitions, en constatant que David modifiait constamment mes répliques pour faire de moi une petite garce, une ensorceleuse fourbe et impitoyable. J'ai été effondrée de découvrir que ma vision du personnage ne correspondait pas à la réalité. C'était vraiment une expérience déstabilisante. »

Le rôle de Karen est crucial dans la pièce. Elle tient l'audience en haleine, joue de la féminité de son personnage pour révéler les différents masques dont les hommes et les femmes usent pour dissimuler leur ambition et leur avidité. Sous son charme flagrant, elle doit laisser deviner un arrivisme subtil et sournois. Cependant, Madonna ne le voit pas ainsi et se plaint dans *Cosmopolitan* : « C'était déprimant de jouer ça tous les soirs. Je la voyais comme un ange, une innocente. Ils voulaient en faire une garce. » Elle ne juge le rôle qu'à l'aune de l'image qu'elle souhaite donner d'elle-même. Après chaque représentation, Madonna rentre chez elle d'une humeur massacrante, quittant parfois la scène en pleurs.

Les critiques remarquent sa ressemblance avec Judy Holliday, mais regrettent une fois de plus son manque d'expérience. « On devine un charme réel, mais elle n'est pas encore prête pour régner sur Broadway », lit-on dans le *New York Post,* tandis que son rival, le *New York Daily News*, titre sans s'embarrasser de délicatesse : « NON, ELLE NE SAIT PAS JOUER. » Cette fois, Madonna accuse David Mamet : elle reproche au dramaturge, lauréat du prix Pulitzer, de ne pas avoir le sens du travail d'équipe, taxant ses méthodes de fascistes. Pourtant, la pièce a battu des records de réservation, attirant une foule rare compte tenu de son caractère « sérieux ». Convaincue de son talent, brillante dans maints domaines artistiques, Madonna reste perplexe et s'exaspère devant ses échecs répétés au cinéma et sur scène, alors qu'elle excelle dans l'art du clip. Pour s'en convaincre, il n'y a qu'à la voir dans « Papa Don't Preach », un concentré théâtral de trois minutes à l'impact social et aux qualités artistiques indéniables. Michael Musto, chroniqueur de *Village Voice* et admirateur de Madonna, souligne l'écart entre ses clips et ses films ou ses pièces : « Son talent correspond parfaitement au format court, à l'aspect très visuel du clip. Mais lorsqu'il s'agit d'habiter un personnage dans un film et d'interagir avec les autres, elle est généralement mal à l'aise. Elle n'arrive pas à oublier la présence de la caméra. Elle fait de son mieux, et on le voit. Elle ne sort pas d'elle-même. Contrairement à Cher ou à Courtney Love, il n'émane d'elle aucun magnétisme naturel à l'écran. »

En dépit de ses revers, après *Speed-the-Plow,* en septembre 1988, Madonna a atteint un sommet dans sa carrière. A trente ans à peine, elle a déjà accompli un parcours artistique remarquable. Elle a participé à quatre films hollywoodiens et joué une pièce à Broadway. Dans le domaine de la chanson, ses douze *singles* et ses quatre albums lui ont tous valu un énorme succès. Elle a mené avec brio deux tournées triomphales, l'une nationale, l'autre qui l'a conduite jusqu'au Japon et en Europe. Elle est désormais une star chez elle et dans le reste du monde. Et ce ne sont que les manifestations les plus visibles de son succès. Courageuse, indomptable, elle a exercé une influence réelle sur le féminisme, en montrant à des millions de femmes que la réussite n'était pas l'apanage des hommes, que l'on pouvait être forte et choisir sa vie, sans pour autant renoncer à sa féminité. En outre, sa croisade en faveur des malades du sida, ainsi que sa sympathie pour les communautés noire et homosexuelle, ont fait évoluer les mentalités. Les magazines qui répertorient les vingt personnalités marquantes des années 80 placent son nom à côté de ceux du président Reagan et de Mikhaïl Gorbatchev. Fin 1987, la revue *Forbes* la cite parmi les stars les plus riches des États-Unis. Avec un revenu annuel brut de 26 millions de dollars, elle est la femme la mieux payée du show-business. Si l'on passe sur sa réussite mitigée au cinéma, Madonna a atteint le sommet en à peine cinq ans.

Cependant, si elle ne perd pas espoir de se faire un nom en tant qu'actrice, elle a renoncé, dans sa vie privée, à sauver son mariage. Depuis la mi-1987, elle semble avoir accepté son impuissance à faire plier Sean, tout comme son incapacité à répondre aux exigences de son mari. Le rôle de Mrs Penn ne l'amuse plus. Fier et obstiné, Sean rêvait de transformer Madonna en déesse domestique, persuadé qu'elle mettrait sa carrière au second plan lorsqu'ils fonderaient une famille. De plus, il supporte mal d'être relégué dans le rôle de « Mr Madonna », tandis que sa femme n'en finit pas de grimper au firmament. Acerbe, il déclarera à propos de son mariage : « A vingt-quatre ans, je ne faisais pas la différence entre un premier rendez-vous idyllique et un engagement pour la vie. »

« Elle a un faible pour les mauvais garçons, explique un proche, mais elle a trouvé plus fort qu'elle. De son côté, il a fait l'erreur fatale de se mettre en travers de sa route à l'époque où sa carrière explosait. » Elle souhaitait une relation fondée sur une dynamique complexe, où elle aurait pu garder les rênes de sa carrière et de sa vie, tout en maintenant l'illusion que son époux tenait les commandes. En réalité, elle se retrouve face à un homme qui ne se maîtrise pas plus en public qu'en privé, et qui la bride. Elle s'escrime à dompter Sean Penn, qui s'entête à vouloir la domestiquer. Pour finir, leur relation se soldera par un traumatisme sentimental et un divorce. « Nous étions deux brasiers qui s'affrontaient. C'était à la fois stimulant et difficile », observera plus tard la jeune femme. Comme Ken Compton avant lui, Sean Penn a le don de taper sur les nerfs de Madonna et de la rendre folle d'inquiétude. Ils se sont promis de se téléphoner tous les jours à une heure précise, où qu'ils soient dans le monde, aussi se fait-elle un devoir de l'appeler dès son réveil et juste avant son coucher, non seulement pour lui parler, mais pour s'assurer qu'il se trouve bien là où il est censé être, et seul. Mais Sean est souvent injoignable. Elle en est donc réduite à laisser des messages exaspérés sur son répondeur. « J'ai de grosses factures de téléphone », plaisante-t-elle.

Les beuveries de son mari, sa violence et sa réputation de coureur amplifient le sentiment d'insécurité de Madonna, créant une atmosphère de méfiance et de crainte dans leur couple. La situation devient insupportable. Dix semaines après la libération de Penn, Madonna jette l'éponge. Le 4 décembre 1987, elle demande le divorce, après avoir bien précisé à son avocat qu'elle souhaite reprendre son nom de jeune fille et qu'ils sont mariés sous le régime de la séparation des biens. Coïncidence poignante, elle se résout au divorce quelques jours après l'anniversaire de la mort de sa mère. Sean, fidèle à lui-même, et apparemment insensible à l'aspect déchirant de cette décision, part se saouler avec ses copains d'Hollywood.

Romantique, certes, mais également prévoyante, Madonna a pour règle de ne pas quitter un homme sans en avoir un autre en réserve. Elle est passée maîtresse dans l'art de « l'atterrissage en douceur », comme le confirme un ancien petit ami. Elle se débrouille toujours pour avoir un havre où se réfugier, une épaule sur laquelle pleurer et, si possible, un nouveau barreau de l'échelle sociale à escalader. En décembre 1987, son chagrin ne l'empêche pas d'envisager calmement d'échanger son rôle d'épouse de star hollywoodienne pour entrer dans une famille « royale » américaine. Depuis le succès de « Material Girl », en 1985, on associe le nom de Madonna à celui de Marilyn Monroe. Dans le clip, un sex-symbol des années 80 rendait hommage à la blonde atomique des années 50 qui ensorcela une nation et son président, John F. Kennedy. Il existe toutefois une différence notable entre les deux femmes : autant Marilyn était vulnérable, autodestructrice et vouée à la chute, autant Madonna croque la vie sans remords. Cependant, le rapprochement s'impose lorsque le bruit court que Madonna voit en secret le fils du défunt président, John F. Kennedy junior.

Ils se sont connus lors d'une réception, à New York, puis Kennedy est allé la voir en coulisse après un concert au Madison Square Garden, pendant le Who's That Girl ? World Tour. Ils se sont revus en décembre dans un club de sport de New York et depuis, ils font du jogging ensemble dans Central Park. Des traits sombres, taillés à la serpe, un corps harmonieux, l'esprit vif, sans oublier l'attrait indéniable de son pedigree : le jeune homme fait un chevalier servant tout à fait acceptable pour l'une des femmes les plus « glamour » et les plus désirées au monde. Derrière Kennedy junior, la chanteuse rêve aussi de conquérir sa mère, Jackie Onassis, un autre symbole vivant, susceptible de concurrencer, voire de surclasser Marilyn et Madonna. « C'était l'une des rares personnes au monde qu'elle admirait vraiment, se souvient une relation. Son style impressionnait Madonna. » Malheureusement, la réciproque n'est pas vraie. Madonna ne se leurre pas quant à l'échec de son entreprise de séduction, après une rencontre guindée dans l'élégant appartement de Jackie, situé sur la 5e Avenue. Cette dernière ne souhaite pas que son fils s'affiche en compagnie d'une personnalité aussi controversée, et encore moins qu'ils entretiennent une relation intime, d'autant plus qu'à l'époque la chanteuse est encore mariée. La relation de dépendance liant John à sa mère n'arrange rien. Leur aventure tournera vite court : la réputation de Madonna intimide le jeune homme. Pourtant, explique un de ses anciens amants, sous ses airs agressifs, Madonna attend d'un homme qu'il joue le rôle de l'initiateur : au lit, elle tient plus du chaton que de la tigresse. Non sans tristesse, elle racontera à ses amis que Kennedy était trop nerveux pour que « ça marche » entre eux. « Certaines personnes se moquent de la célébrité, d'autres se laissent impressionner, commente un ex de Madonna. Il faisait partie de la seconde catégorie. » Leur brève liaison ne laisse pas indifférent Sean Penn, toujours prompt à laisser éclater sa jalousie. Même après leur divorce, son amourette avec John-John laissera un goût amer à l'acteur. Quelques années plus tard, lorsqu'ils se rencontreront à l'occasion d'une soirée, Penn présentera sans détour à Kennedy ses plus plates excuses.

La décision de divorcer prise par Madonna se révèle aussi éphémère qu'a été son flirt avec le fils Kennedy. Une semaine avant Noël 1987, elle retire sa demande. Les arguments de certains amis et une offensive de charme lancée

par Sean Penn – il lui envoie un « bouquet » de ballons gonflables et un télégramme chanté – réconcilient le couple,
qui décide de repartir sur de nouvelles bases. Cependant,
les exigences de leurs carrières respectives demeurent.
Madonna s'immerge dans son travail. Le tournage de *Bloodhounds of Broadway* (« Gosses des bas-fonds ») débute le
24 décembre 1987. Aussitôt après, elle enchaîne sur *Speed-
the-Plow* et six semaines de répétitions harassantes. Sean
Penn, qui tourne en Thaïlande *Outrages* avec son ami
Michael J. Fox, manque la première. Son absence aura des
conséquences imprévisibles sur leur mariage.

Ce soir-là, se trouve dans le public une certaine Sandra
Bernhard, une femme appelée à tenir un rôle majeur dans
la vie de Madonna, son mariage et ses relations à venir.
Sandra Bernhard joue dans un théâtre du centre un spectacle
comique qui comprend un sketch sur Madonna. Lorsque les
deux femmes se retrouvent en coulisse, un courant de sympathie immédiat passe entre elles. « C'était la bonne rencontre
au bon moment », se souvient Sandra, qui, pendant quelque
temps, formera un turbulent trio avec Madonna et Jennifer
Grey, une autre actrice de *Bloodhounds of Broadway*. Tout
au long de l'été, elles fondent sur les lieux les plus
« branchés » de New York : soirées, restaurants, vernissages et
boîtes de nuit n'ont qu'à bien se tenir lorsqu'elles arrivent en
ville. Ces virées au cours desquelles elles se conduisent
comme de sales gosses extraverties et sans complexes rappellent à Madonna les plus belles heures de ses débuts. Avec ses
amies, elle aurait même organisé un concours de rots dans
un restaurant du centre-ville. Elles en rajoutent, traitant avec
un mépris amusé les médias qui insinuent que Madonna et
Sandra, dont la bisexualité est de notoriété publique, sont
plus que de simples amies. Les ragots vont bon train après
leur apparition à la télévision en jeans, tee-shirts et chaussures identiques dans l'émission *Late Night with David Letterman*. Au cours d'un entretien devenu célèbre, le duo infernal
prétend fréquenter le Cubby Hole, un bar lesbien, tandis que
Sandra se vante d'avoir couché avec Sean et Madonna.

Elles continueront à jouer leur numéro tapageur en public pendant plusieurs années, longtemps après le divorce des Penn. En 1989, à Los Angeles, lorsqu'elles se rendent à un marathon de danse au profit de la lutte contre le sida avec la chanteuse Stacey Q et Coati Mundi – le partenaire de Madonna dans *Who's That Girl?* –, les jeunes femmes sont bien décidées à semer la zizanie. « C'était comme un jeu, se souvient Coati Mundi. Elles dansaient ensemble en se cajolant. » Lors d'un gala de bienfaisance à New York, en juin de la même année, elles exécutent un pastiche désopilant du tube de Sonny & Cher « I've Got You Baby », sorti en 1965. Elles se frottent les hanches l'une contre l'autre et se caressent pour la plus grande joie du public.

Derrière les facéties et l'ambiguïté sexuelle délibérée, on observe un changement intrigant dans l'attitude de Madonna. A l'aube de la trentaine, elle ne sort jamais sans une autre femme, de préférence homosexuelle, à ses côtés. Sandra Bernhard assume ce rôle pendant un temps, puis c'est au tour d'Ingrid Casares, propriétaire d'une boîte de nuit, et du mannequin Jenny Shimizu. Ces femmes qui la suivent comme son ombre la conseillent et font du lèche-vitrines avec elle. Quelles que soient leurs relations, cette présence constante crée une « tampon » entre la chanteuse et son petit ami du moment. Abandonnée par ceux à qui elle a donné son cœur, en particulier sa mère, puis Sean Penn, Madonna se sert de ses amies comme d'un bouclier. Elles limitent son engagement amoureux et interdisent une trop grande intimité.

A son retour d'Asie, en juin 1988, son mari découvre qu'il doit maintenant compter avec une troisième personne. « On peut dire que mon amitié avec Sandra est née au moment où ma relation avec Sean agonisait », admettra Madonna. On les voit partout ensemble. Lorsque les Penn rejoignent l'artiste Peter Max sur son bateau, pour une croisière sur l'Hudson à l'occasion des festivités du 4 juillet[1],

---

1. Fête nationale américaine.

Sandra est de la partie. L'acteur au caractère ombrageux s'accommode mal de cet arrangement. Comme la plupart des futurs prétendants de Madonna, il se passerait volontiers de l'incontournable Sandra, qui prend une place croissante dans la vie de sa femme. Au contraire, la chanteuse voit dans la présence de son amie et leur relation ambiguë d'adolescentes braillardes un contrepoids à l'irascibilité de son mari. En effet, celui-ci n'a rien perdu de son tempérament colérique. Dès son retour aux États-Unis, il renoue avec ses vieilles habitudes. En juin, il insulte des photographes et des fans au cours d'un combat de Mike Tyson, à Atlantic City. Quelques semaines plus tard, il donne un coup de pied dans la voiture d'un paparazzi, à New York. Il ne tarde pas à retourner sa fureur contre sa femme, à qui il reproche son amitié avec Sandra Bernhard. Celle-ci ne quitte pas Madonna pendant la préparation de l'album *Like a Prayer*, tandis que Penn répète pour la pièce *Hurlyburly*. Désireuse de lui éviter d'autres empoignades avec les photographes et de l'empêcher de se livrer à son penchant pour la boisson, Madonna va souvent le chercher au théâtre en fin de journée. Malgré cette sollicitude, leur couple se porte de plus en plus mal.

Le fossé qui s'est creusé entre eux dans l'intimité ne tarde pas à éclater au grand jour. Au Twenty-20 Club, après la première de Sean Penn, on assiste à une vive altercation entre les époux. Lorsque Madonna arrive avec Sandra Bernhard, sa « chevalière servante » pour la soirée, il explose : « Sale conne ! Comment peux-tu me faire une chose pareille ? », hurle-t-il devant plusieurs témoins inquiets, dont Sylvester Stallone. Pour Sean Penn, un « mâle » à la Hemingway, l'attitude de sa femme ne fait qu'ajouter à une insulte suprême : elle refuse d'avoir des enfants, seul moyen pour lui de la détourner de sa carrière. Des années plus tard, Madonna admettra : « Sean voulait avoir un enfant. Ce n'était pas le moment, tout est une question de moment. » Bien que le conflit entre famille et carrière soit au cœur de leurs difficultés, les soupçons de Penn quant à la bisexualité de sa femme exacerbent leurs différends. Sont-elles amantes? Si Madonna a toujours, en public, joué sur l'ambiguïté, en privé elle répondra sans détour par l'affirmative. Jim Albright, avec qui elle entretiendra une relation orageuse au début des années 90, ne doute pas qu'elles aient eu des relations sexuelles : « Je lui ai demandé pourquoi, parce que je ne la supportais pas *[Sandra Bernhard]*. Elle ne m'a pas donné d'explication ». Leur mariage prend l'eau de toute part. Sean Penn finit par quitter le domicile conjugal pour retourner chez ses parents, cédant la place à Sandra, qui investit la maison de Malibu.

La rupture, lorsqu'elle arrive enfin, est aussi tonitruante que leur mariage, à la différence qu'elle se déroule au son des sirènes de police, et non du vrombissement des hélicoptères. Le 29 décembre, des policiers armés cernent la demeure, tandis qu'une voix sortant d'un mégaphone intime à Sean l'ordre de sortir. Madonna s'est apparemment plainte d'une agression au bureau du shérif. L'air nonchalant, l'acteur sort alors dans le soleil matinal, un bol de Rice Krispies à la main, et se retrouve face à une équipe d'intervention armée jusqu'aux dents. « Je l'avais menacée de lui couper les cheveux, racontera Penn à l'écrivain Chris Mundi. Elle m'a pris très au sérieux. On nageait en plein délire. » Une autre version plus dramatique, et jusque-là non contestée, a été abondamment commentée dans la presse : Sean, complètement ivre, aurait fait irruption dans la maison l'après-midi précédent. Après avoir maîtrisé sa femme, il l'aurait « ficelée comme une dinde », puis bâillonnée. Elle serait restée attachée là pendant neuf heures avant de réussir à s'échapper et d'appeler la police de sa voiture, sur le chemin du bureau du shérif.

Aucune des deux versions n'est entièrement vraie. En fait, la nature de l'incident symbolise parfaitement la faille fondamentale de leur union. Sean veut Madonna « nue dans la cuisine », elle souhaite poursuivre sa carrière artistique. Ce soir-là, après une dispute particulièrement violente, Sean jette sa femme à terre. Exaspéré, il s'assied sur

197

elle, immobilise ses bras et ne bouge plus. Malgré ses hur-
lements et ses pleurs, il la maintiendra dans cette position
pendant quatre heures, si l'on en croit ce que Madonna
racontera plus tard à ses amis. Au bout d'un moment, ses
sanglots se calment et le temps passe, tandis qu'elle attend,
traumatisée. « Elle ne tient pas en place, alors lui faire subir
un truc pareil, cela a dû être terrible pour elle, un peu
comme le supplice chinois de la goutte d'eau, déclare un
proche à qui Madonna a relaté l'histoire. La dimension
symbolique de l'acte était très claire : Sean voulait qu'elle
interrompe sa carrière. Il voulait la retenir, prendre le
contrôle, l'empêcher de bouger. C'était sans doute une tentative désespérée pour obtenir ce qu'il désirait. Elle devait
étouffer dans une relation pareille. »

Au cours de ces heures funestes, tout espoir de réconci-
liation disparaît. Madonna se rend compte que, malgré tout
l'amour qu'elle peut éprouver pour son mari, ils « n'ont pas
lu le même scénario », selon les propres mots de Sean
Penn. Un mois plus tard, ils divorcent. Sean Penn épousera
l'actrice Robin Wright, après avoir eu deux enfants avec
elle, tandis que Madonna poursuivra sa carrière tambour
battant et traversera une période d'exploration sexuelle qui
titillera autant qu'elle agacera tout le monde, ses fans
comme ses détracteurs. Quelques mois après sa rupture
avec Sean, on retrouve Madonna, profitant du soleil printa-
nier avec une amie, assise à la terrasse d'un café à New
York. Les passants ne la reconnaissent pas, aucun photographe ne pointe le bout de son objectif : pour une fois,
elle peut se détendre un peu et réfléchir. De son propre
aveu, elle n'est au fond qu'une « fille démodée », respec-
tueuse de l'institution du mariage. Sincèrement persuadée
d'avoir tout fait pour préserver son couple, cet échec l'at-
triste. Néanmoins, elle saura en tirer les leçons. Elle émerge
de cette histoire assagie, mûrie, déterminée à ne pas refaire
la même erreur. Elle n'est peut-être pas très heureuse, mais
au moins, elle se sent en paix avec elle-même. Après tout,
se dit-elle, c'est sans doute mieux comme ça.

10

Un homme peut en cacher un autre

Boum. Boum. Boum. Eh mec, ça c'est du son. Juste comme il l'aime. Sa voiture, on l'entend arriver à cinq cents mètres, et il en est fier. Quand il passe, hochant sa tête blonde au rythme du rap, le battement sourd des basses fait vibrer les vitres. C'est lui qui a installé les baffles, à l'arrière : le top. On ne trouve pas mieux sur le marché. Et le plus cool, c'est qu'il peut les faire hurler à fond sans se bousiller les tympans. Pas de façon permanente, Vanilla Ice le sait. Il a fait des recherches sur la question. Le son, c'est son truc, tu piges ? *Ça n'abîme pas les oreilles !* T'en es certain ? T'es sourd ou quoi ? Alors quand Tommy Quon, son manager, lui fait calmement remarquer qu'on pourrait leur demander des dommages et intérêts si l'un des gosses venus pour le concert en gardait des séquelles, il fait − si vous me passez l'expression − la sourde oreille. Plus hautes, les enceintes, plus hautes, mec. Ce soir, on va faire trembler la baraque. Tommy Quon sait qu'il est inutile de discuter avec la star. Vanilla Ice − né Robert Van Winkle, à Miami, en octobre 1968 − est une fusée lancée dans l'espace intergalactique. En 1990, son *single* « Ice Ice Baby », a été la première chanson rap classée numéro un au hit-parade, tandis que son album *To the Extreme* s'est vendu à quinze millions d'exemplaires à travers le monde.

Dans la boîte new-yorkaise bondée de fans, Vanilla Ice est bien déterminé à mettre le volume à donf. Il faut que ça pulse. Tandis qu'une horde de gamins s'éclate devant la scène, les haut-parleurs géants crachent tout ce qu'ils ont. Des morceaux de plâtre se détachent du plafond, égratignant au passage quelques chérubins. Tommy Quon, qui voit déjà le mot procès clignoter en lettres rouges devant ses yeux, commence à avoir des sueurs froides. Cool, mec. Le concert se termine, tout le monde rentre à la maison, ravi. Personne n'est devenu sourd et il n'y aura pas de procès. Vanilla l'avait pourtant prévenu : il a fait des recherches et il le sait, la musique forte, c'est de la balle.

En coulisses, l'atmosphère déjà chaude devient brûlante après le concert. Charles Koppelman, le directeur du label SBK, se fraie un chemin à travers la foule, escorté par quelques personnes, dont Madonna et une copine sexy. Vanilla Ice ne saisit pas le nom de la nana dans le brouhaha ambiant, mais il l'entend dire qu'elle est actrice porno. Il exprime son scepticisme, mais doit se rendre à l'évidence lorsqu'elle sort de son sac quelques photos. « Cool chérie, tu veux faire un tour en limousine ? », demande-t-il. Résultat des courses : Vanilla Ice, Madonna et sa copine sexy sympathisent puis se quittent après avoir échangé leurs numéros de téléphone. Il ne reverra jamais la star du porno.

En revanche, Madonna et lui se reverront souvent. Cette rencontre marque le début d'une histoire d'amour improbable entre le rappeur blanc et la reine de la pop, qui durera, avec des hauts et des bas, plus d'un an. Madonna, toujours en quête de la prochaine tendance, de la personne avec qui il faut être vu, choisit rarement ses amants au hasard. Seul son besoin d'amour et de reconnaissance égale sa soif de publicité. Depuis sa rupture avec Sean Penn en 1989, les hommes qui traversent sa vie lui servent tantôt de faire-valoir, tantôt leur propre célébrité confirme son statut. Ainsi, à côté du mannequin Tony Ward, un nain dans la sphère des stars, elle n'en paraît que plus grande, tandis que Warren Beatty et Michael Jackson ajoutent une couche de brillant sur son nom. En 1991, donc, on parle beaucoup de Vanilla Ice. De Madonna aussi, d'ailleurs. Depuis son divorce, elle a amplement prouvé qu'elle n'avait pas besoin d'une quelconque star hollywoodienne. Lorsqu'elle rencontre le chanteur rap, Madonna est au zénith de sa carrière.

Depuis 1989, Madonna a trouvé sa formule : une alchimie qui mêle créativité et controverse pour muer la musique en or. Paradoxalement, sa rupture avec son ex-mari n'est pas étrangère à ce regain de succès. Madonna a dû regarder ses démons en face, faire le point sur son mariage et son enfance. Elle a su en distiller le résultat dans l'album *Like a Prayer*, dédié à sa mère qui lui aurait appris à prier. On est tenté d'ajouter que Madonna a peut-être aussi hérité de sa mère la frénésie d'activité qui l'anime. Consciente très tôt de la brièveté de la vie, elle a le sentiment que chaque jour doit être vécu comme s'il était le dernier. L'album acclamé par la critique ne se contente pas d'explorer la fin d'une relation et ses blessures, il aborde d'autres sujets sensibles : la mort de sa mère, les zones d'ombre de sa relation avec son père et ses sentiments confus face à la religion catholique. En donnant voix aux démons qui la tourmentent avec force et éloquence, elle démontre qu'elle a atteint une autre dimension, celle d'une véritable artiste, capable de révéler ses doutes et sa vulnérabilité. « Ça demandait du cran de faire une chose pareille. Avec cet album, j'ai pris plus de risques que jamais auparavant, et je pense que l'évolution est perceptible », avouera-t-elle plus tard.

Des risques, elle en prend aussi dans le clip sombre et troublant de « Like a Prayer », réalisé par Mary Lambert. Sa sortie coïncide avec la première diffusion du spot publicitaire qu'elle tourne pour Pepsi, un petit conte optimiste et sentimental sur la même chanson. Dans le clip, Madonna assiste à un meurtre et tombe amoureuse d'un Noir accusé à tort, qu'elle finit par sauver de la vindicte populaire. Dans ce conte de fées féministe et antiraciste qui renverse les rôles traditionnels, Madonna, vêtue d'une petite robe moulante, danse devant une croix en flammes, embrasse le saint noir Martin de Porres et montre ses mains meurtries par des stigmates. Le message antiraciste est noyé dans le tollé déclenché par le clip. La majorité bien-pensante et le Vatican crient au blasphème, offusqués devant le détournement de l'iconographie religieuse dans un clip de musique pop. Le scandale retombe sur l'infortuné groupe industriel qui a offert 5 millions de dollars à la chanteuse pour apparaître dans son spot. Mis en demeure de retirer le film publicitaire par les groupes de pression religieux qui accusent Madonna de ridiculiser le christianisme, Pepsi obtempère pour éviter un boycott de ses produits, non sans avoir consenti au préalable à laisser l'intégralité de son cachet à Madonna.

Celle-ci semble avoir résolu le problème de la quadrature du cercle, combinant approche résolument artistique et réussite commerciale vertigineuse. En 1990, elle est l'artiste féminine la mieux payée au monde, avec un revenu annuel brut d'environ 39 millions de dollars. A la différence de Michael Jackson, Paula Abdul ou Britney Spears, toujours disposés à cautionner des produits commerciaux, Madonna parvient à donner l'impression que ses incursions dans le monde de la publicité restent une forme d'art. « Pour moi, faire une publicité qui possède une certaine valeur artistique équivaut à un défi », déclare-t-elle, s'escrimant toujours à dissimuler ses dons de femme d'affaires. Ainsi, au cours de cette même année, elle négocie personnellement avec les chaussures de sport Nike. Elle écrit aux cadres dirigeants de la société – les « costards » comme elle les surnomme – pour les inviter chez elle, à Los Angeles, dans le but de conclure un contrat de plus de 4 millions de dollars. Ils se désistent lorsqu'elle insiste pour limiter son engagement au strict minimum et refuse de porter leurs chaussures de sport. Quand la société se retire, Madonna appelle son président Philip Knight pour essayer de sauver le contrat. Elle essuie un refus. Qu'à cela ne tienne. « L'équipe Madonna » s'empresse de contacter le principal rival de Nike, Reebok, pour lui proposer un contrat similaire.

Personne ne songerait à contredire son avocat, Paul Schindler, lorsqu'il affirme qu'elle est dotée d'un sens aigu des affaires.

Boire son petit lait artistique, sans pour autant dédaigner de croquer à pleines dents dans le gâteau commercial, va devenir une attitude récurrente chez Madonna. Lorsqu'en 1990 on lui offre d'interpréter dans *Dick Tracy* le rôle de Breathless Mahoney, une chanteuse de boîte de nuit sensuelle, elle fait savoir qu'elle a accepté d'être payée au salaire syndical, autrement dit 1 440 dollars par semaine, tant elle est enchantée de travailler avec Warren Beatty, acteur principal et réalisateur du film. Le communiqué de presse omet seulement de préciser qu'elle touche un pourcentage sur les entrées, et des droits d'auteur pour la bande originale du film. En fin de compte, le film lui rapportera quelque 13 millions de dollars. Ce rôle de Mae West moderne lui va comme un gant et la critique ne s'y trompe pas, qui encense cette blonde platine impudente et aguicheuse. « Frémissante de désir, de sous-entendus et de mauvaises intentions, Madonna incarne une femme fatale univoque à souhait », commente un journaliste.

A la même époque, son tube « Vogue », qui rend hommage aux stars des années 30, est son plus gros succès en termes de ventes. Rien ne semble pouvoir résister à une Madonna au sommet de son art. Et Warren Beatty énonce une évidence lorsqu'il dit : « Elle est drôle, intelligente, belle et musicienne. Elle sait tout faire : jouer, chanter, et elle réussit tout ce qu'elle entreprend. Elle a de l'humour et de l'esprit. Elle est sexy, elle est généreuse. Elle va être une grande star de cinéma. » Une doigt de provocation sexuelle, une pincée de controverse, le tout agrémenté d'une bonne mesure d'instinct commercial : la recette du succès selon Madonna, un cocktail détonnant que l'on retrouve dans le clip de « Justify My Love », en 1990. Dans cette fantaisie érotique, une Madonna voluptueuse découvre l'enfer des sens dans un hôtel parisien. Censuré par MTV, notamment à cause des baisers échangés entre le mannequin Amanda de

Cadanet et la chanteuse, le clip est commercialisé par Madonna qui n'en vend pas moins de huit cent mille copies.

Elle continue à explorer à son idée l'ambiguïté et la sexualité, en femme maîtresse de son corps et de son destin. Bien qu'elle ait déjà abordé ces thèmes dans le clip de « Like a Prayer », elle les développera avec audace au cours du Blond Ambition Tour, une tournée de quatre mois, dans vingt-sept villes. Ses numéros érotiques et exotiques, qui mettent invariablement en scène une femme dominatrice, la consacrent dans son rôle d'amazone des temps modernes. Tandis qu'elle arpente la scène dans son armure contemporaine, un bustier aux seins coniques de Jean Paul Gaultier, elle présente l'image d'une *superwoman* entourée de danseurs-esclaves aux muscles hypertrophiés, soumis à ses moindres désirs. Cela dit, la description que le styliste français donne de ce costume, désormais indissociable de la chanteuse, pourrait très bien s'appliquer à la psychologie de Madonna : « Une carapace extérieure dure qui protège une vulnérabilité cachée. »

Cette vulnérabilité qu'elle révèle dans l'album *Like a Prayer* se manifeste de manière flagrante dans sa vie privée. Bien qu'elle soit devenue l'épicentre du show business, elle en veut toujours plus. Ce besoin d'être acceptée et adulée forme un contraste saisissant avec son image de femme puissante et conquérante. Cette contradiction, Vanilla Ice la vit au quotidien lorsqu'il s'efforce de faire coïncider le personnage public débordant d'assurance avec la femme inquiète qui lui reproche de ne pas avoir téléphoné et l'appelle tard dans la nuit ou tôt le matin, pour s'assurer qu'il ne se trouve pas avec une autre. Dès le début, c'est elle qui jette son dévolu sur lui. Intriguée par son succès et son personnage de rappeur blanc, elle s'aperçoit vite que Vanilla Ice ne sera pas une conquête facile. Elle le flatte, le compare à Elvis, mais lui ne semble pas plus impressionné que cela. Il n'aime guère ses chansons, qu'il qualifie de « merdes fadasses et sirupeuses », et leurs dix ans d'écart l'inquiètent. Cependant, il finit par baisser sa garde. « Elle a commencé à me téléphoner, se rappelle-t-il. On parlait, on apprenait à se connaître. On avait des conversations très profondes, très intimes. » Lorsque pendant l'été, elle se rend à Evansville, dans l'Indiana, pour tourner *Une équipe hors du commun*, une comédie sur une équipe de base-ball féminine, ils se voient régulièrement. Souvent, ils viennent à leurs rendez-vous coiffés d'un chapeau ou d'une perruque pour passer inaperçus. Ils vont au cinéma et au restaurant, où ils arrivent toujours séparément, sans chauffeur ni garde du corps, pour ne pas attirer l'attention. « C'était cool, parce qu'on a réussi à garder le secret un bon moment, ça nous a laissé le temps de mieux nous connaître », se souvient-il.

Là où il s'attendait à trouver une star « prétentieuse et grossière », il découvre « une fille à la fois douce, innocente et sexy ». « Le fouet et les chaînes, ce n'était pas du tout son truc, dit-il en faisant allusion à son personnage de scène. Elle était très romantique, très sexy, mais sans perversité. » Par ailleurs, elle s'intéresse vraiment à la carrière et à la vie du chanteur, sollicitude qu'il apprécie. Il ne déteste pas non plus avoir pour petite amie une femme qui lui envoie des fleurs et des lettres d'amour. Parfois, lorsqu'elle n'est ni en concert, ni sur un tournage, ni en studio, Madonna lui rend visite en Floride. Ils s'allongent sur le pont de son bateau, au large de Star Island, et il lui parle pendant deux ou trois heures d'affilée en regardant les étoiles. « J'avais l'impression d'être un lycéen avec son premier amour. » Leurs rencontres et leurs conversations tissent entre eux une intimité croissante. « Apparemment, je lui plaisais et elle me disait qu'elle m'aimait. On ne pouvait qu'avoir envie d'épouser une femme comme Madonna. C'est clair que si elle était restée la même, aujourd'hui on serait mariés et on aurait des gamins. Elle crevait d'envie d'avoir des enfants. Elle avait conscience du temps qui passait et se sentait prête pour en avoir à l'époque où on sortait ensemble. »

Cependant, au fil des mois, il découvre une autre facette de sa personnalité, un être en demande, anxieux, soupçonneux.

Il se sent dérouté. Elle ne semble pas se rendre compte que Vanilla Ice, qui vit dans un tourbillon de tournées, de publicité et de cocaïne, s'efforce, à sa manière, de s'investir dans leur relation. « Eh, tu te trompes, chérie, lui souffle-t-il pour l'apaiser. Tout va bien, calme-toi. » Mais les doutes de Madonna commencent à effrayer le jeune homme. Elle l'appelle au milieu de la nuit, laisse des messages suppliants sur son répondeur. Il prend conscience de la détresse de cette femme qui semble avoir tout pour elle, mais qui est toujours en manque d'amour, toujours insatisfaite. « Elle me plaisait, c'est sûr, mais on sentait une faille énorme en elle. Elle était très impatiente de se marier. »

Bientôt, les aspects de sa personnalité les plus déplaisants prennent le dessus. Trop souvent, elle se montre nombriliste, égoïste et malheureuse. Bien que divorcée de Sean Penn depuis deux ans, il ne fait pas de doute pour Vanilla Ice que Madonna n'a pas oublié l'irascible acteur. « J'avais l'impression qu'elle l'aimait encore, explique Vanilla Ice. En fait, je le savais, car elle me l'a dit. Mais apparemment, ça n'avait pas marché entre eux. » Lorsque la compagne de Sean Penn, l'actrice Robin Wright, met au monde la petite Dylan en avril 1991, Madonna ne peut s'empêcher de songer à ce que serait sa vie si elle n'avait pas divorcé. Elle envoie à son ex-mari des cadeaux pour la petite fille, soi-disant accompagnés d'une note portant ces mots : « Grand bêta, si tu m'avais fait un enfant, nous serions toujours ensemble. » Lorsque l'on connaît leur histoire, et en particulier l'importance que Madonna attachait à sa carrière, on peut douter de sa sincérité. Un mois, plus tard, *In Bed With Madonna*, le documentaire sur le Blond Ambition Tour, sort sur la Croisette, au moment du Festival de Cannes. Les observateurs s'interrogent sur ses motivations, se demandant si elle ne souhaite pas moins impressionner le jury, les critiques et les médias que Sean, présent pour *Indian Runner*, son premier film en tant que réalisateur. D'ailleurs, le documentaire révèle une Madonna particulièrement touchante, quand elle avoue son amour pour

Sean Penn. Bien sûr, elle veut supprimer la séquence, trop révélatrice de sa fragilité. « Il faudra d'abord me passer sur le corps », lui répond Harvey Weinstein de Miramax, le distributeur du film. De son côté, la compagne de Sean Penn, Robin Wright, ressent surtout de la pitié pour Madonna, qui s'entête à déclarer son affection, et parfois sa flamme, à son ex-époux. « Je me sentais désolée pour elle. Je pense qu'elle est très triste et un peu perdue. Sous sa carapace, il y a un véritable être humain, aussi sensible que vous et moi. »

Le documentaire, premier film d'Alek Keshishian, se veut un regard sur les coulisses de la tournée. En réalité, c'est un film sur Madonna. « C'était un peu comme une psychanalyse devant le monde entier », observera Keshishian, qui a attiré l'attention de Madonna lorsqu'il lui a envoyé sa thèse universitaire. Avec un courage caractéristique, elle a pris le risque de confier le film à un novice dont elle pressentait le talent. Mais, c'est la manière dont elle utilise ses proches qui est la plus caractéristique : de son père à son amant de l'époque, Warren Beatty, tous ne sont là que pour servir de faire-valoir à la star. Le réalisateur le souligne à plusieurs reprises, en juxtaposant leurs commentaires à ceux de Madonna. Ainsi, lorsqu'elle raconte que son amie Moira McPharlin et elle avaient l'habitude de se masturber mutuellement au cours de leur adolescence, il filme également le démenti de son ancienne camarade. Il insère ensuite un interlude embarrassant où Moira demande à une Madonna gênée d'être la marraine de son futur bébé, à qui elle veut donner le nom de la chanteuse. Dans une autre scène, Madonna mime une fellation avec une bouteille d'Évian. Après vérification dans le film, c'est faux. Par ailleurs, elle dit à son amie Sandra Bernhard qu'enfant elle ne pouvait s'endormir tant que son père ne l'avait pas « baisée », avant d'ajouter : « Je blague. » Dans le documentaire, elle révèle aussi que son frère Christopher est homosexuel et son frère aîné Martin alcoolique. Une scène au sentimentalisme appuyé la montre allongée à côté de la tombe de sa mère, pendant que son jeune frère, mal à l'aise, se cache derrière un arbre. Sur le moment, la séquence a d'ailleurs embarrassé Robert Leacock, le chef cadreur, même si aujourd'hui c'est une de ses favorites. « Une des raisons pour lesquelles je l'aimerai toujours, c'est qu'elle nous faisait confiance et nous laissait faire, explique-t-il. C'est incroyablement courageux. La plupart des gens refuseraient qu'on envahisse ainsi leur vie privée. »

Effectivement, tout le monde n'apprécie pas ce genre de publicité. Trois de ses danseurs – en particulier deux d'entre eux qu'elle a encouragés à s'embrasser devant la caméra – sont tellement furieux de la manière dont Madonna les a utilisés qu'ils portent plainte pour atteinte à la vie privée et abus de confiance. Finalement, ils parviendront à un arrangement à l'amiable. Dans le film, on voit aussi Madonna se plaindre de Warren Beatty, qu'elle traite de « coureur de jupons », au plus grand déplaisir de l'acteur. La situation s'envenime si bien que son avocat lui transmet une injonction du tribunal pour l'empêcher d'utiliser leurs conversations téléphoniques. « C'était une conversation longue et tendre qui donnait de lui une image très sympathique », proteste Madonna. « Sans doute, lui répond-on, mais enregistrer quelqu'un sans autorisation est illégal. » Si elle laisse paraître sa vulnérabilité en révélant ses sentiments pour Sean Penn, les observations laconiques de Warren Beatty dévoilent d'autres traits de la jeune femme de plus de vingt ans sa cadette, qu'il surnomme « Buzzbomb » : son narcissisme et son exhibitionnisme.

Warren Beatty, pur produit du Hollywood d'autrefois et d'une époque où la publicité jouait autant sur l'illusion que sur la révélation, reste pantois devant sa faim de célébrité. Pendant le tournage, il se laissait filmer de bonne grâce au restaurant et en boîte de nuit en compagnie de Madonna, avec la traditionnelle bonne volonté des stars qui ne refusent pas quelques incursions anodines dans leur vie privée en échange d'un peu de publicité. Mais il est sidéré, voire tout simplement furieux, lorsqu'il se rend compte qu'elle est prête à aller beaucoup plus loin et à utiliser les moindres aspects de sa vie privée. Exaspéré par l'attitude de Madonna qui, non contente de se donner en pâture au public, utilise les autres pour assouvir son besoin de reconnaissance, il se voit contraint de téléphoner à son attachée de presse, Liz Rosenberg. Ses déclarations touchent parfois à des sujets particulièrement intimes. Ainsi, lorsqu'on l'interroge sur la longueur du sexe de Warren Beatty, elle répond : « Je ne l'ai pas mesuré, mais il est d'une taille tout à fait remarquable. » Au présentateur Arsenio Hall, dans une émission diffusée tard la nuit, elle se vante d'être capable de satisfaire tous les désirs du légendaire étalon. « Warren Beatty a une conception de la publicité d'une autre époque, explique avec dédain Liz Rosenberg. Les époque ont changé. » Il serait peut-être plus juste de dire que sa conception diffère de celle de Madonna.

En ce qui concerne le documentaire, le goût de Madonna pour l'exhibitionnisme s'accorde parfaitement avec le voyeurisme de son public, mais il prend de telles proportions qu'elle donne l'impression de se définir uniquement par son image, au mépris de son âme. Au cours du tournage, elle se rend un jour chez un oto-rhino-laryngologiste qui lui demande s'il n'y a rien dont elle souhaiterait parler en l'absence de la caméra. Warren Beatty, qui l'observe hors champs, fait alors un commentaire perspicace : « Elle ne désire pas vivre, alors parler, vous n'y pensez pas ! Pourquoi parler si la caméra n'est pas là ? Quel intérêt ? » Son ex-petit ami, Dan Gilroy, médite sur la justesse de cette remarque, se souvenant avec amusement qu'à son arrivée à New York, Madonna passait des heures à enregistrer ses pensées et ses sentiments sur un magnétophone. Une fois, il lui fit même remarquer en plaisantant qu'elle finirait par l'emporter aux toilettes. Mais à l'époque elle n'avait pas un large public. Aujourd'hui, si.

L'idylle entre Madonna et Warren Beatty se termine peu après la sortie de *Dick Tracy*, en 1990, comme pour confirmer que leur liaison n'a duré jusque-là que pour le bénéfice des caméras. Si la renommée de l'acteur a pu séduire

Madonna, c'est aussi ce qui a mis un terme à leur relation, car elle se rend compte qu'il n'acceptera jamais de jouer les seconds violons. « Ce devait être difficile pour lui, si célèbre autrefois, de voir combien elle était adulée aujourd'hui, observe un proche de l'acteur. Les rôles étaient renversés. Ils s'aimaient certainement, mais leur relation était plus symbolique que profonde. »

Madonna, toujours en quête d'un compagnon plus auréolé de gloire que le précédent, n'aura pas à attendre longtemps. Les médias et son public non plus. Quelques mois plus tard, elle trouve un autre chevalier servant dont la renommée surpasse la sienne : après avoir fait ses classes cinématographiques auprès de Sean Penn puis Warren Beatty, elle s'apprête à prendre des leçons de musique de Michael Jackson, le chanteur le plus acclamé de la décennie. A la suite du succès critique qui a accueilli la sortie de *Dick Tracy*, en juin 1990, on demande à Madonna de chanter la chanson de la bande originale, « Sooner or Later » de Stephen Sondheim, à l'occasion de la remise des Oscars, le 25 mars 1991. Elle s'y rend en compagnie du chanteur au gant blanc. Ils se sont rencontrés une semaine plus tôt, à l'Ivy, un restaurant à la mode de Los Angeles. En dépit des efforts du personnel pour préserver leur intimité, les paparazzi les ont mitraillés, sans que cela semble gêner outre mesure Madonna et son compagnon. Au cours de ce repas, ils ont décidé de se rendre ensemble à la cérémonie, mais surtout prévu un duo sur le prochain album de Michael Jackson, *Dangerous*.

Tandis que les spéculations sur la nature de la relation entre l'androgyne et le sex-symbol vont bon train, Madonna joue son rôle à la perfection, déclarant qu'elle va le relooker, puis insinuant qu'il est un homosexuel refoulé et que ses danseurs vont l'aider à faire son coming-out. Elle décrit leurs soirées avec un certain humour : « D'abord, je le supplie de ne pas porter de lunettes de soleil et il s'exécute, car je suis plus forte que lui. Ensuite, on échange nos houppettes, car on se poudre le nez tous les deux, et, pour finir, on compare nos comptes en banque. » Leur arrivée aux Oscars fait sensation : Jackson en veste blanche cousue de paillettes et gants blancs, Madonna, scintillant de mille feux dans une robe du créateur Bob Mackie, portant sur elle pour 20 millions de dollars de diamants empruntés. Même une vieille routarde des réunions mondaines comme Barbara Walter est impressionnée. « Ils ressemblaient à des caricatures, ils avaient l'air inabordables », raconte la présentatrice.

C'est également une soirée réussie pour *Dick Tracy*. Le film obtient en tout sept nominations : Al Pacino est cité pour le meilleur second rôle et « Sooner or Later » remporte l'Oscar de la meilleure chanson originale. Si en public Madonna traite Michael Jackson comme une bête curieuse échappée d'un cirque et n'hésite pas à faire des clins d'œil aux journalistes qui l'interrogent, cela ne l'empêche pas de tenter d'ajouter son nom à sa liste d'amants célèbres. Elle avouera à un ami avoir vainement tenté de séduire Michael Jackson. Le même ami se souvient de sa description de la scène : « Ils étaient sur le divan, chez lui. Elle lui faisait des avances, mais lui se contentait de sortir sa langue pendant une seconde. Lorsqu'ils se touchaient, il riait comme un petit garçon. Il ne s'est rien passé entre eux, il riait trop. C'est un des rares hommes qu'elle ait été incapable de conquérir. »

Tandis que les amours de Madonna font la une, le public et les médias n'en finissent pas de s'interroger sur sa relation avec Sandra Bernhard. Les hommes passent, mais Sandra reste. Que ce soit au restaurant ou dans une soirée mondaine, elle ne quitte pas d'une semelle Madonna et son prétendant du moment. Après avoir assisté au naufrage de son mariage, Sandra a suivi de près l'interlude Warren Beatty, escortant le couple en discothèque et au théâtre. Sandra Bernhard observe donc avec un air d'approbation amusé son idylle naissante avec le mannequin Tony Ward, aspirant acteur, bisexuel et travesti. Ils flirtent ensemble en août 1990, à l'occasion d'une soirée organisée par le photographe Herb Ritts, pour le trente-deuxième anniversaire de Madonna. Le mannequin au corps musclé est un « cadeau d'anniversaire » de son demi-frère Mario. En fait, elle connaît déjà Tony Ward, qui a travaillé sur les clips de « Like a Prayer » et « Cherish », en 1989. La légende voudrait qu'elle lui ait écrasé une cigarette sur le dos, rumeur promptement récusée par son porte-parole. Après l'échec de sa relation avec Warren Beatty, ses amis estiment que le sémillant mannequin ne peut que remonter le moral de Madonna, d'autant qu'à vingt-six ans il est deux fois plus jeune que le comédien. Celle-ci semble le trouver à son goût. Tellement à son goût qu'un mois plus tard, Tony Ward s'installe dans sa maison d'Hollywood. Pendant quelque temps, il joue les plantes décoratives à ses côtés, un renversement des rôles traditionnels qui n'est sans doute pas pour déplaire à Madonna. Il l'accompagne au restaurant et dans les galas. Elle le fait venir à New York pour qu'il l'accompagne à la première des *Affranchis* et à une soirée organisée en l'honneur de l'une de ses idoles, la chorégraphe Martha Graham, une des figures majeures de la danse contemporaine.

Bien qu'elle ait vite comblé le vide laissé par Warren Beatty, Madonna se sent plus blessée qu'elle ne veut l'admettre, d'autant plus que l'intérêt des médias ravive la plaie lorsque l'acteur s'affiche, puis se marie, avec la comédienne Annette Bening, rencontrée en 1991 lors d'une audition pour un rôle dans le film *Bugsy*. « Il ne m'a pas fallu trente secondes pour tomber amoureux, dira-t-il d'un ton quelque peu sentencieux. J'ai tout de suite su qu'elle était spéciale. » En l'espace de quelques mois, Madonna est donc passée d'une valeur sûre d'Hollywood à un gigolo musclé. De son côté, Tony Ward est comblé. Son admiration pour elle date de l'époque où il travaillait comme serveur dans un restaurant de Los Angeles où elle avait dîné avec Sean Penn : « Elle me rendait gaga, admet-il. Je me suis senti blessé lorsqu'elle a épousé Sean. » A l'opposé de Warren Beatty et de Sean Penn, des hommes à la virilité agressive, Tony Ward sait se montrer docile et s'habille même parfois en femme. Tandis que Beatty et son ex-époux lui rappelaient peut-être son père, le calme, le manque d'assurance et la passivité de Ward semblent éveiller en elle des sentiments maternels. Cependant, c'est un rôle dont elle finit par se lasser. « A un moment donné, elle m'a demandé de partir parce qu'elle ne voulait plus jouer les mamans avec moi », se souvient-il avec candeur.

Ils entretiennent une relation très particulière, selon les propres mots de Tony Ward. Mais pas autant que ne le souhaiteraient les journaux à scandale, qui racontent que le jeune homme a épousé sa petite amie, la styliste Amalia Papadimos, au cours d'une cérémonie secrète à Las Vegas, quelques jours après sa rencontre avec Madonna. La rumeur s'avère entièrement fausse. Tout comme la soi-disant fausse couche de Madonna, en décembre 1990, d'ailleurs énergiquement niée par Liz Rosenberg. En revanche, la chanteuse se saoule à s'en rendre malade le soir du Nouvel An, effondrée par les prédictions d'une diseuse de bonne aventure qui lui a annoncé qu'elle n'aurait jamais d'enfant. Toutefois, la presse ne se trompe pas sur un point : le faible du jeune homme pour la cocaïne. Au cours de sa relation avec Madonna, il tentera à deux reprises de faire une cure de désintoxication, aux frais de sa protectrice. Non seulement elle l'encourage à arrêter la drogue, mais elle l'incite à poursuivre ses efforts pour devenir acteur et l'embauche pour le clip de « Justify my Love », censuré sur MTV pour son contenu érotique. Un commentaire de Madonna à propos des danseurs gays du Blond Ambition Tour pourrait également s'appliquer à sa relation avec le jeune mannequin : « J'ai choisi des gens émotionnellement fragiles qui ont besoin d'être maternés. » Elle-même blessée depuis l'enfance par la mort de sa mère, il est possible qu'inconsciemment elle s'entête à choisir des hommes affligés d'une faiblesse — l'alcool pour Sean Penn, la drogue pour Tony Ward et Vanilla Ice — ou handicapés par des problèmes divers, jusqu'à son second époux, Guy Ritchie, qui souffre de dyslexie.

Malgré sa richesse et son succès international, il reste à Madonna un vide énorme à combler : trouver quelqu'un à aimer et qui l'aimerait en retour. Malheureusement, ignorant de son propre aveu qui elle cherche, elle se lance dans une quête insatiable. Tony Ward ne lui suffit bientôt plus. A partir de l'été 1991, elle noue une relation avec Vanilla Ice, après un bref flirt avec l'acteur Luke Perry, bourreau des cœurs des adolescentes américaines, qui lui a remis le prix du courage de l'Amsfar, à Hollywood. Lorsqu'elle se trouve à Evansville pour le tournage d'*Une équipe hors du commun*, Madonna, rompue au jonglage amoureux, fait venir tour à tour Tony Ward et Vanilla Ice, s'organisant pour qu'ils ne se croisent pas. Elle continuera ce petit jeu pendant la genèse de son célèbre livre *Sex*. La conception et la naissance de ce curieux amalgame d'aluminium et de papier offrent un aperçu éloquent du monde de Madonna, artiste, femme d'affaires et femme tout court. C'est la première production de Maverick Entertainment, son entreprise multimédia lancée en avril 1992, qui lui donne ce à quoi elle tend et aspire depuis des années : le contrôle absolu.

Née après une année de négociation entre son manager Freddy DeMann et sa maison de disques Time-Warner, Maverick est véritablement la créature de Madonna, qui lui permettra de conjuguer des incursions dans les mondes de l'édition, du cinéma, de la vidéo, de la distribution et, bien sûr, dans l'industrie du disque. Elle choisit tout, jusqu'au nom « Maverick » – indépendant, non-conformiste – qui reflète parfaitement sa vision d'elle-même. Mais cet aspect de Madonna laisse indifférents les « costards » prêts à mettre 60 millions de dollars dans l'aventure : ils ne s'intéressent qu'à son extraordinaire capacité à transformer tout ce qu'elle touche en or. Elle réunit autour d'elle une équipe solide : Freddy DeMann, le découvreur de talents Seymour Stein et Guy Oseary, un jeune Israélien qui deviendra un ami proche, à la tête du service « artistes & répertoire ». Mais elle demeure le boss. « Warner ne m'a pas filé cet argent pour que j'aille le claquer chez Bergdorf[1], dira la

---

1. Bergdorf Goodman : grand magasin new-yorkais.

chanteuse six mois après la signature du contrat. Il faut que je travaille et que je crée des produits. »

Qu'une star possède son propre label n'a rien de révolutionnaire – les Beatles et les Rolling Stones y ont pensé avant elle –, mais le projet de Madonna s'inspire avant tout de la Factory de son vieil ami Andy Warhol. Au fil des ans, ce local industriel désaffecté où a débuté le Velvet Underground a produit une variété impressionnante d'artistes, de chanteurs et de cinéastes. « Maverick sera avant tout une entreprise intellectuelle. Tout est parti du désir d'étendre mon contrôle. Au cours de ma carrière, j'ai rencontré des écrivains, des photographes et des éditeurs que j'ai envie d'emmener avec moi où que j'aille. J'aimerais les intégrer à ma petite Factory personnelle. » *Sex*, intitulé dans un premier temps *The Rock*, s'inscrit parfaitement dans cette lignée. Madonna en est la star et la raison d'être. Le concept qui a donné naissance au livre est l'aboutissement logique de projets antérieurs bien accueillis par le public, nommément le clip de « Justify my Love » et le documentaire *In Bed with Madonna*.

Sex est un audacieux produit de la culture pop, imaginé, conçu, réalisé, écrit et commercialisé par une Madonna tout à la fois iconoclaste, déesse du sexe et PDG. Ce projet centré sur sa personne, voyage sexuel illustré, en partie autobiographique et fantaisiste, comporte plus de risques qu'on ne veut le reconnaître. Ainsi, voilà une femme qui rêve de se faire aimer du monde entier et tente à la fois de se présenter en chef d'entreprise multimillionnaire et en objet sexuel subversif, tout en restant sympathique. Au cours de sa carrière agitée, elle a abordé des thèmes aussi délicats que la maternité chez les adolescentes, le blasphème et les droits des homosexuels. Maintenant, elle s'en prend aux tabous sexuels de l'Amérique puritaine. Pour cette première réalisation de Maverick, Madonna compte bien tout contrôler de A à Z. Elle sélectionne personnellement les photos parmi les vingt mille clichés pris par Steven Meisel à New York et en Floride, discute de la couverture du livre avec le directeur artistique Fabien Baron et débat du texte avec le laconique écrivain Glenn O'Brien. Elle intervient à tous les niveaux de la conception, participe au choix du célèbre sac en Mylar argenté qui emballe le livre relié en aluminium, donne son avis sur la taille et la forme de l'ouvrage qu'elle souhaitait à l'origine circulaire, par souci d'originalité. C'est également elle qui insiste pour garder le mystère autour du projet.

A New York, les séances de pose ont pour décor incongru The Vault, une discothèque fétichiste située dans le quartier des abattoirs. Ici, Madonna se fait tantôt objet sexuel quasi dévêtu, tantôt maîtresse de cérémonie. La poupée docile devient créatrice altière en un tour de main. Habillée en tout et pour tout d'un blazer emprunté et de talons aiguilles, elle vocifère et tyrannise son monde : quand ce n'est pas le chauffage qui ne lui convient pas, c'est la nourriture ou les lumières. Son nouveau garde du corps, Jim Albright, observe son manège avec intérêt : « En une fraction de seconde, elle redevenait le chef. Sur le plateau, tout le monde marchait sur des œufs. Au début, je la croyais simplement teigneuse et exigeante, mais, peu à peu, je me suis rendu compte du pouvoir qu'elle exerçait sur ces gens. Tout dépendait d'elle. Elle contrôlait tout. » L'équipe de *Sex* part pour la Floride, mais sa poigne de fer ne se relâche pas un instant. Lorsqu'on surprend la propriétaire de la maison qui leur sert de décor photographier en douce les ébats de la star, Madonna interrompt aussitôt la séance pour contraindre la curieuse éplorée à lui remettre l'appareil photo, avant de lui faire signer une promesse de confidentialité.

Madonna a de bonnes raisons d'être prudente. Des personnalités qui ont surmonté leurs inhibitions uniquement parce qu'elles font confiance à Madonna participent au recueil, en particulier le mannequin Naomi Campbell – inquiète de ce que sa mère risque de penser –, le rappeur Daddy Kane et l'actrice Isabella Rossellini. Lorsqu'elle ne tente pas de rassurer ses modèles, elle s'efforce d'apaiser le conseil d'administration de la Time-Warner, en butte aux attaques d'un groupe de défenseurs de la morale mené par Tipper Gore, l'épouse du vice-président. En effet, on reproche à la maison de disques d'avoir signé avec Vanilla Ice, dont certaines chansons inciteraient au meurtre de policiers. Enfin, non contente de jongler avec les stars et le conseil d'administration, notre Madame Loyal du sexe fait des pieds et des mains pour tenir à distance ses deux jolis cœurs. Pendant l'hiver 1991-92, Tony Ward pose pour le livre à New York. Il interprète tantôt un violeur dans une école de jeunes filles catholique, tantôt un masochiste qui voue un culte aux pieds de Dita Parlo, la femme dominatrice que Madonna incarne devant l'objectif de Meisel. Quelques semaines plus tard, elle invite Vanilla Ice à la rejoindre dans la maison qu'elle a louée en Floride. Désireux de l'impressionner, il arrive au volant d'une Porsche flambant neuve, avec un revêtement intérieur en peau de chevreau blanc et une installation hi-fi capable de rendre sourde la population dans un rayon de plusieurs kilomètres. Flatté, il accepte sans se faire prier de prêter son bijou à Meisel qui souhaite photographier Madonna à l'intérieur. Mais il déchante lorsqu'il récupère la voiture : le revêtement immaculé est souillé de taches brunes laissées par la crème que la star utilise pour protéger son teint d'albâtre des rayons pernicieux du soleil de Floride. « C'était la bagnole de mes rêves, se souvient-il. Elle a bousillé l'intérieur pour rien. Ils n'ont même pas utilisé les photos ! » Madonna saura se faire pardonner, bien sûr. Mais avant de sortir dîner, le couple batifole devant l'objectif. Décontenancé, Vanilla Ice a l'impression de poser pour un magazine.

En retrait, la haute silhouette de Jim Albright, le nouveau garde du corps de Madonna, observe la scène en silence. Il s'interroge sur la nature exacte des relations entre Vanilla Ice et la chanteuse, qui ne se gêne pas pour lui lancer des œillades discrètes alors qu'elle pose avec son amant. Jim Albright ignore qu'il ne va pas tarder à monter en grade pour accéder au rôle de prétendant, et qu'il sera même question de mariage.

11

L'amour toujours, jamais l'amour

Leur première rencontre ne ressemble pourtant en rien à un coup de foudre. « Si un con ose encore marcher sur ma robe, je le flingue » sont les premiers mots que prononce devant lui la furie qui deviendra un jour sa compagne, déversant sur tout le monde un flot d'invectives. Le soir de la première new-yorkaise du film *In Bed with Madonna*, Jim Albright a été détaché par la société qui l'employait pour assurer sa sécurité. Il ne la reverra pas avant d'être chargé de veiller personnellement sur elle pendant les séances de pose pour *Sex,* à New York et en Floride.

Dans sa loge, à la YMCA de New York, alors qu'elle se prépare pour la scène du viol, il remarque qu'elle coule sans cesse des regards dans sa direction, malgré la présence de Tony Ward. Svelte, la peau à peine foncée, ce métis de vingt-deux ans qui a du sang indien, antillais, polonais et italien, ne manque certainement pas de charme. Au cours de la journée, Steven Meisel le taquine : « Tu vas te faire manger. »

Il oublie l'incident jusqu'au jour où il l'accompagne au Palladium, pour la promotion du *single* des danseurs José et Luis qui ont participé au clip de « Vogue » et à la tournée Blond Ambition. Tandis que son garde du corps lui fraie un passage à travers la foule, elle lui prend la main. Une décharge électrique parcourt le corps d'Albright. Il vient de ressentir « l'effet Madonna » pour la première fois. Mais, ce soir-là, elle n'a d'yeux que pour son poulain, Nick Scotti, un séduisant mannequin italien qui souhaite se lancer dans la chanson. Ils réaliseront d'ailleurs un duo pour le film *Nothing but Trouble*, avec Demi Moore, et une version de la chanson figurera sur le premier album du jeune homme. Après la soirée, Jim Albright les raccompagne en limousine jusqu'à l'appartement de Madonna.

Laissant New York, l'équipe migre vers la Floride en février 1992. Madonna s'installe à l'hôtel Fontainebleau, à Miami, pour la durée de son séjour. Elle réclame la présence de Jim Albright, qui obtempère malgré les mises en garde de sa petite amie Melissa, effrayée par la réputation de mangeuse d'hommes de Madonna. La chambre du jeune homme se trouve à côté de sa suite luxueuse. Le premier matin, il accompagne sur la plage son employeuse et son amie Ingrid Casares, la fille d'un millionnaire cubain, pour leurs dix kilomètres de jogging quotidiens. Madonna, qui a une peur panique du cancer du sein, la maladie dont sa mère est morte, porte trois soutiens-gorge de sport pour maintenir sa poitrine. Les deux femmes taquinent Jim Albright, insinuant qu'il n'arrivera pas à les suivre. En dépit de ses rodomontades, il doit admettre sa fatigue et, de retour à l'hôtel, grimpe à grand-peine les treize étages qui mènent à la suite de Madonna. Là, il s'assoit pour admirer la jeune femme continuer son entraînement pendant une heure.

Le lendemain, les muscles douloureux, il appelle à la rescousse un policier qui fait sa ronde sur la plage en buggy. Magnanime, le représentant des forces de l'ordre l'invite à monter pour suivre en voiture les joggeuses. Pendant le reste de la journée, il devra essuyer le feu de leurs railleries. Mais bientôt, les moqueuses se font enjôleuses. Au cours du dîner, la conversation roule sur les tatouages. Il avoue en avoir un dans le dos, qu'il refuse de dévoiler en dépit des demandes pressantes des autres convives. Ce n'est qu'en raccompagnant Madonna à sa chambre qu'il lui propose de le lui montrer. En réponse, elle effleure doucement son dos et lui demande :

— Tu veux m'embrasser ?

Page précédente et ci-dessus. Madonna photographiée par Linda Alaniz. A ses débuts à New York, Madonna posait nue pour des étudiants en art et des photographes. Certaines de ces photos la poursuivront une fois célèbre.

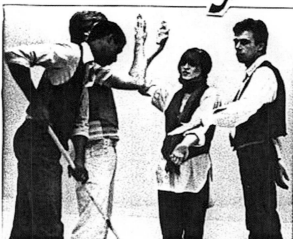

emmy

clean up

show
at 11

THURSDAY
DEC 11

6 Ave
AND 27

AT botany

741
9182

Ci-dessus. Un « flyer » annonçant
un concert d'Emmy, le groupe monté
par Madonna en 1980. Elle y chantait,
accompagnée de Brian Syms à la
guitare, Gary Burke à la basse et
Steve Bray (à gauche) à la batterie.

Ci-contre. Madonna et sa guitare à
300 dollars au dixième étage du Music
Building, à New York, le lieu sordide
où Emmy répétait.

Ci-dessus et *à gauche*. Madonna en punkette sur le toit du Gramercy Park Hotel de New York, en 1981.

A gauche. Madonna dans son costume de scène (un pyjama d'homme à la braguette cousue) lors d'un concert au Max's Kansas City, à Manhattan. Son ex-petit ami du Michigan, Steve Bray, est à la batterie.

A droite. Madonna au Max's Kansas City, le lieu où ont débuté Blondie, les Talking Heads et les Ramones.

A gauche. En juin 1981, Madonna signe un contrat chez Media Sound pour enregistrer une maquette dans leurs studios, à New York. De gauche à droite : Adam Alter, Madonna, John Roberts, Susan Planer et le manager de Madonna, Camille Barbone.

Ci-dessous et à droite.
A ses débuts, Madonna portait sur scène tout ce qui lui tombait sous la main. Ici, un blouson en jean emprunté à son manager et un petit haut à froufrous. A la guitare, John Kaye.

A gauche. Le concert qui a servi de tremplin à Madonna en novembre 1981, à l'Underground Club, une boîte branchée. Ce soir-là, une profusion de fleurs exotiques décoraient la salle et de nombreux cadres de maisons de disques avaient été invités à venir la voir chanter.

A droite et ci-dessous. Madonna âgée de vingt-quatre ans, à l'époque de la sortie de son premier disque. On la voit ici avec Jean-Michel Basquiat, le célèbre artiste de Brooklyn avec qui elle a eu une brève relation. Le jeune homme, qui était héroïnomane, est mort d'une overdose en 1988, à l'âge de vingt-sept ans.

Madonna aime les appareils photo et ils le lui rendent bien. « *Elle ne pourrait vivre sans leur regard !* » ironisa un jour Warren Beatty, à l'époque où ils étaient ensemble. Véritable caméléon devant l'objectif, son look évolue constamment. Même célèbre, elle pouvait s'asseoir à une terrasse de café sans que les passants ne la reconnaissent.

Pendant la majeure partie de sa carrière, Madonna a joué de son sex-appeal. Son livre *Sex*, une version contemporaine des photos de pin-up aguicheuses, est avant tout un résumé de son histoire d'amour avec l'objectif.
Peu connus, les sept portraits qui suivent datent de 1980-81, à New York. Ils montrent les multiples facettes de Madonna : interrogatrice, altière, amicale, pensive, indifférente. Le visage d'une jeune femme destinée à dominer la scène musicale, symbole d'une féminité forte, à la sexualité triomphante.

Page précédente. Madonna, belle blonde, dans une pose suggestive.

Ci-dessus. Madonna et le DJ new-yorkais John « Jellybean » Benitez, qu'elle a rencontré en 1982. Benitez a produit son premier tube « Holiday ». Malgré le réel sentiment qui les unissait - il a même été question de mariage -, leur relation n'a pas résisté à leur ambition.

En haut, à droite. Madonna dans sa tenue de mariée provocatrice, le costume de « Like a Virgin ». La chanson a été numéro 1 aux États-Unis pendant six semaines. Madonna porte également sa célèbre ceinture « Boy Toy ».

Ci-contre. Madonna et son premier mari, Sean Penn, qu'elle a épousé le jour de son anniversaire, en 1985. Le couple était surnommé « Poison Penn ».

Ci-dessus. Sean Penn avait avoué préférer n'importe quel bar à une salle de gym. A l'époque où la carrière de Madonna explosait, le goût prononcé pour l'alcool de son mari, son tempérament violent et sa haine de la presse ont dépassé toute mesure.

Ci-contre. La comédienne bisexuelle Sandra Bernhard et Madonna ont noué une amitié ambiguë pendant son mariage avec Sean Penn. Tandis que l'acteur tempêtait, outragé par l'exhibitionnisme des jeunes femmes, les fans de Madonna s'interrogeaient sur la nature réelle de cette relation.

Ci-dessus. Le succès des concerts de Madonna, au début des années 90, reposait beaucoup sur son goût pour le scandale. Sa sexualité tapageuse a alimenté sa popularité pendant quelque temps mais, après *In Bed with Madonna*, suivi par son livre *Sex*, ses fans ont commencé à se lasser.

Ci-contre. Le Blond Ambition Tour, en 1990. La tournée, qui a remporté un succès phénoménal, a duré quatre mois pendant lesquels elle a chanté dans vingt-sept villes dans le monde.

Ci-dessus. Madonna a eu une liaison passagère avec Warren Beatty en 1989, après avoir interprété Breathless Mahoney dans le film *Dick Tracy*, réalisé par l'acteur.

Ci-contre. Madonna escortée de Michael Jackson aux Oscars de 1991. Après une arrivée remarquée, elle a vite abandonné son cavalier au cours de la fête qui a suivi la remise des prix.

Sexy, enjôleuse, provocante et entourée d'un harem masculin : une image indissociable de Madonna. Ici, elle pose pour *In Bed with Madonna*.

Ci-contre. Avec son petit ami Tony Ward, qui a participé à plusieurs de ses clips. Il apparaît également dans *Sex*.

Ci-dessous. Madonna à un concert de Prince en compagnie de Jimmy Albright (à gauche), son ancien garde du corps avec qui elle a entretenu une liaison secrète et houleuse entre 1992 et 1994. Il ressemble étonnamment à Carlos Leon, le père de Lourdes. Il a été question de mariage et ils avaient même choisi les prénoms de leurs enfants.

Ci-dessus. Alors que sa carrière connaissait un creux, en 1993, Madonna a choisi de partir en tournée. Le Girlie Show a remporté un succès qui l'a remise sur les rails de la gloire.

Ci-contre. Madonna et Dennis Rodman, un basketteur des San Antonio Spurs avec qui elle a eu une aventure en 1994. Elle s'est sentie profondément blessée lorsqu'il a reproduit dans son autobiographie des fax qu'elle lui avait envoyés.

Ci-dessus. Madonna et Carlos Leon à la première d'*Evita*. Madonna est tombée enceinte du jeune homme pendant le tournage et a donné naissance à la petite Lourdes en 1996. Ils s'étaient rencontrés alors qu'elle joggait dans Central Park.

Ci-contre. Lourdes Maria Ciccone Leon. La naissance de sa fille a permis à Madonna de donner et de recevoir l'amour inconditionnel auquel elle aspirait depuis toujours.

Les gens qui rencontrent Madonna sont souvent surpris par sa taille elle - ne mesure qu'un mètre soixante-trois - et ses yeux pénétrants. Cette photo a été prise à Los Angeles pendant la promotion du film *Evita*, en décembre 1996, deux mois après la naissance de Lourdes. Sa nouvelle image, moins polémique, l'a aidée à reconquérir d'anciens fans et à en séduire de nouveaux. Elle a également gagné le respect de la profession.

Ci-contre. Madonna et son jeune frère Christopher. Il l'a aidée à aménager et décorer ses domiciles, conseillée dans l'achat des œuvres d'art de sa collection, et il a participé à l'organisation de ses concerts les plus spectaculaires.

Ci-dessous. Depuis quelques années, le chanteur Sting joue un rôle de guide dans la vie de Madonna. Elle s'est mise au yoga sur ses conseils, discipline qu'elle pratique toujours, et c'est lors d'un repas chez lui qu'elle a rencontré un jeune réalisateur prometteur... un certain Guy Ritchie.

A gauche. Madonna et Ingrid Casares, une amie de longue date. Impopulaire auprès de beaucoup de proches de la chanteuse, elle a été surnommée « l'ombre ».

Image de félicité conjugale à Londres, au cours de l'été 2001 : Madonna tient la main de Lourdes, la fille qu'elle a eue avec Carlos Leon, tandis que son mari Guy Ritchie porte leur fils Rocco, qui a l'époque avait à peine un an.

Depuis quelques années, Madonna a noué une profonde amitié avec Stella McCartney (en bas) qui a dessiné la robe de son mariage avec Guy Ritchie.
Gwyneth Paltrow (ci-contre), une autre amie proche, était sa demoiselle d'honneur.

Qui suis-je désormais ? « Mrs Ritchie » ou la « material girl » qui a lancé la mode des tee-shirts à slogan ?

Madonna, plus américaine que jamais, pendant le Drowned World Tour, en 2001.

— Je crois, bégaie-t-il.

A l'instant où leurs lèvres vont se rejoindre, le téléphone sonne, comme dans un mauvais film. Après que Madonna a répondu, ils reprennent là où ils s'étaient arrêtés.

— Tu sais, je ne baiserai pas avec toi, lui sort Madonna, brutalement.

Estomaqué, Jim Albright lui répond que, de toute façon, il ne « baise » pas lors du premier rendez-vous.

— Ce n'est pas un rendez-vous, rétorque-t-elle sèchement.

Le lendemain, dans la cuisine de sa suite, Madonna prend la main de son garde du corps. Elle est en nage après sa séance de gym matinale. Cette fois le courant passe... au sens propre du terme : encore trempée de sueur, Madonna a en effet touché un appareil électrique défectueux. Leurs corps se convulsent sous l'effet de la décharge. Albright est désormais sous le charme pour le moins électrisant de la chanteuse. Au fil des jours, leur flirt progresse. Madonna lui vole un baiser dès qu'ils sont seuls et lui tient la main à l'arrière de la limousine. L'inévitable finit par se produire : malgré l'affirmation péremptoire de Madonna le jour où ils se sont embrassés pour la première fois, ils finissent par passer une nuit ensemble, bercés par le ressac des vagues, tandis que dehors les étoiles veillent sur eux dans un ciel de jais...

Bien que séduit, Jim Albright ne sait que penser. Il est à la fois inquiet et sidéré par la tournure que prennent les événements. Tout ce que Melissa avait prédit se réalise. Il se sent prisonnier de la toile que Madonna a tissée autour de lui. Comment lui, Jim Albright de Hackensack, dans le New Jersey, a-t-il pu quitter la voie tracée devant lui pour tomber dans les filets d'un des sex-symbols les plus célèbres au monde, une multimillionnaire qui vit dans un appartement de rêve à Manhattan ? « Je me sentais aspiré vers elle, se souvient-il d'un air triste. Je savais que j'allais briser le cœur de ma petite amie, et tout ça pour quoi ? Jusqu'où pouvais-je espérer aller avec Madonna ? Lorsque je regarde en arrière, j'ai l'impression d'avoir signé un pacte avec le diable. »

Si elle donne un éclairage sur la personnalité de Madonna, cette histoire d'amour entre le jeune garde du corps et la superstar de onze ans son aînée se présente d'abord comme un conte de fées moderne, un *Cendrillon* inversé, où un modeste jeune homme enlevé par une princesse du show-biz se voit offrir les clés de son royaume. Cependant, Jim Albright n'occupe pas toutes les pensées de Madonna. Tandis que celui-ci se débat contre ses sentiments contradictoires, elle s'éprend de la Floride, de son atmosphère, de ses discothèques et de ses habitants. Elle adore la maison qu'elle a louée à Biscayne Bay, proche des résidences de Cher et de Sylvester Stallone. Après avoir mené son enquête, elle apprend qu'elle appartient aux richissimes propriétaires d'une chaîne de grands magasins, la famille Nordstrom. Bien qu'ils n'aient pas spécialement l'intention de vendre, une offre de près de 5 millions de dollars ne se refuse pas, même lorsque l'on s'appelle Nordstrom.

Elle se sent habitée d'une telle joie de vivre qu'elle se laisse emporter par un vent de frivolité et d'inconscience. Toujours partante pour les projets les plus loufoques, elle fait le désespoir de son garde du corps qui s'escrime à lui éviter la prison. Ainsi, lorsque sur un coup de tête elle décide d'être photographiée nue, en train de faire du stop au bord de la route, il se tient à quelques mètres d'elle, prêt à voiler sa modestie d'un pudique voile au cas où la police viendrait à passer. La séance se déroule sans encombre, mais la tenancière d'une pizzéria frôle la crise cardiaque lorsque Madonna laisse tomber son manteau sur le sol et que, vêtue de son seul sourire, elle commande une part de pizza au pepperoni, comme s'il s'agissait de la chose la plus naturelle du monde. « Sortez ou j'appelle la police ! », hurle la respectable matrone, tandis que Jim Albright jette un manteau sur les épaules de Madonna qui s'enfuit, secouée par une crise de fou rire.

Cette humeur insouciante ajoute à la grisante alchimie de leur relation naissante. Ils attendent avec une impatience mal contenue la fin de la journée et le moment de se retirer dans sa suite, s'embrassant à la dérobée à la moindre occasion. L'intérêt que Madonna porte à son garde du corps ne relève pas du simple caprice, car elle parle de revenir en Floride avec lui si elle achète la maison. Enfin, un soir, la veille de leur retour, elle lui déclare qu'elle l'aime.

« J'étais sonné », admettra Jim Albright.

Pendant le vol de trois heures qui les ramène à New York, Madonna n'arrête pas de lui lancer des regards énamourés. Après l'atterrissage, elle lui demande de l'escorter au concert de Lenny Kravitz qui a lieu le soir même. Au cours de la soirée, elle lui raconte que le chanteur, qui a écrit avec elle le tube « Justify my Love » en 1990, a été son amant. A la fin du concert, Madonna invite Albright à passer la nuit dans son appartement de la 64e Rue Ouest, bien qu'elle sache que sa petite amie l'attend dans le New Jersey. Lorsque son pager sonne à 3 heures du matin, il laisse Madonna pour rejoindre Melissa qui s'inquiète. Ce scénario se répétera presque tous les soirs pendant un mois, jusqu'à ce qu'Albright se décide enfin à quitter Melissa.

Leur relation devient vite passionnelle. Toutefois, Jim Albright, à l'instar de Vanilla Ice, réfute l'image d'une Madonna perverse, armée de fouets et de chaînes. Au contraire, il la qualifie de partenaire sexuelle « normale », voire passive. Peu après sa rupture avec Melissa, il se rend compte d'une évolution subtile, et se demande parfois si la chanteuse ne l'a pas poussé à quitter sa petite amie simplement par jeu. Maintenant qu'il est libre, elle rechigne à le laisser s'installer chez elle. Il retourne donc chez sa mère, le temps de trouver un appartement. Mais cette solution ne satisfait pas non plus la jeune femme, peu enthousiaste à l'idée qu'on apprenne que son petit ami habite chez sa maman. Finalement, Albright trouve un studio à Hackensack. Un soir où Madonna vient lui rendre visite, peut-être avec le sentiment de s'encanailler, il lui prépare des pâtes.

Mais cette soirée reste l'exception. La plupart du temps, c'est Jim qui la rejoint chez elle à George Washington Bridge. Même s'il n'habite qu'à quelques kilomètres, chaque fois, il a l'impression de pénétrer dans un autre monde. Tous les soirs, ils dînent dans des sushi-bars du centre ou dans des restaurants proches du studio de la 54e Rue où elle enregistre l'album *Erotica*. Elle l'emmène voir des spectacles, des pièces de théâtre. Souvent, après la représentation, elle l'entraîne en coulisses pour rencontrer les vedettes qu'elle admire.

Il se trouve à ses côtés le jour où elle félicite Alec Baldwin et Jessica Lange, une de ses idoles, après une représentation d'*Un tramway nommé Désir*. Une autre fois, il l'accompagne au Club 53, au Hilton, pour applaudir une autre artiste qu'elle admire énormément : Peggy Lee. Radieuse, Madonna, qui interprète une version de sa célèbre chanson « Fever » sur l'album *Erotica*, offre un bouquet de roses rouges à Peggy Lee, assise dans une chaise roulante. La soirée exhale cependant un parfum doux-amer. Bien qu'émue de rencontrer une chanteuse qu'elle admire depuis l'enfance, Madonna ne peut que constater les ravages du temps et de la maladie, qui lui rappellent peut-être sa propre mortalité.

Jim Albright ne tarde pas à se rendre compte que tout n'est pas luxe et glamour dans la vie de Madonna. Au cours de l'été 1993, ils dînent dans une pizzéria de Soho avec quelques personnes, dont deux amis du garde du corps et deux danseurs de la troupe de Madonna. A la sortie du restaurant, ils se retrouvent face à un commando de paparazzi. Dans la mêlée qui s'ensuit, quelques coups de poing sont échangés, avant que Madonna et Albright ne réussissent à battre en retraite pour se réfugier chez elle. Le lendemain matin, un journal populaire titre « LES TITANS DE LA TESTOSTÉRONE TAPENT DANS LE TAS », blâmant les gardes du corps pour l'altercation. La chanteuse, qui jusque-là s'est débrouillée pour éviter les unes à son amant, est contrariée. De plus, quelque temps plus tard, un des cameramen,

Kenneth Katz, menace Madonna de poursuites. Ils finiront toutefois par trouver un arrangement à l'amiable.

L'incident marque un tournant dans leur relation. En théorie, Albright est encore son garde du corps. Au cours d'une même journée, il peut ainsi naviguer entre les rôles d'employé et d'amoureux, un petit jeu qui les amuse tous les deux. Depuis quelques mois, il est devenu un familier de son appartement new-yorkais. Le personnel de Madonna a ajouté à la liste des courses des aliments plus substantiels que les galettes de riz et les jus de fruits qui constituent l'essentiel de son alimentation. Néanmoins, il se rend compte que cette ambiguïté risque de causer d'autres incidents. Jim Albright décide donc de renoncer à son rôle d'employé de Madonna et devient chef de la sécurité au Palladium.

Le changement s'avère bénéfique. « Cela nous a rapprochés, se souvient-il. Notre relation semblait pleine de promesses, tout était tellement neuf et frais. J'éprouvais pour elle un amour irrépressible et je sentais que la réciproque était vraie. » De son côté, dans une interview de l'époque, Madonna glisse une allusion à sa vie sentimentale, affirmant qu'elle a eu le coup de foudre, qu'elle est amoureuse et que cela durera toujours. Mais elle refuse de livrer le nom de l'homme de sa vie.

Ils passent leur temps au téléphone. Dès qu'elle a un instant, elle l'appelle chez lui ou sur son pager, usant d'un code secret. Souvent, elle lui téléphone pour lui raconter sa blague du jour, glanée dans un livre ou auprès de son entourage. « C'était un des aspects les plus agréables de notre relation. Elle avait beaucoup d'humour », reconnaît Albright. Lorsqu'il peut se le permettre, il lui offre des lis tigrés, ou écume les brocantes d'où il rapporte des babioles amusantes, en particulier un bracelet à breloques en argent, qui deviendra un de ses bijoux préférés. Quant à elle, elle lui envoie des fleurs lorsqu'elle ne se trouve pas à New York. Le jour où il emménage dans un appartement plus grand, à North Bergen, elle lui apporte un four micro-ondes et un édredon. Elle se montre toujours soucieuse de son confort, « comme une mère pour son enfant », se souvient Jim Albright qui ajoute : « Elle a besoin de materner ses hommes et les gens qu'elle aime. Le fait de perdre sa mère si jeune a sans doute exacerbé son instinct maternel. Elle est très affectueuse, son cœur déborde de l'amour qu'elle n'a pas pu exprimer enfant. »

Madonna s'est recréé une nouvelle famille. Outre Jim Albright, elle a toujours quelqu'un à couver, à aider. Une multitude d'orphelins de l'amour peuplent sa vie, que ce soit Tony Ward qui bataille avec la cocaïne, ou son amie Ingrid Casares, également toxicomane. Sa force de caractère leur insuffle du courage. Conscients que, s'ils s'en sortent, ils compteront toujours parmi ses proches, ils savent aussi que Madonna se lassera de les soutenir s'ils ne luttent pas.

Mais cela ne suffit pas à la jeune femme qui ressent toujours le désir de fonder une vraie famille. Jim Albright se rend compte très vite qu'elle veut des enfants, en particulier des petits métis. « Elle adorait la couleur de ma peau et les enfants métis la fascinaient. A vrai dire, c'était un de mes grands charmes à ses yeux. Son horloge biologique lui rappelait que le temps passait. Elle avait un instinct maternel très développé. Elle devait penser que seuls des enfants lui permettraient de se sentir totalement épanouie, en lui donnant ce qu'elle chérissait le plus au monde : un amour et une admiration inconditionnels. » Ils vont jusqu'à choisir les noms de leurs futurs enfants : Lola et César. Elle lui écrit des lettres qu'elle signe « Lola », transmettant ses baisers à leurs deux rejetons imaginaires. Lorsqu'elle achète la maison des Nordstrom, en Floride, elle baptise le bateau qu'elle possède là-bas *Lola, Lola*. Cependant, en dépit de ces projets, Madonna devra encore attendre quatre ans avant de connaître les joies de la maternité.

D'autres signes indiquent que leur relation prend un tour sérieux. Jim décide bientôt de présenter Madonna à sa mère, qui est bibliothécaire, ainsi qu'à d'autres membres de sa famille. Ils se réunissent à l'occasion d'un déjeuner dominical à Hackensack. Tandis qu'ils bavardent dans la cuisine, Madonna s'efforce de mettre tout le monde à l'aise, consciente que la perspective d'approcher une star peut intimider. Ensuite, le couple flâne main dans la main dans le parc voisin et la rue principale – surnommée par les habitants « Burgerland Avenue » –, s'arrêtant pour acheter du Terigo, une boisson cubaine qui fait les délices de Madonna, ou pour admirer un pitbull. Ils parlent même d'en acheter un ensemble. Le compagnon de Madonna savoure le caractère ordinaire d'une telle journée, où personne ne les reconnaît. A force de vivre au côté d'une femme dont la vie est contrôlée et organisée jusque dans ses moindres détails, Jim Albright apprécie les moments trop rares où elle se détend un peu, montre son humour et même sa vulnérabilité. Un jour où ils se rendent dans une galerie d'art qui propose une rétrospective du peintre Keith Haring, elle s'effondre devant Albright, surpris de voir cette femme habituellement si maîtresse d'elle-même sangloter dans ses bras. Madonna, qui a connu Haring à New York dans les années 80, avant qu'il ne meure du sida en 1990, se remémore la longue liste de ses amis new-yorkais emportés par le virus ou la drogue.

Elle lui dévoile une autre facette de sa personnalité lorsqu'elle travaille son rôle pour le film *Snake Eyes*, produit par sa société Maverick Entertainment. Dans une scène, son personnage est censé fumer de la marijuana. Perfectionniste, Madonna décide d'y goûter pour que son jeu soit plus réaliste. En compagnie de Jim Albright et d'un cadre de l'industrie du disque, elle se rend donc dans une boîte underground du quartier des abattoirs de New York, un carnet dans son sac pour noter ce qu'elle ressent. Ils fument plusieurs joints. Quand l'herbe commence à faire effet, la femme responsable à laquelle Jim est habitué se mue en une fofolle étourdie qui passe son temps à perdre son carnet. Elle se sent tellement détendue qu'elle ne tarde pas à s'allonger. « C'était agréable de voir une maniaque du self-control se laisser aller », se souvient Albright.

Une autre fois, ils se rendent à Detroit dans un jet privé de la Time-Warner pour passer les fêtes en famille. Si son arrivée est digne de celle d'une star, lorsqu'elle se retrouve avec son père, sa belle-mère et le reste du clan Ciccone, elle redevient « la fille du Midwest qui a réussi ». Son père met à leur disposition une maison vide qui lui appartient et leur prête un monospace déglingué. L'amazone féministe endosse alors un nouveau rôle. « Mado au volant » fait visiter la ville à Jim Albright, comme une mère de famille emmènerait sa progéniture à l'école. Dans la maison vide, ils dorment dans des sacs de couchage sur un matelas pneumatique, serrés l'un contre l'autre pour se réchauffer. Cette fois, ils se retrouvent en tête-à-tête, personne ne les surveille : ni Ingrid, ni secrétaire, ni attachée de presse, ni téléphone, ni télévision. En guise de sorties, ils vont jouer au Scrabble chez les Ciccone. Là, chacun s'efforce de réfréner les sentiments de jalousie et de désapprobation courants dans les familles nombreuses, afin de ne pas ternir les fêtes.

Ce séjour offre à Madonna l'occasion de s'asseoir à nouveau sur les genoux de son père et de redevenir une petite fille. « A la maison, personne ne mentionnait ma célébrité, dira-t-elle à l'écrivain Lynn Hirschberg. Personne n'en soufflait mot. » Cette escapade réjouit également Jim Albright qui reconnaît : « Je chéris ces moments passés avec elle. »

Mais il ne se contente pas de partager le meilleur avec elle. Il se tient à ses côtés lorsque la controverse autour de *Sex* atteint son paroxysme, à l'automne 1992. Publié en octobre par Warner Books, le livre déclenche une polémique nationale, qui ralentira à peine les ventes. « Je suis allée trop loin. Je regrette vraiment d'avoir fait ça », lui avouera-t-elle un jour, dans un moment de désespoir. Chaque matin, son humeur s'assombrit lorsqu'elle consulte les critiques corrosives que Liz Rosenberg lui transmet scrupuleusement. Bien que Jim passe la journée à tenter de la rassurer, lui rappelant que pour chaque personne qui déteste le livre, il y en a mille qui l'aiment, cela ne suffit pas à lui remonter le moral.

La cohue dans les librairies, où ses fans se bousculent, prêts à se battre, n'empêche pas un retour de bâton aussi immédiat que dévastateur. Pour la première fois, les féministes, les gauchistes et les lobbies chrétiens fondamentalistes s'unissent pour condamner un ouvrage qui selon eux traite de pornographie, de viol et d'humiliation dans le seul but d'en tirer un profit. Sous le raz de marée des critiques, l'humour de certaines situations – notamment les photos de Madonna, le pouce tendu, nue sur une grande route de Floride, ou faisant le plein vêtue d'un unique pantalon moulant en dentelle noir – et la finesse des textes, parfois autocritiques, passent inaperçus. « Je pense que les gens réagissent de cette manière parce qu'ils ont du mal à croire qu'une petite jeune femme puisse devenir riche et puissante tout en restant sexy et irrespectueuse », proteste Madonna.

Malgré ses bravades, elle n'en mène pas large. *Sex* représente un tournant dans sa carrière et sa vie privée. Pour la première fois, elle ne peut dévier le feu de ses détracteurs. Elle n'a ni réalisateur, ni dramaturge, ni cameraman sur qui rejeter la responsabilité des avalanches de critiques qui s'abattent sur son livre. Elle découvre que le contrôle absolu a un prix : l'entière responsabilité. Pour une fois, elle se trouve en première ligne. Malgré la mise en garde en début d'ouvrage – « Rien dans ce livre n'est vrai. J'ai tout inventé » –, elle se retrouve sans marge de manœuvre, incapable de se dérober.

Elle constate que les conséquences de ses actes échappent à son contrôle et c'est une expérience cuisante pour une femme obsédée par le désir de tout maîtriser. Elle reçoit des sacs entiers de lettres d'insultes d'associations et de particuliers furieux – jusqu'à deux cents par jour. On lui envoie même des menaces de mort. « Dans ma carrière, il y a un avant *Sex* et un après, déclarera-t-elle plus tard. Jusque-là, je n'étais qu'une femme qui créait et faisait ce qui l'inspirait, dans l'espoir d'inspirer à son tour d'autres gens. Depuis, j'ai un point de vue différent sur la vie. *Sex* était mon fantasme et j'en tirais profit : cela ne se faisait pas. J'étais impliquée à tous les niveaux, et c'était inacceptable. Une femme forte aux commandes, cela terrifie les gens. »

Non seulement elle doit résister au déferlement des critiques, mais elle termine un nouvel album, *Erotica*, qui, à sa sortie, pâtit de la polémique déclenchée par *Sex*. Ensuite, elle enchaîne sur deux films : le thriller érotique *Body*, puis *Snake Eyes*, le premier film financé par Maverick. Ces deux films essuient des échecs critiques et commerciaux qui la mettent sur la sellette. Elle puise cependant un certain réconfort dans le succès de librairie de *Sex*, qui se vend à un million cinq cent mille exemplaires dans le monde. Jusque-là, elle a toujours pu balayer les critiques et se rassurer en pensant à l'homme qu'elle considère comme son guide spirituel et son talisman, Elvis Presley, mort le jour de son anniversaire. Après tout, il a finalement été accepté par la société, après avoir été honni, traité de rebelle et conspué pour son jeu de scène suggestif qui outrageait la puritaine Amérique. Mais cette fois, même Elvis ne parvient pas à la consoler.

Ce sont les nuits qui l'éprouvent le plus. Madonna a toujours eu le sommeil capricieux, mais maintenant, elle ne s'endort que si son compagnon masse son front ou caresse ses cheveux. Lorsque, enfin, elle se laisse emporter par le sommeil, elle ne trouve pas la paix pour autant. Des cauchemars récurrents sur la mort hantent ses nuits. « Elle était dans un état pitoyable, affirme Jim Albright. Cette période a été la plus noire de sa carrière. Elle était obsédée par les critiques. Je jouais le rôle de supporter. Je devais soulager son stress, la rassurer constamment, lui répéter qu'elle avait raison, qu'elle ne devait pas se laisser affecter par l'énergie négative des médias et des gens en général. C'est une femme extrêmement sensible et anxieuse. Il fallait lui rappeler sans cesse qu'elle était une grande chanteuse, une des plus célèbres au monde, et qu'il y avait un prix à payer pour cela. »

Ce que Jim Albright ignore à l'époque, c'est que Madonna ne s'inquiète pas seulement du mauvais accueil critique réservé à son livre. Tandis qu'il s'efforce de la réconforter, elle garde pour elle la réaction de Vanilla Ice. Le rappeur a découvert avec fureur qu'elle l'avait utilisé dans le livre, sans avoir la courtoisie élémentaire de lui demander la permission ni pensé un instant aux répercussions sur la carrière du jeune homme. Vanilla Ice s'empresse de brûler l'exemplaire dédicacé que lui a envoyé Madonna. « J'étais furieux qu'elle m'ait associé à cette saloperie. Après, tout a été fini entre nous. Lorsqu'elle m'a appelé, je lui ai dit que ce livre était dégradant pour moi et m'embarrassait. Les gens me regardaient comme si j'étais un débauché, et il m'a valu de mauvais articles. » Pour lui, le plus affligeant, c'est qu'en publiant ce livre la chanteuse se rabaisse et s'humilie. « Je la connaissais et ce qu'elle décrivait était faux, c'était une supercherie, soupire Vanilla Ice. Elle n'avait rien d'une salope. Elle devait le faire pour l'argent. »

Tandis que Vanilla Ice et Madonna s'éloignent, Jim Albright découvre peu à peu l'autre visage de la femme qu'il aime. Et cette vision ne l'enchante guère. Bien qu'ils désirent toujours avoir des enfants, des détails apparemment insignifiants contrecarrent leur projet. Il y a la question épineuse du contrat de mariage. Madonna l'exige, en dépit des protestations d'Albright qui n'en voit pas l'utilité, étant donné qu'il ne vit ni ne vivra jamais à ses crochets. En outre, l'idée d'embaucher une nurse lui répugne. S'ils ont des enfants ensemble, il désire qu'ils les élèvent eux-mêmes. Pour couronner le tout, des rumeurs prétendent que Madonna aurait contracté le sida, bruit aussitôt démenti par Liz Rosenberg.

Néanmoins, cela suffit peut-être à éveiller des doutes dans l'esprit d'Albright, conscient qu'elle a eu un certain nombre de partenaires au cours des dernières années. Malgré le désir de Madonna d'avoir des enfants, il continue à utiliser des préservatifs. Seuls les résultats de la visite médicale obligatoire avant le tournage de *Body*, pendant l'été 1992, parviendront à dissiper ses inquiétudes. Ces différends masquent des problèmes plus profonds. Bien qu'ils soient ensemble depuis des mois, Albright se sent frustré, il a l'impression d'une relation à sens unique. Toute son existence s'organise autour du programme rigide de sa compagne. Il vit à l'heure de Madonna, passe son temps à la rassurer, à apaiser son ego malmené et a rarement l'impression de partager avec elle une relation « normale ». Entre la polémique soulevée par *Sex* à l'automne 1992 et les critiques qui assassinent son thriller érotique *Body* à sa sortie en janvier, il estime que Madonna n'a ni le temps ni la stabilité émotionnelle pour avoir un enfant.

Par ailleurs, il ressent une jalousie croissante, non seulement à l'égard des autres hommes, mais également des femmes. La mince silhouette brune d'Ingrid Casares suit Madonna comme son ombre depuis la fête du Nouvel An 1991 donnée par la chanteuse. Qu'ils se rendent en Floride, en Allemagne, en France ou à Los Angeles, Jim sait qu'elle sera également de la partie. Comme un petit chien, et comme Sandra Bernhard avant elle, Ingrid s'accroche aux pas de Madonna. Il se rend compte qu'elle fait écran entre eux, les empêchant de se rapprocher.

Au début, Madonna réfute les accusations d'Albright qui soupçonne les deux femmes d'êtres amantes. Elle prétend aider son amie à lutter contre sa toxicomanie et à surmonter sa dépendance vis-à-vis de Sandra Bernhard, dont Ingrid a été la maîtresse. Elle finit cependant par lui avouer qu'elles sont plus qu'amies, révélant l'imbroglio amoureux qui lie Madonna, Sandra et Ingrid. Ceci explique peut-être en partie le mépris avec lequel Sandra parle aujourd'hui de la chanteuse. « Maintenant, notre amitié me fait penser à un calcul : on l'expulse, on a mal pendant quelque temps et ça passe. Je n'ai rien à ajouter sur Madonna », déclare-t-elle d'un ton cinglant.

Un nouveau différend éclate entre les amoureux à cause du propriétaire du Roxbury Club de Los Angeles, John Enos, soupçonné par ailleurs d'être le mystérieux destinataire des fausses lettres publiées dans *Sex*. La première fois qu'il se rend dans la maison de Miami après que Madonna l'a achetée, Albright trouve une carte de vidéoclub au nom d'Enos. Lorsqu'il lui demande des précisions, Madonna nie, puis finit par reconnaître qu'elle le voit encore. Elle s'excuse, promet d'être fidèle et, pendant quelque temps, leur relation s'épanouit à nouveau.

Cependant, à force de découvrir que Madonna entretient en secret des relations avec des acteurs, des sportifs de haut niveau et même un mannequin, la confiance de Jim Albright s'émousse. Elle a beau protester de son innocence, il devient jaloux, soupçonneux. Ses dénégations ne le convainquent jamais et il s'interroge sur ses mobiles. Ses doutes s'exacerbent lorsqu'il apprend par la presse qu'elle a vu telle ou telle personnalité. Il s'en irrite d'autant plus qu'il n'est pas étranger à l'intérêt que Madonna porte aux sportifs. Supporter enthousiaste des New York Knicks, il lui a communiqué sa passion pour le basket-ball. Ainsi, lors d'un séjour en Arizona, va-t-elle voir Charles Barkley des Phoenix Suns. Son faible pour les basketteurs à la célébrité tapageuse lui vaudra d'ailleurs quelques déboires.

De plus, l'ex-garde du corps rongé par la jalousie n'apprécie pas certaines scènes érotiques avec Willem Dafoe dans *Body*, en particulier le moment où elle verse de la cire chaude sur le corps nu de l'acteur. Enfin, son amitié croissante pour le mannequin américano-japonais Jenny Shimizu, qu'elle voit lorsqu'elle va à Paris pour rendre visite au styliste Jean Paul Gaultier, complique encore sa vie amoureuse déjà passablement embrouillée. « Elle n'a jamais été fidèle à un seul homme, c'est tout, observe Albright. Elle me l'a dit. Elle n'est loyale qu'à elle-même. »

Le plus douloureux reste à venir. En novembre 1993, Jim Albright, Madonna, son frère Christopher, la chanteuse Tori Amos et la comédienne Rosie O'Donnell célèbrent ensemble Thanksgiving dans sa maison de Miami. Ils passent un moment agréable. Madonna et Rosie, qui se sont rencontrées il y a deux ans sur le tournage d'*Une équipe hors du commun*, se chargent de l'animation. Jim reprend espoir. Il les quitte tôt pour regagner New York, rassuré quant à leur relation. Il se sent donc anéanti lorsqu'il apprend plus tard que Tony Ward les a rejoints après son départ. Elle a beau assurer à Albright que Ward n'est plus son amant, la nouvelle porte le coup de grâce à leur relation, même s'ils attendront plusieurs mois avant de se séparer.

Alors qu'elle exige de lui une loyauté totale, Albright se rend compte qu'elle ne se sent pas soumise à la même obligation. Il lui semble maintenant évident que Madonna cache son nom aux médias, non pour le protéger mais pour que ses autres amants ignorent qui elle fréquente. Paradoxe ou perversité, à mesure qu'il s'éloigne, Madonna exige de plus en plus son temps et son affection. Inquiète, possessive, elle lui rend une visite surprise au Roxbury Club de New York où il travaille, pour vérifier qu'il ne drague ni ne regarde d'autres femmes. Les soirs où il rentre dormir chez lui, elle l'appelle tôt le matin pour s'assurer qu'il se trouve seul. Sa jalousie atteint un tel paroxysme que lorsqu'elle organise une projection privée de *Body* pour Abel Ferrara, le futur réalisateur de *Snake Eyes,* et son épouse Nancy, elle accuse ensuite celle-ci d'avoir lancé des regards tendres à Jim Albright dans le noir… « Elle devenait très, très inquiète, explique-t-il. Elle me disait toujours : je t'ai vu lui parler, pourquoi est-ce que tu parlais avec elle ? Elle m'accusait toujours de la tromper. Je lui répondais qu'elle avait peur parce qu'elle prenait son cas pour une généralité. »

Elle laisse des messages interminables sur son répondeur, tour à tour humoristiques, cajoleurs ou grincheux. Un jour, sur le ton de la plaisanterie, elle menace de sauter du balcon de sa chambre d'hôtel, située au premier étage, s'il ne la rappelle pas. Une autre fois, elle reconnaît ne pas mériter sa confiance mais promet de changer et de se racheter. Elle lui répète sans cesse qu'elle l'aime et veut avoir un enfant de lui. Elle semble éternellement en mal d'affection. Toujours prête à tomber amoureuse et à donner son amour, elle ne veut ou ne peut s'engager. C'est la triste contradiction de Madonna qui cherche toujours l'amour là où il ne se trouve pas. Elle en est partiellement consciente, puisqu'elle offre à son compagnon un roman de Robert Plunket intitulé *Jock-Straps*, qui décrit ce qu'elle ressent. C'est l'histoire ironique et sombre d'une femme au foyer aisée qui vit dans une banlieue résidentielle, et qui, à la mort de son mari, se met à fréquenter assidûment le milieu gay. Le livre présente l'amour comme un besoin mélancolique plus qu'un désir sexuel, un aspect de Madonna qui n'échappe pas à son ami. « Elle est intelligente et généreuse mais elle a deux facettes, l'une aimante et attentionnée, l'autre totalement égoïste. Son besoin d'amour est immense. Elle utilise le sexe pour combler son désir d'aimer et d'être aimée. L'amour est la force qui anime Madonna à tous les niveaux. Elle veut l'amour de ses fans comme celui des hommes avec qui elle couche. Elle prend l'acte sexuel, que ce soit avec un homme ou une femme, et le transforme en amour. Madonna se nourrit d'amour, elle a toujours faim d'amour. Parfois, j'ai aussi l'impression qu'elle fait l'amour avec certaines personnes parce qu'elle espère qu'elles lui transmettront quelque chose de leur talent, leur esprit ou leurs muscles. »

La tension entre eux atteint un point critique en 1993, pendant le Girlie Show, un spectacle burlesque qui se joue à guichets fermés dans le monde entier. Dans un premier temps, tout se déroule sans accroc. Madonna et Albright se téléphonent tous les jours, s'écrivent souvent et, lorsqu'elle fait un passage éclair à New York pour consulter un ORL, ils dînent ensemble au restaurant. Au téléphone, elle se montre pleine de tendresse et lui assure qu'elle désire un enfant de lui. Avec le sens de l'organisation qui la caractérise, elle veut qu'il la rejoigne au Japon en décembre, à la fin de sa tournée, pour qu'ils conçoivent l'enfant et qu'elle puisse préparer la naissance.

Toutefois, deux problèmes contrarient ses projets. D'abord, la sœur d'Albright est enceinte, et il veut être présent au moment de l'accouchement, qui risque de coïncider avec la fin de la tournée. Quand il explique la situation à Madonna, elle se fâche, vexée qu'il lui préfère sa famille.

Ensuite, il découvre que la jeune femme a acheté un costume d'homme plus tôt dans la journée, costume qui ne
correspond pas à sa taille. Lorsqu'il réclame des explica-
tions, ils se disputent tant et si bien que Jim Albright,
furieux et frustré, quitte le restaurant, la laissant payer l'addition. Quelques jours plus tard, après qu'elle s'est envolée
pour l'Europe pour continuer sa tournée, il découvre que
le costume était destiné à son rival, John Enos.

La dispute continue à distance, jusqu'à ce qu'Albright
refuse ses appels. Elle lui téléphone jusqu'à trente fois en
une heure. En octobre, avant son concert à Buenos Aires,
en Argentine, Madonna est plongée dans un tel désarroi
qu'elle refuse de chanter tant qu'il ne lui aura pas parlé. Il
reste inébranlable. Liz Rosenberg appelle Jim Albright pour
le supplier de parler à la jeune femme, mais ne se montre
pas plus convaincante. Voyant que l'heure du spectacle
approche, son manager, Freddy DeMann, téléphone à son
tour pour avoir avec lui une conversation « d'homme à
homme ». Albright finit par se laisser fléchir. Madonna est
en larmes, hystérique, mais après leur conversation, elle se
reprend pour monter sur scène.

Le lendemain, ils discutent longuement. Las d'avoir le
cœur brisé, il lui dit que tout est fini et qu'il ne veut plus la
voir. Ils se raccommodent tant bien que mal au cours des
semaines suivantes, mais Albright ne se sent guère disposé
à faire des efforts. Il lui avoue même au téléphone qu'il a
eu une aventure avec une fille à la discothèque où il travaille. Madonna pique une crise, furieuse qu'il ait osé la
tromper. Cette fois, c'est elle qui lui raccroche au nez. « Sa
réaction m'a sidéré, car je lui avais pardonné des dizaines
de fois, observe Albright, l'air narquois. Elle avait couché
avec des femmes et une multitude d'hommes, même le
chien dans *Sex* lui avait peut-être donné un coup de
langue. Alors que moi, je me suis fait tailler une malheureuse pipe et j'ai eu l'honnêteté de lui dire. »

Leur relation à distance se poursuit cahin-caha. C'est au
tour de Madonna de prendre ses distances. La naissance du

neveu de Jim, Teddy, le 6 novembre, la laisse de marbre. Sa tournée s'achevant juste avant Noël, il lui propose de la rejoindre en Extrême-Orient. Mais l'accueil mitigé qu'elle réserve à la nouvelle confirme, si besoin est, sa volte-face émotionnelle. « Elle avait sans doute quelqu'un d'autre en réserve », déclare-t-il, songeur.

A son retour aux États-Unis, elle hésite même à le revoir, mais il insiste, arguant qu'on ne met pas un terme à une relation de cette durée sans un adieu. Ils se retrouvent un matin de janvier sur une plage déserte de Miami, là où tout a commencé. Ils discutent, marchent un peu et passent la journée ensemble. Le soir, il vient dormir une dernière nuit chez elle, à Biscayne Bay. Le lendemain matin, ils s'étreignent et versent quelques larmes avant qu'il ne sorte de sa vie. En retrait, dans le rôle de Mrs Danvers[1], une Ingrid Casares insondable observe en silence le crépuscule de leur mélodrame.

A New York, six mois plus tard, alors qu'elle court dans Central Park, Madonna a un mouvement de surprise lorsqu'en dépassant un autre joggeur, elle croit reconnaître Jim Albright. Même taille, même peau lisse et mate, même silhouette musclée. Intriguée, elle demande à Danny Cortese, son nouveau garde du corps, de mener une petite enquête. Il découvre que le coureur travaille dans un club de sport de Manhattan, le Crunch. Il s'appelle Carlos Leon et ils se seraient déjà rencontrés au cours d'une soirée, deux ans plus tôt. La version de Carlos Leon est quelque peu différente : c'est lui qui se serait arrêté pour lui donner des conseils… Quoi qu'il en soit, elle charge Cortese de transmettre un message à Leon. Ils se retrouvent près du terrain de jeu des enfants, à Central Park. La rencontre confirme la ressemblance avec son ex-compagnon. Séduite, elle se rend compte que les deux hommes possèdent également

---

1. Personnage de Daphné du Maurier. Gouvernante dévouée à feue Mrs De Winter, elle persécute la nouvelle épouse de son maître.

des personnalités similaires : débrouillards, calmes, réservés mais farouchement indépendants, ils sont tous deux dotés d'un profond sens moral et d'une grande dignité. Comme Albright, Leon est très attaché à ses parents, Maria et Armando. Bientôt, la chanteuse devient une familière de leur modeste appartement de la 91e Rue. Une fois, elle leur rend visite avec son amie, l'actrice Rosanna Arquette, et tous ensemble mangent des haricots noirs en écoutant de la musique cubaine.

Sensible, introverti, Carlos Leon lui offre un changement bénéfique après la vie amoureuse chaotique qui a été la sienne depuis sa rupture avec Albright. Il se montre à la fois attentionné, affectueux, galant et protecteur. Ils mènent une existence paisible : souvent, ils se rendent à pied au Lincoln Center pour voir un film, s'arrêtant en chemin pour acheter une glace ou faire du lèche-vitrines dans Amsterdam Avenue. Incognito, main dans la main sous le soleil, ils offrent la vison d'un couple on ne peut plus normal. A la différence près qu'Ingrid Casares fait toujours partie du tableau. Elle les attend chez Madonna ou sort avec eux pour dîner.

Son nouveau compagnon lui apporte souvent des cadeaux, des petites boîtes qu'elle ajoute à sa collection de babioles, des coffrets de friandises qu'il dépose sur son lit. Les Red Hots, ces petits bonbons rouges épicés, sont ses favoris. Le jour de la Saint-Valentin, en 1995, il lui offre un ours en peluche et un cœur rempli de Jellybeans, au plus grand amusement de Madonna. Elle saute de joie le jour où il lui fait cadeau d'un petit chien de race dont elle s'était enti-chée dans une animalerie.

Bien qu'il ait des velléités d'acteur, Leon trouve d'abord pénible son accession soudaine à la célébrité, en particulier l'intérêt des paparazzi. Une fois où il répond par un bras d'honneur à la meute qui les attend, il s'attire une répri-mande de Madonna, qui n'a pas oublié les déboires que lui a valus l'impétuosité de son premier mari. En outre, il ne se sent pas très à l'aise au milieu des célébrités qui entourent sa compagne. Si Madonna tient à l'œil sa nouvelle conquête dans les somptueuses réceptions ou les manifestations publiques où elle l'emmène, Carlos Leon se montre encore plus jaloux. En 1994, il se renfrogne lorsqu'il apprend que Sean Penn va lui remettre le prix de la femme la plus « branchée » de l'année, à l'occasion des Fashion Music Awards, à New York. Assis dans la salle, il ignore qu'en coulisses Sean Penn et John Enos taquinent Madonna sous le regard désapprobateur de Liz Rosenberg, consciente qu'un photographe pourrait surprendre leurs enfantillages. Après la remise des prix, fatigué, Leon décide de rentrer, tandis que Sean, l'incontournable Ingrid et quelques autres partent faire la tournée des bars. Il semble néanmoins que Madonna ait tourné une nouvelle page. A l'occasion de son trente-septième anniversaire, en août 1995, elle annonce à ses amis que Carlos et elle sont décidés à fonder une famille après le tournage d'*Evita*.

Cependant, quelques mois plus tard, elle donne apparemment une autre version à Jim Albright. Alors qu'elle tourne en Hongrie, elle l'appelle pour lui dire qu'il occupera toujours une place à part dans son cœur et le remercie pour tout ce qu'il lui a apporté. Puis elle se plaint du caractère immature et macho de Carlos, et de leur relation qui piétine. Lorsqu'il raccroche, son ex-compagnon a la nette impression qu'elle tente de le récupérer.

Deux semaines plus tard, le 13 avril 1996, un flash d'information annonce que Madonna est enceinte. « Cela m'a causé un choc, et à elle aussi, commente Albright. Elle ne m'aurait jamais appelé si elle avait su qu'elle était enceinte. » Six mois plus tard, le 14 octobre 1996, à l'âge de trente-huit ans, Madonna donne naissance à une petite fille de trois kilos au Good Samaritan Hospital de Los Angeles. Elle appelle l'enfant Lourdes Maria Ciccone Leon, mais tout le monde la surnommera Lola.

Lorsque Jim Albright rencontre pour la première fois la petite fille frisée de Madonna, elle marche et parle déjà. « Des beaux yeux, très intelligente, tout le portrait de sa mère », décrète-t-il lorsque son ancienne compagne l'invite chez elle. Il est venu avec son neveu Teddy, le petit garçon dont la naissance a causé tant de frictions entre eux. Dans son ancienne salle de gym ultra-équipée reconvertie en chambre d'enfant, Madonna met un disque et ils se prennent la main pour danser en rond – la mère, la fille, l'ex-amoureux et son neveu.

Madonna a changé de manière saisissante. Maintenant, il émane d'elle un calme impressionnant, elle semble réconciliée avec elle-même, en paix. Elle a enfin trouvé ce qu'elle cherchait depuis toujours : un amour véritable et inconditionnel... Et il est sorti de son ventre.

12

Je, moi et moi-même

Si les fax pouvaient tuer, Abel Ferrara serait mort et enterré. Il secoue la tête avec incrédulité devant le fiel répandu sur les pages écrites à la main que sa machine expulse une à une. Le réalisateur n'a besoin de lire qu'une phrase, soulignée en gras, pour savoir de quoi il en retourne : « Connard, salopard, tu as bousillé ma carrière. » La stupeur cède la place au rire. Il montre les pages à sa femme, Nancy, puis prend un stylo rouge pour entourer les mots « je » et « moi ». Les feuilles ne tardent pas à être couvertes de cercles rouges, comme si elles souffraient d'une éruption de boutons irritants. La maladie s'avère contagieuse, puisque Ferrara prend sa plume à son tour pour répondre sur le même ton à la missive venimeuse de Madonna, actrice et coproductrice de son dernier film, *Snake Eyes.*

« Elle était furieuse, hystérique. Elle hurlait et pleurait à la fois, se souvient Nancy Ferrara, qui joue aussi dans le film. Ses fax étaient vraiment méchants : "Sale connard, tu as foutu ma vie en l'air", entre autres amabilités du même acabit. Elle ne parlait que d'elle : je, je, je… »

Pour une fois, la boss de Maverick Films a trouvé un adversaire à sa mesure, un véritable non-conformiste. L'expérience sera douloureuse, aussi bien sur le plan émotionnel et artistique que financier. A l'automne 1992, elle invite Ferrara à une séance privée dans un cinéma new-yorkais pour visionner en avant-première son film *Body*. Au bout de quelques minutes, il s'endort, ronflant bruyamment tandis qu'à l'écran, Madonna, qui interprète une propriétaire de galerie très portée sur le sexe, lance des répliques du genre : « Est-ce que vous avez déjà vu des animaux faire l'amour ? » A son réveil, son verdict tombe. « Ce film est vraiment mauvais. Il est nul, mais ce n'est pas de la faute de Madonna », jugement dont elle lui sait gré.

Elle s'entiche aussitôt de Ferrara, le décrivant comme un « génie underground ». Provocateurs, morbides et souvent indigestes, ses films – *The Driller Killer, Body Snatchers* – fournissent matière à réflexion aux critiques et aux spectateurs des salles d'art et d'essai depuis des années. Madonna, qui s'est passionnée pour le septième art bien avant de s'intéresser à la musique, admire le travail de Ferrara influencé par le cinéma européen, notamment par le réalisateur Jean-Luc Godard. Sombres, peu engageants, les films de Ferrara, qui se situent souvent dans les entrailles sordides de New York, sont peuplés de personnages pervers et souvent crapuleux, qui cherchent la rédemption dans la dépravation. Elle est particulièrement intriguée par son dernier film, *Bad Lieutenant*, l'histoire d'un policier new-yorkais corrompu, interprété par Harvey Keitel, lancé aux trousses d'un gang de voleurs coupables d'avoir violé une nonne.

Abel Ferrara n'a rien d'un réalisateur consensuel et conventionnel. Madonna sait qu'elle prend un risque en acceptant de travailler avec un homme qualifié tantôt de « talentueux et farouchement indépendant », tantôt de « grand maître du sordide », de « décadent » ou tout simplement d'alcoolique incohérent. Cependant, séduite par le scénario de son prochain film, *Snake Eyes*, dont le budget est de 10 millions de dollars, elle décide de participer au financement par l'intermédiaire de sa toute jeune société, Maverick Films. Caprice artistique ou acte de foi ? Difficile de trancher. Depuis des années, elle se plaint de n'être qu'un instrument entre les mains des réalisateurs, un simple pinceau dans la main du peintre. Après l'aventure éditoriale de *Sex*, dont elle a pu contrôler toutes les étapes, elle compte bien intervenir dans la réalisation du film.

Le scénario et le casting originaux lui plaisent. Elle aura de plus l'occasion de travailler avec deux acteurs qu'elle connaît et admire, Harvey Keitel et James Russo – un des meilleurs amis de Sean Penn –, dans une histoire qui lui va comme un gant. L'héroïne qu'elle doit interpréter, une actrice du nom de Sarah Jennings, triomphe du mal créé par les hommes. « C'était une belle démonstration féministe, et elle *[le personnage principal]* en sortait victorieuse à la fin », déclare Madonna à propos du scénario original. L'idée ne manque pas d'intérêt : il s'agit d'un film sur le tournage d'un film, dans lequel les acteurs ont donc un double rôle. L'intrigue se noue autour d'un réalisateur, Harvey Keitel, qui tourne un film sur un mariage raté, alors que le sien se délite. Madonna, qui incarne à la fois l'actrice-amante du réalisateur et l'épouse maltraitée du film dans le film, sort gagnante face à la violence verbale et physique de Keitel et de Russo, qui joue à la fois un acteur et un mari ignoble.

« Pour une actrice, jouer ce rôle tient de la descente des chutes du Niagara dans un tonneau », observe l'écrivain Norman Mailer, qui interviewe Madonna, observant également qu'elle est une des rares célébrités à ne pas choisir des rôles qui la valorisent. Le titre américain, *Dangerous Game* – « Jeu dangereux » – s'avère particulièrement bien choisi car, en fin de compte, le film se transforme peu à peu en une biographie de Madonna, fascinante et caricaturale. « C'était aussi un film sur elle, car je l'ai forcée à regarder en face de nombreux aspects de sa vie, reconnaît Abel Ferrara. C'est pour cette raison que j'avais choisi Jimmy Russo, parce que c'était le meilleur ami de Sean. Mais personne ne l'a compris. » Certainement pas Madonna, ni la plupart des spectateurs, ni même les critiques. Cependant, parmi l'entourage de la jeune femme et sur le plateau, certains se rendent compte de ce que Ferrara tente de montrer dans cette œuvre brouillonne mais fascinante. « C'était un film sur Madonna, nous le savions », déclare le producteur Ed Steinberg, ami du réalisateur et de la chanteuse.

Tandis que le soi-disant réalisme du documentaire *In Bed with Madonna* dévoilait tout au plus les artifices et la mise en scène du Blond Ambition Tour, le film de Ferrara explore les faux-semblants, déchirant sa carapace soigneusement étudiée. Cependant, Madonna ne voit rien venir. Au cours des semaines précédant le tournage, qui se déroulera fin 1992, Madonna, toujours très professionnelle, prépare scrupuleusement son rôle : elle visite des centres pour femmes battues, de nombreuses églises des quartiers chics et, comme on l'a vu précédemment, goûte à la marijuana. Le premier jour du tournage, elle arrive sur le plateau pleine d'assurance, connaissant parfaitement son texte, star et femme d'affaires des pieds à la tête. « Dès l'instant où elle est entrée, elle a pris le contrôle, se souvient Nancy Ferrara. Mais d'une manière positive. »

Consciente qu'en tant que premier rôle féminin elle aura une relation privilégiée avec le réalisateur, elle s'efforce de gagner l'amitié de sa femme, à qui elle envoie un énorme paquet de lingerie Dolce e Gabbana ainsi qu'un flacon de Chanel n° 5 pour Noël. « Elle a su gagner mon affection », admet Nancy Ferrara. A peine quelques minutes après le début du tournage, Madonna tombe de haut. Ferrara oublie le scénario et insiste pour que les acteurs improvisent, explorent leurs rôles à partir de leur propre personnalité. Ils passent alors des heures à parler des motivations de leurs personnages. Ferrara filme leurs discussions, les filme en train de se décortiquer. Le tournage s'avère une descente aux enfers sans concession, un processus brutal qui tient de la thérapie de groupe et du cinéma, d'autant que le film a été tourné à une époque où les Ferrara, ainsi que Harvey Keitel et sa femme Lorraine, traversaient une crise.

« Il n'est pas question que ce con de Richard Avedon me prenne en photo maintenant ! », lance dans le film une Madonna épuisée aux traits tirés, laissant planer une ambiguïté : qui parle ? L'actrice Madonna ou l'actrice Sarah Jennings ? « Au début, elle pensait qu'elle n'aurait qu'à lire le scénario et balancer ses répliques, explique Nancy à propos de Madonna. On commence à 10 heures, on rentre à la maison à 17 heures, au revoir et merci. Mais les répliques étaient secondaires dans l'histoire. Lorsque Abel et Harvey ont vraiment commencé à creuser du côté des émotions, elle a pris peur. Elle essayait de se protéger, cela ne lui plaisait pas du tout. Elle ne s'y attendait pas, n'avait jamais travaillé de cette manière. Pourtant, en moins de trois mois, ils ont réussi à briser sa résistance et elle s'est jetée à l'eau. »

Chaque jour se transforme en lutte de pouvoir entre Madonna et le réalisateur, qui en viennent aux mains. « Elle essayait de jouer les chefs avec moi, mais elle n'avait aucune chance, observe Abel Ferrara. J'ai eu affaire aux producteurs les plus teigneux et aux acteurs les plus durs, il était hors de question que je me laisse faire. Dès l'instant où je perds les commandes, je deviens inutile sur un plateau. Elle essayait, elle essayait tout le temps. Je l'ai frappée alors que je m'étais promis de ne jamais la toucher. A l'entendre, je l'avais presque tuée, alors que je l'avais tout juste poussée. »

Pour Madonna, l'aventure se révèle aussi exaspérante que traumatisante. Le tournage incohérent qui part dans tous les sens heurte son côté parfaitement organisé. Elle se plaint de l'ivrognerie du réalisateur et de certains acteurs. Souvent, Ferrara s'assied dans un coin pour siroter un verre de vin, tandis que le tournage continue sans lui. Elle s'insurge contre l'atmosphère de laisser-aller et la misogynie qui règnent sur le plateau et transparaît dans le film. Ses plaintes semblent justifiées. Ferrara rit d'un air entendu lorsqu'on lui demande s'il a vraiment fait exprès de choisir le membre de l'équipe le plus laid et le plus repoussant pour simuler une scène de sexe avec elle – scène qu'il a finalement coupée au montage. « Abel est un misogyne, déclare Nancy. Il a grandi dans une maison remplie de femmes qui le traitaient comme un dieu. Il lui faut des femmes autour de lui, mais il les déteste. Elles sont pour lui un mal nécessaire. »

A la fin du film, loin de triompher, le personnage de Madonna se retrouve vaincu, épuisé et soumis. Cette femme qui attend que son violent époux lui loge une balle dans la tête semble très loin de la chanteuse. Pourtant, le film parle d'elle. Pendant un interlude, son personnage raconte à Keitel le viol qu'elle a subi à New York quelques années plus tôt, souvenir qui appartient à la vraie Madonna. Dans le film, son époux est un homme violent, qui boit et qui ne se maîtrise pas. Dans une scène, il lui coupe les cheveux sans ménagement et, pour finir, la tue. On ne peut s'empêcher de penser à son mariage avec Sean Penn.

Au moment où on l'accuse d'avoir publié *Sex*, un livre pornographique, simplement pour l'appât du gain, Keitel le réalisateur force l'actrice qu'elle interprète à avouer qu'elle n'est rien d'autre qu'une « merde commerciale ». Dans une autre scène, Russo dit du personnage de Madonna : « Nous savons tous les deux que c'est une pute incapable de jouer. » L'ambiguïté de ces scènes ajoute une dimension à l'intrigue qui raconte la vie d'une actrice, sans que l'on sache jamais quand l'art invente et quand il décrit la réalité. « Je t'ai vue sucer des bites de PDG ! », hurle à un moment Russo.

Lorsque Madonna découvre le film monté, elle pique une crise de nerfs. Non contente d'envoyer des fax au vitriol à Ferrara, elle l'injurie au téléphone. Elle exècre le film et son réalisateur. « Il a coupé toutes mes meilleures répliques, lorsque je disais à Harvey et à James d'aller se faire foutre. Il a coupé mes paroles et m'a transformée en sourde-muette. Lorsque j'ai vu le montage, j'en pleurais. J'avais l'impression d'avoir reçu un coup dans l'estomac. C'était devenu *Bad Director*. Si j'avais su que le film ressemblerait à ça, jamais je ne l'aurais fait. Il s'est vraiment foutu de moi. » Ferrara ne se montre guère plus tendre avec elle : « C'est une conne. A l'écouter, on se serait concertés pour couper les meilleures scènes du film simplement pour l'embêter ! »

Malgré le désaveu de Madonna, il faut se rendre à l'évidence : Harvey Keitel et Abel Ferrara ont réussi à lui arracher le meilleur d'elle-même. C'est peut-être pour cette raison qu'elle se révolte avec une telle violence contre ce film qui, avec le recul et malgré ses défauts, porte en lui une vérité, un regard lucide sur les aspects les plus abjects de la vie en général, et de la vie de Madonna en particulier. « Elle paraît très vulnérable et c'est ce qui l'a rendue folle de rage, observe Nancy Ferrara. A la fin, elle révèle que lorsqu'elle ne contrôle pas tout, elle n'est plus aussi sûre et confiante qu'elle voudrait le faire croire. Elle dévoile son humanité. C'est un de ses meilleurs films, fascinant parce qu'il parle beaucoup d'elle. Voilà pourquoi elle ne l'a pas assumé. Il touchait un point sensible. »

Snake Eyes, qui sort pendant l'été 1993, marque pour Madonna le point le plus bas de sa carrière. Elle a subi des attaques répétées pour *Sex*, publié en octobre 1992, a été raillée pour son rôle dans *Body*, sorti en janvier 1993, et doit maintenant affronter une autre salve de critiques cinglantes sur son premier film comme coproductrice. Qu'elle désavoue son premier bébé cinématographique n'arrange rien. Le film, qui ne rapporte que 60 000 dollars, est un des plus gros bides de l'année. Elle a pourtant l'impression d'avoir pris de réels risques artistiques, de s'être mise à nu, aussi bien psychologiquement que physiquement, et maintenant elle essuie les tirs croisés des critiques et de son public.

Du côté musical, tout n'est pas rose non plus. Le troisième *single* extrait de l'album *Erotica*, « Bad Girl », ne se classe que trente-sixième au hit-parade, le rang le plus bas qu'elle ait jamais atteint. Même ses amis de l'industrie du disque s'inquiètent : « Elle n'était pas à son summum d'un point de vue artistique », résume poliment Michael Rosenblatt de Sire Records. L'insulte s'ajoute à la blessure lorsque, désireuse de faire une reprise des tubes de Donna Summer, Madonna s'entend répondre par la diva du disco que jamais elle ne l'autorisera à toucher à ses chansons.

Madonna, qui se fait éreinter par la critique, est également irritée à l'idée de défricher le terrain pour d'autres chanteurs qui récoltent le fruit de ses audaces. Ainsi Janet Jackson, qui semble copier chacun de ses gestes, l'exaspère. Il faut reconnaître que l'atmosphère de leurs clips se ressemble étrangement et Janet Jackson a même embauché un réalisateur avec qui Madonna a collaboré sur le clip de « Rain », le photographe Herb Ritts. Par ailleurs, après ses échecs répétés à Hollywood, elle ne peut s'empêcher de ressentir un pincement au cœur lorsqu'elle pense qu'en 1992 Whitney Houston a réussi un doublé avec le succès de son film *Bodyguard* et du *single* « I Will Always Love You », extrait de la bande originale.

Tandis que Madonna panse ses plaies, les gourous culturels et les intellectuels semblent décidés à lui asséner le coup de grâce. Selon eux, Madonna aurait bénéficié du conservatisme des années Reagan, qui lui aurait permis de se constituer un public chez les jeunes femmes, les homosexuels et les Noirs. Depuis la chute du mur de Berlin, la fin de la guerre froide et l'arrivée d'un démocrate à la Maison-Blanche, le monde a évolué. Il semblerait que le temps de Madonna soit révolu. Les intellectuels qui l'encensaient abandonnent la chanteuse dans un no man's land culturel, tandis que ses références subtiles à des vedettes du cinéma, des artistes et des photographes européens disparus laissent la majorité de son public indifférent. La place qu'elle occupait depuis plusieurs années dans les programmes universitaires en tant que symbole lucide de la culture populaire moderne devient précaire…

Madonna, qui a si souvent justifié ses excès par l'humour, risque de devenir elle-même l'objet d'une plaisanterie. Un entretien bref, mais révélateur avec un journaliste hongrois résume bien l'ironie de sa situation. Le journaliste, comme bon nombre des fans qui ont acheté *Sex*, ne s'est pas rendu compte que son livre s'inspire du recueil de photos *Paris de nuit*, de Brassaï, le photographe français d'origine hongroise qui célèbre la vie nocturne parisienne. « De quoi traite votre livre *Slut*? », demande-t-il. Madonna le corrige, lui donnant le titre réel. « Pas en Hongrie, insiste-t-il. Là-bas, il s'appelle *Slut*[1]. »

---

1. « Salope. »

A cette époque, Madonna commence à envisager sérieusement de quitter les États-Unis pour l'Europe – en évitant peut-être l'Europe de l'Est – et cherche activement une maison en Angleterre ou sur le continent. Sans illusion sur les critiques constantes dont elle est l'objet, elle pense qu'un changement de décor l'aidera sur le plan créatif. En outre, elle a le sentiment que les habitants du Vieux Monde sont plus libéraux sur le plan sexuel que ses compatriotes. De plus, ses travaux les plus récents, le clip de « Vogue » et *Sex*, s'inspirent de l'art européen, glanant dans le cinéma allemand et français des années 30, la scène homosexuelle berlinoise de la Dépression, les travaux du photographe d'origine allemande Horst P. Horst et la vie de Marlene Dietrich. Paradoxalement, lors de sa première visite à Paris, en 1979, elle a détesté la nourriture, les coutumes et le style de vie, offrant le cliché d'une Américaine moyenne en voyage.

Tandis qu'elle réfléchit à son avenir, elle dissimule ses inquiétudes derrière un masque public confiant. Elle admet se sentir « très blessée » par les rumeurs qui la prétendent finie, sans pour autant se départir de son sens de l'humour. En juin 1993, au cours d'une interview avec Mike Myers, la vedette de *Wayne's World*, elle parle avec légèreté de ses projets. Elle imagine un remake de *Certains l'aiment chaud*, de Billy Wilder, avec Sharon Stone dans le rôle principal, tenu à l'origine par Marilyn Monroe, et elle-même dans celui de la chef de l'orchestre féminin. Son humour, allié à son ambition et son énergie, l'aident à tenir à distance, sinon à terrasser, les démons qui l'assaillent : la peur toujours présente de l'échec et l'horreur de la médiocrité. « J'ai une volonté de fer et je me suis toujours efforcée de vaincre un terrible sentiment d'insuffisance », avouera-t-elle. Incapable de rester inactive, elle se relève, s'ébroue et se remet au travail avec la seule personne à qui elle peut se fier : elle-même.

Consciente que les vautours tournent autour d'elle, Madonna se jette à corps perdu dans l'organisation, la conception et les répétions de sa fantaisie scénique, le

Girlie Show. Elle se réjouit de la venue du légendaire Gene Kelly, qui visite sa salle de répétition à Los Angeles et fait quelques pas avec les danseurs. Bien qu'il se blesse à la jambe pendant une séance, Madonna exulte quand il la compare à Marlene Dietrich, dont elle imite le style pour son spectacle. « Elle était comme une gosse dans une confiserie, se souvient Jim Albright. Elle jubilait et n'arrêtait pas de dire qu'elle se sentait honorée de le rencontrer. » Inévitablement, les médias proposent une tout autre interprétation de sa visite. « GENE KELLY PEUT-IL SAUVER LA CARRIÈRE DE MADONNA ? » lit-on à la une d'un journal populaire.

Le chœur des critiques, souvent malveillantes, exacerbe les doutes de la chanteuse qui passe des heures à préparer le spectacle et sa tournée mondiale. Elle se rend compte qu'après les événements des douze derniers mois sa carrière peut prendre un nouveau départ ou sombrer. Tandis que son frère Chris conçoit les décors, elle supervise les castings et sillonne les boîtes de strip-tease de Floride à la recherche de danseuses. Madonna, qui fréquente occasionnellement ce style de boîtes à New York avec son amie lesbienne Ingrid Casares, remarque une danseuse au Crazy Horse Club de Miami. La strip-teaseuse, habituellement effrontée et à la langue bien pendue, tremble de nervosité lorsqu'elle rencontre Madonna, ce qui ne l'empêchera pas d'être sélectionnée. La chasse aux talents est l'aspect le plus plaisant des préparatifs. En effet, le travail débute en général à l'aube, avec trois heures d'exercice pour se maintenir en forme. Ensuite, elle se rend au studio de Los Angeles pour faire répéter les danseurs. Le soir, après une journée de dix-sept heures, elle rentre chez elle et ne prend que le temps de se faire masser avant de s'écrouler sur son lit. Entre les répétitions – elle se plaint de devoir materner les danseurs –, elle assiste à des réunions pour discuter des salles, des costumes et du décor. Avec mille cinq cents changements de costumes à coordonner et cent quarante tonnes de décor à monter, le Girlie Show est un spectacle coûteux et risqué.

Ses inquiétudes s'envolent devant son extraordinaire succès. Le show se joue à guichets fermés sur quatre continents. Madonna mène sa revue dans une ambiance qui combine le burlesque, façon *Cabaret* ou *Ziegfield Follies*, et la décadence capiteuse d'un bordel de luxe. Elle déclenche le tumulte à Porto Rico lorsqu'elle frotte entre ses jambes le drapeau national, tandis qu'en Israël les protestations des juifs orthodoxes, choqués par le contenu sexuel du spectacle, l'obligent à annuler. En Argentine, elle lance un clin d'œil appuyé aux producteurs hollywoodiens lorsqu'elle chante quelques mesures de « Don't Cry for Me Argentina », extrait d'*Evita*, une comédie musicale qu'il est question d'adapter au cinéma et dont le rôle éponyme reste à pourvoir.

Elle retourne aux États-Unis triomphante. Son album *Bedtime Stories* reçoit un excellent accueil, tandis que le *single* « Take a Bow » la place à nouveau en tête du hit-parade. Elle se permet même une allusion au scandale déclenché par son livre dans la chanson « Human Nature », où elle dit avoir été punie pour avoir révélé au monde ses fantasmes. Tout porte à croire qu'elle est repartie sur les rails de la gloire, comme l'indiquent les noms des contributeurs figurant sur son album : Sting, Herbie Hancock, Björk et Kenny « Babyface » Edmonds.

Pourtant, elle se sent insatisfaite : « Elle ne sait pas profiter du succès. C'est vraiment pénible pour elle. Elle n'est pas douée pour ça », observe son attachée de presse, porte-parole et seconde mère Liz Rosenberg. Malgré les louanges qui saluent sa tournée, son album et ses clips, cette chanteuse visuelle entre toutes aspire toujours à conquérir le seul sommet qui lui échappe encore : le cinéma. « Je me suis toujours considérée d'abord et avant tout comme une actrice », avoue-t-elle. Les débuts prometteurs de l'empire Maverick semblaient pouvoir lui assurer une place dans le monde fermé du cinéma. Cependant, après deux productions désastreuses, *Snake Eyes* et *Canadian Bacon*, la branche cinématographique de son groupe se trouve fermée de manière péremptoire par ses bailleurs de fonds, la Time-Warner. « Nous avons vite compris qu'il valait mieux abandonner ces activités périphériques », reconnaît Freddy DeMann, oubliant qu'il s'agissait de la raison d'être artistique d'une société que Madonna rêvait en pépinière créative, dans le style de la Factory d'Andy Warhol.

Madonna demeure une chanteuse à succès mais, pour les producteurs endurcis, en tant qu'actrice, elle n'offre aucune garantie de réussite au box-office, à la différence de Cher ou de Whitney Houston, dont les précédents sont plus rassurants. Jim Albright assiste à ses efforts désespérés pour se faire un nom à Hollywood. « C'est un sujet douloureux pour elle. Elle a tenté d'obtenir beaucoup de rôles qu'on lui a refusés. » Lorsqu'elle tente d'en décrocher un dans *Casino*, de Robert DeNiro, sorti en 1995, elle essuie un nouveau refus. Le film raconte la décomposition d'un couple formé par une ancienne prostituée et le directeur mafieux d'un casino de Las Vegas. Elle adore le scénario et se voit très bien dans le rôle de l'épouse alcoolique. Elle demande donc à son ami Al Pacino des conseils sur l'interprétation du personnage, avant d'user de tout son charme auprès des producteurs qu'elle emmène dîner dans un célèbre restaurant de la mafia, à New York. Ses tentatives resteront vaines. Elle fait un essai maladroit devant DeNiro qui lui préfère finalement la vedette de *Basic Instinct,* Sharon Stone, laquelle remportera un Oscar pour son interprétation. Elle se sent d'autant plus mortifiée qu'elle a été évincée par l'actrice à qui elle prétendait ironiquement attribuer le rôle de Marilyn Monroe dans son remake imaginaire de *Certains l'aiment chaud.*

Alors que peu de temps auparavant elle jubilait en pensant aux multiples portes que sa société de production allait lui ouvrir, elle se retrouve contrainte à faire du démarchage, comme un représentant qui essaie tant bien que mal de fourguer sa marchandise. Sur le front privé, la situation n'apparaît guère plus reluisante. Après sa rupture avec Jim Albright, au début de l'année 1994, sa vie amoureuse prend un tour débridé qui frôle parfois le ridicule. Son ancien amant lui ayant communiqué sa passion pour le basket, elle suit les New York Knicks avec un enthousiasme quasi fanatique, harcelant l'équipe pour un ballon dédicacé. Elle manque rarement un match. Souvent, elle y assiste en compagnie d'Ingrid Casares, ou aux côtés de personnalités comme Ron Perlman, le dirigeant de l'empire Revlon, et le réalisateur Spike Lee, pour qui elle acceptera de tourner dans *Girl 6.*

Son intérêt ne se limite pas aux matchs, car elle devient une véritable groupie et entreprend de séduire plusieurs grands noms du basket. Lors de sa réception du Nouvel An 1993 dans sa maison de Miami, quelques jours avant sa rupture avec Albright, elle fait la noce avec Brian Shaw des Miami Heat, tandis qu'un peu plus tôt, à New York, elle aurait demandé à Danny Cortese d'amener chez elle le joueur des Knicks, Sam Cassals.

Mais c'est sa liaison de deux mois avec Dennis Rodman qui manquera faire d'elle un objet de risée nationale. Les cheveux décolorés, les ongles peints en rose, couvert de piercings et de tatouages, Rodman dégage un parfum sulfureux à souhait. Entre autres excentricités, le joueur dégingandé surnommé « The Worm » – « le Ver » – organisa un jour une conférence de presse pour annoncer son mariage. Déguisé en jeune épousée, il déclara aux journalistes son intention de se marier avec lui-même ! Bien que Madonna ait affirmé aimer les hommes en contact avec leur côté féminin, ce n'est sans doute pas ce à quoi elle faisait référence... Elle rencontre Rodman lors d'une soirée où ils échangent leurs numéros, avant d'entamer une correspondance lutine par fax, qui se transforme bientôt en liaison amoureuse. Madonna ne tarde pas à lui demander sans ambiguïté de quitter sa petite amie pour lui faire un enfant. De mois en mois, son désir d'être mère prend un tour plus désespéré. « Je n'arrête pas de penser que je veux des enfants », confesse-t-elle à l'époque. L'extravagant Rodman se voit mis au ban par Madonna lorsqu'il publie son autobiographie dans laquelle il décrit leurs relations sexuelles avec force détails. « Elle n'était pas une acrobate, mais elle n'était pas un poisson mort non plus », déclare-t-il galamment à propos de ses performance au lit au magazine *Playboy*.

Quelques semaines après sa rupture avec Albright, le chaos qui règne dans sa vie apparaît flagrant lorsque, le 31 mars 1994, elle fait une apparition dans l'émission *The Late Show with David Letterman*. Elle scandalise spectateurs et critiques en employant le mot « *fuck* » à treize reprises, ramène constamment la conversation à sa vie sexuelle, faisant maintes allusions à ses aventures avec des basketteurs. Pourtant, ce n'est ni le plus choquant, ni le plus affligeant. On ne peut que déplorer qu'une jeune femme aussi talentueuse et célèbre mette un acharnement pathétique à attirer l'attention. Son attitude révèle un vide douloureux dans sa vie, une tristesse profonde que ni le succès ni la richesse ne peuvent guérir. « Elle est prête à tout donner pour un succès insaisissable, affirme un ancien cadre de la Time-Warner qui la connaît bien. Elle n'en a jamais assez. C'est comme une drogue. »

Après l'émission, elle part avec son amie Jenny Shimizu noyer son chagrin au fond d'une tasse de thé vert, dans un sushi-bar. Fidèle à elle-même, elle rend Letterman responsable de tout, clamant que le présentateur l'a encouragée à une certaine licence verbale. L'excuse ne convainc personne, et surtout pas le chroniqueur Ray Kerrison du *New York Post*. « Elle ferait n'importe quoi, dirait n'importe quoi, se moquerait de n'importe quoi, ridiculiserait n'importe quoi pour faire parler d'elle et gagner quelques dollars, écrit-il. Elle est le symbole par excellence de notre époque : autocomplaisante, sacrilège, impudique, sans honte et creuse. »

Elle finira par avouer la véritable raison de son « éclat ». « C'était une période de ma vie où je me sentais très en colère, déclarera-t-elle à *TV Magazine*, en 1998. La presse n'arrêtait pas de me critiquer et j'avais l'impression d'être une victime. Je me suis donc défoulée sur les autres et notamment sur lui [Letterman]. Mais je n'en suis pas particulièrement fière. » Ainsi, en 1994, malgré son succès, Madonna a tout d'une damoiselle en détresse. « Très peu de gens sont venus à mon secours. Cette épreuve m'a ouvert les yeux », dira-t-elle à propos de cette période.

L'histoire de Madonna, qui tient du conte de fées contemporain, serait incomplète sans quelque fier chevalier galopant à sa rescousse. Mais puisqu'il s'agit aussi d'une fable postmoderne qui tourne en dérision les principes démodés, on appréciera l'ironie du destin qui envoie à cette représentante d'une féminité sexy et agressive deux gentlemen à l'ancienne, sous les traits improbables d'un seigneur anglais amoureux du cricket et d'un vieil écrivain américain. Dans le rôle de Don Quichotte, Norman Mailer se lance le premier dans la bataille, jouant galamment de sa plume pour prendre sa défense dans le magazine *Esquire*, en août 1994. Il rappelle à l'élite intellectuelle et culturelle de son pays que Madonna appartient à une tradition d'artistes américains, Andy Warhol en tête, qui étudie le vide en s'efforçant de repousser les limites et en défiant l'orthodoxie, en particulier dans les éternels domaines du sexe et de l'amour. « Nous avons là notre plus grande artiste féminine vivante », déclare-t-il, un brin solennel.

Tandis que Mailer part pourfendre d'autres moulins culturels, son second chevalier caracole à l'horizon. Sir Tim Rice est le cocréateur de la comédie musicale *Evita*, montée pour la scène en 1978. Plus désireuse que jamais d'être prise au sérieux en tant qu'actrice, et toujours blessée de ne pas avoir obtenu de rôle dans *Casino*, Madonna mise tout sur un dernier coup de dé : elle incarnera Evita dans l'adaptation cinématographique de la comédie musicale. Lorsqu'elle rencontre Rice pour la première fois, à Los Angeles, lors d'un dîner en l'honneur du compositeur Andrew Lloyd Webber, ses chances de décrocher le gros lot semblent maigres. Le projet a déjà subi des retards considérables. Plusieurs studios d'Hollywood s'y sont intéressés, une multitude de réalisateurs a été pressentie, notamment Oliver Stone, Ken Russell et Glenn Gordon Caron. Pour le rôle-titre, on a cité les noms de Glenn Close, Meryl Streep et Michelle Pfeiffer – notons au passage qu'après le succès de *Recherche Susan Désespérément*, à une période où Madonna était une valeur sûre du box-office, elle a rencontré Oliver Stone, mais a rapidement décrété qu'elle ne pourrait jamais travailler avec lui. Devant cette brochette d'actrices de premier ordre, Madonna, que le critique de cinéma Robert Ebert qualifie de « reine des films qui s'annoncent mal », paraît en mauvaise position pour remporter le rôle. Mais il en faudrait plus pour la décourager. Le jour du repas, assise à côté du séduisant Antonio Banderas, elle lance une offensive de charme à peine l'entrée servie, s'efforçant de convaincre Rice et le producteur du film, l'Anglais Robert Stigwood.

Le statu quo se maintient jusqu'à Noël 1994, date où l'on annonce le nom du grand gagnant : Alan Parker, réalisateur notamment de *Fame*, *The Commitments* et *Bugsy Malone*, filmera la vie d'Eva Perón, surnommée Evita, l'épouse charismatique du dictateur argentin. Madonna ne perd pas de temps et contacte immédiatement le réalisateur, à qui elle envoie une lettre de quatre pages où elle expose les raisons pour lesquelles ce rôle est fait pour elle. Elle joint à sa prose une copie de son dernier clip « Take a Bow », qui puise largement dans l'iconographie latino-américaine et catholique. Peu de choses ont changé depuis l'époque où, à son retour de France, elle envoyait une longue missive à Stephen Jon Lewicki, pour obtenir un rôle dans *A Certain Sacrifice*. A la différence près que, cette fois, le budget du film s'élève à 55 millions de dollars et que l'actrice principale recevra la coquette somme de 1 million.

L'importance que le film revêt pour la chanteuse n'échappe pas à Rice. « Si ce projet échoue, elle risque de ne pas avoir de grand rôle avant longtemps », reconnaît-il. Le parolier anglais entreprend donc de défendre les couleurs de la belle dame en détresse. Ce n'est pas une sinécure. Son partenaire, Andrew Lloyd Weber – aujourd'hui lord Lloyd Weber –, ne veut pas entendre parler d'elle. « Il estimait qu'elle s'était montrée grossière avec lui. C'était un affrontement entre deux ego surdimensionnés, se souvient Rice. Il ne la croyait pas non plus capable de chanter les morceaux. Pour ma part, je pensais que ce n'était pas très important, même si finalement il a fallu descendre de quelques notes deux ou trois chansons, ce qui, bien sûr, diminuait d'autant leur qualité. »

La préférence du réalisateur et des producteurs va à Michelle Pfeiffer, bien que Madonna ait longuement expliqué à Parker qu'elle seule pouvait comprendre « la passion et la douleur » d'Eva Perón. Mais ses revers cinématographiques répétés ne parlent pas en sa faveur. En résumé, pour eux, Madonna équivaut à un flop annoncé. « Il se méfiait d'elle », explique Rice à propos d'Alan Parker. Il faut dire que le réalisateur cockney, un homme plutôt terre à terre, a dû lire avec stupéfaction les arguments avancés par Madonna, qui lui a confié dans sa lettre que, depuis des années, des diseuses de bonne aventure lui prédisent qu'elle incarnera Evita à l'écran. « Je peux affirmer sans mentir que ce n'est pas moi qui rédige cette lettre. C'est comme si une force guidait ma main sur la page », lui écrit-elle.

Si une force guide Madonna, elle s'appelle Rice. Malgré ses précédents malheureux, il l'estime idéale pour le rôle. Il est plaisant de penser que Madonna doit le renouveau de sa carrière à un membre du Parti conservateur amoureux du cricket, mais ce serait un peu exagéré... C'est avant tout l'état de santé de Michelle Pfeiffer qui sera déterminant. En effet, elle vient d'accoucher de son deuxième enfant et ne peut s'engager pour un tournage exigeant qui se déroulera en Argentine, en Angleterre et en Hongrie. Prudents, les producteurs du film se renseignent alors auprès de Penny Marshall, la réalisatrice d'*Une équipe hors du commun*, craignant que Madonna ne joue les divas. « Après tout, déclare Lloyd-Weber d'un ton précieux, il fallait prendre en compte le budget et un programme serré qui ne laissait aucune place aux crises de nerfs et aux caprices de star. » Penny Marshall la recommande chaleureusement. Il faut dire que son excellente interprétation et ses efforts pour maîtriser les subtilités du base-ball lui ont valu le respect de l'équipe. Néanmoins, Madonna se rend compte qu'on l'a choisie faute de mieux : « Je savais qu'on m'accordait à peine le bénéfice du doute. C'était une position inconfortable. J'avais l'impression que tout le monde attendait que je trébuche. »

Elle se lance dans le projet avec l'énergie et la passion qui la caractérisent, animée par la même soif de gloire qu'à l'époque de son premier rôle dans *A Certain Sacrifice*. Au cours des mois précédant le tournage, elle s'immerge dans la vie d'Eva Perón : elle regarde les actualités de l'époque, lit des biographies et apprend le tango. Après avoir passé des mois à travailler sa voix avec un grand professeur de chant, Joan Lader, elle s'envole pour Londres en octobre 1995. Là, elle enregistre la bande originale du film avec Jonathan Pryce, qui interprète le dictateur Juan Perón, et Antonio Banderas, dans le rôle de Che Guevara, le révolutionnaire cubain d'origine argentine et narrateur sardonique du film. Madonna, convaincue de son empathie avec le personnage, essaie de reproduire dans le studio l'atmosphère catholique pesante du pays de l'héroïne, baissant les lumières et allumant des bougies avant les enregistrements.

Elle s'identifie tellement à l'ancienne première dame argentine qu'elle persuade Parker de l'envoyer à Buenos Aires pour étudier in situ le mythe d'Eva Perón. Sur place, un journaliste argentin la présente à de vieux péronistes et à d'autres personnes qui ont connu Eva. Leur accueil n'est pas précisément chaleureux. Dès son arrivée, elle n'a pu manquer de constater les graffitis sur les murs : « VIVE ÉVITA, DEHORS MADONNA ». Devant son hôtel, des protestataires brûlent une affiche à son effigie. Ces réactions reflètent un sentiment très répandu en Argentine, pays conservateur, catholique, à la culture machiste très ancrée. Une partie de la population accepte mal qu'une chanteuse pop connue pour ses outrances interprète son héroïne. On frôle le sacrilège. Le président péroniste Carlos Menem déclare même sur la chaîne nationale que confier le rôle d'Eva Perón à une femme qui « personnifie la vulgarité » souille sa mémoire.

Madonna se concentre sur la mission qu'elle s'est fixé, tout en s'efforçant de jouer les ambassadrices officieuses du film. Elle espère notamment arracher au gouvernement récalcitrant l'autorisation de filmer à l'intérieur de bâtiments publics, en particulier dans la Casa Rosada, à Buenos Aires, d'où Evita s'adressait au peuple qui l'adulait. Selon la légende propagée par Madonna, voyant que les négociations s'embourbaient, elle aurait décidé de rendre personnellement visite au président Menem. Après un dîner pendant lequel il aurait passé son temps à la déshabiller des yeux, elle serait parvenue à obtenir l'autorisation de tourner grâce à son charme et à sa compréhension profonde du personnage d'Eva Perón. Comme souvent, la réalité s'avère plus prosaïque. Les producteurs du film, Alan Parker et des membres de l'ambassade britannique doivent effectivement rencontrer le président Menem et d'autres responsables du gouvernement à plusieurs reprises, mais les tractations ne portent pas tant sur l'autorisation de tournage en elle-même que sur son coût. En effet, le président, qui perdra les élections en 1999 et sera accusé de corruption, a la réputation de ne pas être homme à se contenter du sourire d'une jolie femme. D'ailleurs, Carlos Menem, qui est marié à une ancienne Miss Univers, infligera à la chanteuse un camouflet en déclarant plus tard : « Madonna n'est pas aussi sexy qu'elle le croit. Elle ne m'a ni fasciné ni même séduit. »

Que sa rencontre avec le président ait porté ou non ses fruits, Madonna s'identifie plus que jamais à Eva Perón. Bien avant le début du tournage, elle prend l'habitude de porter des lentilles de contact marron, de la couleur des yeux d'Evita, ainsi qu'un bridge en porcelaine pour dissimuler l'écart entre ses dents et une perruque. Elle s'inspire aussi de sa garde-robe, s'affublant tantôt de robes paysannes colorées, tantôt de tailleurs Dior « new-look » en vogue à la fin des années 40. Même les péronistes les plus hostiles sont sidérés par sa transformation. Son style, ses attitudes et sa démarche évoquent leur égérie de manière frappante. Madonna ne s'arrête pas là. Elle adopte également le régime alimentaire d'Eva Perón et va se recueillir sur sa tombe au célèbre cimetière de La Recoleta, à Buenos Aires.

Si on ne peut que saluer le travail accompli par Madonna pour ressembler à son modèle, une fois de plus, elle ne réussit à saisir sa personnalité qu'à travers le prisme de son propre caractère. Les parallèles existent : toutes deux sont chanteuses et possèdent une grande force de caractère qui leur a permis de se hisser au sommet. Mais ces similitudes ne suffisent pas à rendre l'interprétation de Madonna aussi convaincante qu'elle le voudrait. Néanmoins, rien ne la fera changer d'avis. Comme elle le note dans le journal « intime » qu'elle tient pour le magazine *Vanity Fair :* « Lorsque je parle d'Evita et de sa vie, c'est moi que je défends. »

Dans le film, Eva Perón sera donc définie par rapport à Madonna plus que par rapport à sa propre vie et à l'histoire de l'Argentine. D'ailleurs, lors de leur fameux dîner, au président Menem qui lui explique qu'il est de son devoir de protéger « sainte Evita », elle répond qu'elle le comprend parfaitement, car elle se sent investie de la même responsabilité envers ses fans. Ensuite, devant son interlocuteur médusé, elle compare sa vie à celle d'Evita qui, comme elle, était d'origine modeste, avait eu des grands chagrins et des déceptions, s'était servie de son charme pour atteindre son but et, pour finir, était devenue une femme influente. « En fin de compte, nous avons toutes les deux atteint nos objectifs pour nous-mêmes et pour les autres. Evita a aidé la classe ouvrière et les pauvres en leur offrant du travail et l'égalité des chances, tandis que j'ai donné aux femmes le courage de se libérer sexuellement. » Le plus étonnant n'est pas l'arrogance d'une telle remarque, mais le fait qu'elle souligne l'incapacité de Madonna à se rendre compte que le destin d'Eva Perón ne se résume pas à un simple désir un peu enfantin de choquer.

Néanmoins, on ne peut nier que Madonna se soit efforcée avec courage d'incarner Evita telle qu'elle l'imaginait.

Elle s'identifie tellement à son personnage que, lorsqu'elle entonne « Don't Cry for me Argentina », elle sent l'esprit d'Evita la pénétrer comme « un missile téléguidé ». « Elle me hante, elle me pousse à éprouver certains sentiments », dira-t-elle encore. Cette remarque est révélatrice, on sent en effet qu'on la doit moins à l'actrice qu'à la femme. En ce qui concerne la similarité de leur vie, une fois de plus, la vérité historique ne ressemble guère à sa vison romantique. A la différence de Madonna, issue de la classe moyenne et élevée dans un quartier blanc, Evita était la fille illégitime d'une servante. Elle vécut une enfance misérable à la campagne avant de gagner la capitale dans l'espoir d'y trouver du travail. Là, elle se prostitua et devint actrice à la radio jusqu'à sa rencontre et son mariage avec un politicien d'avenir, Juan Perón, élu président en 1946. Leur union n'était pas un mariage d'amour, mais d'intérêts communs. Ils formaient un couple de dirigeants idéal et la présence d'Evita à ses côtés renforçait le charisme de Juan Perón, un homme assoiffé de pouvoir. Grâce à son instinct politique aigu, Evita réussit à obtenir le soutien du peuple, en particulier des plus déshérités, tout en menant une vie luxueuse aux frais de l'État. Cependant, les millions que son mari et elle détournèrent ne lui furent d'aucun recours lorsqu'on lui annonça qu'elle souffrait d'un cancer des ovaires inopérable. Elle mourut à l'âge de trente-trois ans, en 1952. Il fallut attendre une décennie pour qu'un véritable culte se développe autour d'Evita. Ses œuvres charitables, son empathie avec les pauvres, son élégance et son style l'élevèrent au rang de sainte nationale. Comme certaines stars mortes jeunes, on la transforma en mythe.

Bien que Tim Rice et Andrew Lloyd Weber aient saisi l'ambiguïté de cet être charismatique, fascinant et assoiffé d'adulation populaire qui fit avant tout un mariage d'intérêt, *Evita* demeure une comédie musicale. Les auteurs ne prétendent pas avoir fait un documentaire et ne cachent pas avoir pris des libertés avec la vérité historique. Tandis que les autres acteurs principaux cherchent leur personnage dans les limites imposées par le genre, Madonna, incapable d'appréhender le rôle autrement qu'à travers sa propre psyché, taxe le scénario de misogyne, lui reprochant de peindre Evita sous les traits d'une femme qui use de ses charmes pour accéder au pouvoir. « C'est l'approche la plus simple et la plus prévisible : on traite une femme de prostituée et on insinue qu'elle n'a ni sens moral, ni intégrité, ni talent. Dieu sait que j'ai connu ça moi aussi. » Elle insiste aussi pour donner une image plus sympathique, plus douce, plus humaine et plus vulnérable de son personnage, autrement dit, d'elle-même.

Le différend atteint son paroxysme au sujet d'une des nouvelles chansons composées pour le film : « You Must Love Me ». Tim Rice a écrit quelques textes à la demande d'Alan Parker et de Lloyd Weber. En effet, ce dernier, qui à la différence de Rice n'a jamais obtenu d'Oscar, est conscient que seuls de nouveaux morceaux leur donneront une chance d'en remporter un. La chanson en question, qui survient à l'approche de la mort d'Evita, met à nu les ambitions personnelles du couple. Malgré l'imminence de sa mort, elle continue à comploter avec son mari pour redorer son image et assurer la pérennité de son nom. La chanson souligne la thèse centrale de la comédie musicale et du film : les Perón n'ont pas fait un mariage d'amour.

Les paroles de « You Must Love Me » déçoivent Madonna qui estime qu'elles ne rendent justice ni à son personnage ni à son mariage. Elle les modifie donc avant de donner sa version revue et corrigée à Alan Parker, qui la faxe à Rice. Ce dernier lui répond en quelques phrases acerbes qu'on a transformé sa chanson en « une ritournelle sentimentale et sirupeuse » avec « des paroles d'une banalité abyssale ». Pour une fois, Madonna bat en retraite, une décision d'autant plus judicieuse que cette chanson vaudra à Rice son troisième Oscar, le seul attribué au film. La chanson l'aurait-elle obtenu si Madonna avait pu procéder aux changements qu'elle souhaitait ? Cette question restera à jamais sans réponse.

Madonna a beau essayer d'adoucir l'image d'Evita, cette dernière était mue, comme la chanteuse, par une ambition démesurée et aspirait à l'adoration des foules. En outre, si Madonna ne peut ou ne veut reconnaître ce parallèle, les critiques ne manquent pas de le remarquer. « Seule la reconnaissance cinématographique lui manquait pour combler son immense désir d'adulation, désir qui était également le moteur d'Evita Perón, observe avec justesse le critique britannique Alexander Walker. Lorsque récemment elle *[Madonna]* affirmait qu'*Evita* était le premier film à sa mesure, en dépit de son orgueil, elle n'avait pas tort. »

Comble de l'ironie, si les deux femmes recherchaient l'adoration des masses, et l'ont obtenue, jamais Evita au cours de sa vie, ni Madonna à l'époque du film, n'avaient connu le véritable amour. Lorsqu'elle apprend pendant le tournage qu'elle est enceinte de onze semaines, elle accueille la nouvelle avec une joie mêlée de culpabilité, craignant que son état ne perturbe le tournage. En proie à des nausées constantes, fatiguée, souffrant de crampes d'estomac, elle se réjouit de la visite de Carlos Leon qui arrive de New York avec ses friandises préférées. Si les exigences du programme l'épuisent, les continuelles spéculations sur sa grossesse l'éprouvent tout autant, en particulier les ragots qui voudraient que Leon ne soit pour elle qu'un « donneur de sperme ».

Cependant, au fil des jours, Madonna s'éloigne d'Eva Perón pour se rapprocher du bébé qui grandit dans son ventre. Les changements dans son corps présagent de sa transformation émotionnelle et spirituelle. Et, à propos de cette autre elle-même qui a fait partie de sa vie pendant près de deux ans, elle décrète : « Evita était un être humain avec des espoirs, des rêves et des faiblesses. J'ai fait de mon mieux. Il est temps de passer au chapitre suivant. »

13

Lady Madonna

Pendant neuf jours et neuf nuits, ils torturèrent le prêtre jésuite. Ils le battirent, lui écrasèrent les jambes et lui plantèrent des aiguilles dans le corps pour l'empêcher de dormir. Cependant, d'après des témoins, son supplice arracha à peine un soupir à sir John Ogilvie qui s'obstinait à taire les noms de ceux qu'il avait convertis au catholicisme au cours des neufs mois passés en Écosse. Pendant l'enquête, « sa patience, son courage et sa gaieté forcèrent l'admiration de ses juges », en particulier de l'archevêque protestant Spottiswood. Néanmoins, malgré son stoïcisme, il fut condamné à mort pour avoir tenté de restaurer la foi catholique romaine en Écosse. On lui épargna cependant le billot et l'écartèlement. Le 10 mars 1615, il fut pendu à Glasgow, avant d'être enterré en hâte dans le cimetière de la cathédrale. Trois cents ans plus tard, le Vatican le canonisa, reconnaissant officiellement son martyre.

Aujourd'hui, un portrait austère de sir John Ogilvie dans sa soutane noire de jésuite, une auréole nimbant sa tête, est accroché dans un recoin de la cathédrale catholique d'Édimbourg, ignoré des visiteurs comme des fidèles. Pourtant, ce portrait anodin a un rapport avec la Madonna d'aujourd'hui. Une des descendantes du saint, Isabella Ogilvie, née en 1804, épousa un Écossais de Glasow, John Ritchie, arrière-arrière-grand-père du second époux de la chanteuse, Guy Ritchie. La femme qui s'est si souvent emportée contre l'Église catholique compte maintenant un saint dans sa famille. Le pèlerinage artistique et spirituel de Madonna l'a ramenée à ses racines, du Nouveau Monde à l'Ancien.

En nommant sa première fille Lourdes, elle revendiquait déjà ses origines catholiques et l'histoire de sa famille : des amis avaient visité ce lieu de pèlerinage pendant la maladie de sa mère pour demander à Dieu la rémission de son cancer. En outre, peu de temps après la naissance de sa fille, elle tenta en vain d'obtenir la bénédiction papale et décida de faire baptiser l'enfant dans une église catholique, indices supplémentaires qui soulignent la place essentielle que le catholicisme occupe dans sa psyché. La chanteuse qui a outragé le Vatican et frôlé l'excommunication avec le clip de « Like a Prayer », qualifié de sacrilège, joue maintenant le rôle de la fille prodigue. Plus encore, la rebelle s'est transformée en épouse et en mère conventionnelles. La jeune femme qui rabrouait Dan Gilroy s'il osait la traiter de « femme au foyer » semble aujourd'hui heureuse d'être la « bourgeoise » de son second époux, un cinéaste britannique issu de la classe moyenne, dont les films de gangsters à succès exhalent une violente homophobie. Non contente d'avoir opté pour un mariage traditionnel à l'église, à Londres, elle accompagne presque tous les dimanches son mari à la messe. La nouvelle Madonna ne rechigne pas à aider Guy à laver sa voiture le week-end, va faire ses courses au supermarché Tesco et se rend main dans la main avec son mari au pub du coin, le Windsor Castle, pour boire tranquillement une pinte de Guinness. Récemment, lors d'un passage à la télévision pour le moins étonnant, on a aperçu Madonna en tablier, un plumeau à la main, en train de faire le ménage à l'arrière-plan, tandis que Guy Ritchie répondait à une interview. A la fin de la scène, elle a susurré *God Save the Queen* avec son accent anglais distingué nouvellement acquis. D'ailleurs, on a souvent attribué sa décision de s'installer en Grande-Bretagne au désir de grimper un nouvel échelon social et de se rapprocher des têtes couronnées, ou plus simplement au désir de changer de vie et de tout recommencer ailleurs.

La sirène qui s'affichait autrefois en couverture de *Playboy* joue à la parfaite petite femme d'intérieur, vante les vertus d'une alimentation saine, et se veut une mère sévère, mais juste, qui interdit la télévision à ses enfants. Parfois, on croirait entendre son père lorsqu'elle dénonce les vices modernes : le sexe et la violence à la télévision, les fast-food et le laxisme. « Je suis beaucoup plus puritaine qu'on ne le croit », affirme-t-elle. Madonna, qui plus jeune s'insurgeait contre sa famille et tout ce qu'elle incarnait, s'est muée en mère et épouse dévouées. « C'est très amusant de voir que la rebelle veut maintenant être une mère catholique conventionnelle et stricte, commente Michael Musto de *Village Voice*. Le moteur des gens comme Madonna est le besoin d'être reconnu, loué et accepté. » Il semblerait que Madonna ait échangé son costume de Dita Parlo, la femme dominatrice d'*Erotica* et de *Sex*, contre le tablier désuet de « Mrs Ritchie » – le nom qu'elle désire maintenant qu'on lui donne. Après avoir utilisé le masque de Dita pour explorer les rives lointaines et sauvages d'une certaine sexualité, sans se reconnaître nécessairement dans ces valeurs, le rôle de « Mrs Ritchie » lui permet peut-être de goûter les joies du conformisme social, sans rien perdre de son chic révolutionnaire. Toujours aussi intrigante, elle laisse planer le doute sur l'identité de la véritable Madonna. Avec elle, les apparences se révèlent invariablement trompeuses. « Une partie de moi exècre l'idée même du mariage et d'une vie familiale traditionnelle, déclara-t-elle au présentateur Charlie Rose. L'autre partie y aspire. Je suis constamment en conflit avec moi-même, à cause de mon passé, de mon éducation et de mon parcours. »

« Je devais être folle », ironisa-t-elle en 1997 dans l'émission de son amie Rosie O'Donnell, en revoyant la séquence des premiers MTV Awards de 1984, où la chanteuse se tortillait sur le sol en robe de mariée. « Quand je pense que j'attachais mes cheveux avec une vieille paire de bas, c'est incroyable, non ? », ajouta-t-elle à la fin du clip. Vêtue d'un élégant pantalon, Madonna ricanait avec Rosie O'Donnell

et son public. Aurait-elle donc relégué ce moment déterminant pour sa carrière au rang de vulgaire « gaffe télévisée »,
abjurant le personnage qu'elle incarnait, sa musique et l'influence qu'elle a exercée en terme de style et de comporte-
ments sexuels sur toute une génération d'adolescentes ? Si
au fil des ans, elle s'est toujours démarquée de ses avatars
successifs, elle ne les avait pour autant jamais désavoués.

« Sur le plan émotionnel, je change et mes chansons le
reflètent », déclare-t-elle avec un haussement d'épaules. Le
clip de « Music », où elle quitte la ville en limousine avec
deux amies, se veut à la fois un hommage affectueux et un
adieu à son passé. Pour enfoncer le clou, une Madonna de
dessin animé donne un coup de pied dans un panneau
lumineux où l'on peut lire « Material Girl ». Par ailleurs, elle
tâte maintenant de genres musicaux et de styles qu'elle
méprisait autrefois. Après avoir défendu la cause des
homosexuels, des Noirs et des femmes, son album *Music,*
sorti en 2000, véhicule une imagerie folk et western, traditionnellement associée à cette culture raciste et sexiste
rurale qu'elle condamnait. « Si jamais je te vois un jour en
santiags et en jean, n'essaie même pas de m'approcher »,
lança-t-elle un jour à Jim Albright. Elle récidiva un peu plus
tard lorsqu'on la questionna sur son soi-disant béguin pour
l'acteur espagnol Antonio Banderas, déclarant qu'elle ne
pourrait jamais tomber amoureuse d'un homme qui portait
des bottes de cow-boy.

Sa reprise de « American Pie », le tube de 1972 de Don
McLean, où elle apparaît avec un diadème sur la tête et le
drapeau américain à l'arrière-plan, illustre parfaitement ses
aspirations : jouer avec la norme tout en respectant la tradition. L'Ouest qu'elle évoque dans le clip de « Don't Tell
Me », où elle marche sur une longue route poussiéreuse
dans un semi-désert, est romantique et conventionnel à
souhait : une frontière imaginaire entre la civilisation et la
nature, une terre de promesses et de liberté pour les fugi-
tifs. Le grand public adore. Longtemps négligée par l'establishment de l'industrie du disque, elle a reçu de multiples

récompenses au cours des cinq dernières années, dont un Golden Globe pour *Evita*, et plusieurs Grammy Awards pour ses albums *Ray of Light* et *Music*. Son désir d'être reconnue en tant qu'artiste, et en particulier comme actrice, semble s'être mué en désir de respectabilité. La publicité humoristique à laquelle elle a participé récemment obéit d'ailleurs à cette logique. Dans ce petit film, Madonna terrorisée fuit une horde de fans et de photographes à bord d'un bolide. La voiture en question n'est autre qu'une BMW, symbole de la réussite sociale pour la classe moyenne blanche. Madonna aurait reçu 1 million de livres sterling pour jouer dans ce spot tourné par son époux.

La métamorphose apparente qui transforme l'égérie féministe en mère traditionnelle débute pendant sa première grossesse. Si la mort de sa mère a profondément bouleversé sa conscience d'elle-même et sa position par rapport à son père, la famille, l'Église et la société en général, la naissance de Lourdes en 1996, puis de son fils Rocco en 2000, la font éclore. Son amour pour ses enfants l'a stabilisée. La femme seule, perdue et insatisfaite, qui surfait sur les dernières tendances culturelles, semble avoir enfin tracé une limite entre carrière et vie privée depuis qu'elle a assouvi son désir de recevoir et de donner un amour inconditionnel, cet amour que sa mère n'a pu lui offrir que brièvement. « Donner la vie et être responsable de cette vie est une situation nouvelle pour moi, je n'avais jamais rien connu de tel, déclare-t-elle peu après la naissance de Lourdes. J'ai l'impression de recommencer ma vie, d'une certaine manière. La naissance de ma fille a été une véritable renaissance pour moi. »

Les premiers signes de la métamorphose sont physiques. Les cheveux longs, drapée dans des robes orientales fluides, elle renonce à ses séances d'exercices quotidiennes de trois heures et offre ses machines de fitness à des organismes de charité pour se mettre au yoga ashtanga, sur les conseils de ses amis Sting et Trudi Styler. A New York,

Madonna et Ingrid Casares prennent incognito un cours dans Soho qu'elles paient 15 dollars la séance comme tout le monde. Lorsque Jim Albright se joint à elle le temps d'une séance, il remarque immédiatement les changements chez son ex-compagne. « Elle avait toujours eu un corps musclé, mais il était beaucoup plus dessiné. Son dos formait un V parfait. Elle avait acquis une souplesse incroyable », se souvient Albright.

Cependant, la transformation de Madonna ne s'arrête pas à son physique. La star toujours pressée à l'allure tapageuse a cédé la place à une femme plus calme, plus détendue, mieux dans sa peau. « Avant, je me faisais toujours remarquer, j'étais pour ainsi dire obscène. Aujourd'hui, je me sers du pouvoir du silence », dit la chanteuse qui a fini par accepter les différences entre son moi créatif et son moi privé.

Non seulement elle reconnaît la valeur du silence, mais le temps n'est plus son ennemi, alors que, longtemps, sa carrière a été une course contre la montre. Sans cesse entre deux voyages, deux rendez-vous, son emploi du temps rigoureux destiné à tenir ses peurs à distance était devenu une drogue dont elle ne pouvait plus se passer. « Je me suis sentie libérée le jour où j'ai compris que je n'avais pas besoin de tout contrôler », admet Madonna. La naissance de Lourdes-Lola y est pour beaucoup. Elle passe du temps à lire des histoires à sa fille ou à en inventer, joue avec elle, allongée par terre. « Elle s'efforce toujours de stimuler l'imagination de Lola. Elles peignent ensemble, jouent avec de la pâte à modeler », raconte son amie, la maquilleuse Laura Mercier. La maternité lui sied. La femme sereine qu'il rencontre après la naissance de sa fille séduit Jim Albright. « Madonna a beaucoup d'amour à donner, elle s'occupe donc bien de Lola. Lorsque j'étais avec elle, je l'ai vue heureuse, mais jamais autant qu'avec sa petite fille. Elle est amoureuse de cette enfant. »

Elle se découvre une autre passion : l'étude de la kabbale, un enseignement mystique juif, ou du moins sa version popularisée par un ancien courtier d'assurance, le rabbin Philip Berg. Elle commence à l'étudier pendant sa grossesse, auprès du rabbin Eitan Yardeni, à Los Angeles. Madonna, qui s'est toujours intéressée au mysticisme, a, au cours de sa vie consulté divers astrologues, étudié l'hindouisme, le bouddhisme et lu les textes spirituels que lui donnait son amie Jenny Shimizu. Son engouement pour le yoga est plus récent. Elle s'avoue séduite par l'humilité, la paix et la patience que prône cette discipline. A l'approche du nouveau millénaire, comme des millions de personnes, Madonna a ressenti un besoin de certitudes et cherché une explication à la vie. Attirée par la dimension ésotérique et mystérieuse du catholicisme, mais rejetant la culpabilité et l'expiation, elle trouve une réponse à ses interrogations dans la kabbale. Le phénomène touche nombre de ses amis d'Hollywood, notamment Barbra Streisand, Courtney Love, Elizabeth Taylor, Jeff Goldblum, et même Sandra Bernhard.

Bien sûr, d'aucuns soupçonnent Madonna de suivre la dernière mode et ne prennent pas plus au sérieux sa nouvelle marotte « tendance » qu'ils ne croyaient à son homosexualité ostentatoire. Cependant, elle est allée jusqu'à demander à son rabbin de lui indiquer le jour le plus approprié pour accoucher. Lorsqu'il lui a suggéré Rosh Chodesh, le jour de la nouvelle lune, elle s'est arrangée pour subir sa césarienne ce jour-là. Aujourd'hui, il lui arrive d'emmener sa fille aux réunions de la kabbale, où elle croise parfois Sandra Bernhard qui se dit plus tolérante et compatissante depuis qu'elle étudie les textes anciens. Ses nouvelles dispositions ne s'étendent cependant pas jusqu'à son ancienne amie : « Il y a eu récemment une réunion de la kabbale où Madonna était présente. Nous avons maintenu entre nous une distance de sécurité toute la soirée. »

En septembre 1997, Madonna organise une réception pour parler de la kabbale à d'éventuelles nouvelles recrues. La réunion se tient dans la cour du siège de Maverick, situé sur Beverly Boulevard, à Los Angeles. Tandis qu'une centaine d'invités boivent des cocktails en grignotant des spécialités juives, la chanteuse, qui porte un bracelet rouge pour éloigner le mauvais œil et proclamer son adhésion aux principes de l'amitié, de la spiritualité et du savoir, leur explique les conséquences profondes que l'étude des textes mystiques a eues sur sa vie. « J'ai l'impression que les enseignements de la kabbale concernent la vie moderne. Il s'agit de trouver Dieu en soi. » La kabbale – le mot vient d'un terme hébreu signifiant « tradition », venant lui-même de « recevoir » – consiste en une série d'écrits mystiques juifs transmis de génération en génération. Ils se fondent sur le *Zohar*, un texte publié au XIIIe siècle qui propose une interprétation de l'Ancien Testament. Ce livre, longtemps l'apanage des juifs ultra-orthodoxes, explique le lien entre l'individu, Dieu et l'univers, insistant sur le besoin de paix et l'harmonie entre le physique et le spirituel.

Lorsque je lui ai écrit à propos de mon projet de biographie, elle m'a envoyé un exemplaire de *Power of Kabbalah*, du rabbin Yehuda Berg, expliquant dans sa lettre combien cette source de sagesse l'avait touchée. Comme le portrait de sir John Ogilvie, ces quelques lignes recèlent un indice qui aide à décrypter cette artiste complexe, désireuse de maîtriser son image. Le message sous-jacent est simple : elle a changé et veut faire oublier son personnage polémique.

Devant des biscuits casher, un rabbin new-yorkais qui enseigne la kabbale m'a expliqué certains des principes fondamentaux qui permettent de comprendre pourquoi cet enseignement exerce une telle fascination sur Madonna. La kabbale donne une explication raisonnée, un contexte métaphysique justifiant les valeurs et les croyances qui l'ont mue jusque-là, autrement dit le texte prêche les vertus du travail, de la maîtrise de soi et d'une utilisation rationnelle du temps. La kabbale apprend à contrôler les événements plutôt qu'à réagir, et démontre qu'on ne peut apprécier que ce que l'on obtient grâce à l'effort. Par ailleurs, on peut enrichir son esprit en utilisant le temps de manière productive. Ainsi quelques années peuvent contenir l'expérience de toute une vie. Au cœur de cet enseignement, on retrouve le passage du physique au spirituel et, dans le cas de Madonna, de la *material girl* à la mère éthérée.

D'un point de vue artistique, cette évolution trouve sa pleine expression dans l'album *Ray of Light*, sorti en 1998. A l'intérieur, la chanteuse remercie le rabbin Yardeni pour son apport créatif et spirituel. Avec « Veronica Electronica », son nouvel avatar mystique, Madonna semble avoir décrit un cercle complet sur le plan artistique. Dans cet album de recherche spirituelle, salué comme « son œuvre la plus radicale, un disque sans fard », on trouve un écho de ses premiers textes primitifs et écorchés, écrits il y a vingt ans dans le sous-sol de l'ancienne synagogue de Dan Gilroy. Elle y chante sa joie devant la naissance de sa fille, l'héritage de sa mère et les périls de la célébrité avec sincérité et maturité. *Ray of Light* se présente comme l'aboutissement d'un long voyage intérieur. Des textes sur la rançon de la gloire s'accompagnent de réflexions sur la mort de sa mère, des lignes rédigées lors d'une visite chez son père. La présence insistante de la pourriture reflète ses cauchemars fréquents et un sentiment de perte infini, des thèmes récurrents dans ses chansons.

Après « Dita Parlo », cette dernière incarnation révèle une Madonna plus éducatrice, une mère nourricière plus qu'une diva. Mais les vieilles habitudes ont la vie dure. Lorsqu'elle travaille avec quelqu'un, elle reste celle qui tient le fouet. Quand le producteur de l'album, William Orbit, se présente à sa porte, trempé par l'orage, un sac plastique rempli de cassettes à la main, c'est le début d'une collaboration crispée mais créative de quatorze semaines, qui débouchera sur l'album *Ray of Light*. Ce producteur originaire de Londres, qui a travaillé avec Belinda Carlisle et Seal, est réputé pour son génie brouillon. Ses méthodes de travail ne peuvent que mettre à rude épreuve la patience de Madonna qui admet : « Je suis quelqu'un de très organisé, de très méthodique, et il avait tendance à se laisser distraire. Puis nous nous sommes habitués à nos rythmes respectifs. J'ai appris à être plus ouverte et moins dictatoriale. » Malgré l'exigence de Madonna et son souci maniaque du détail, ils resteront amis. « Madonna veut mettre son nez partout. C'était difficile pour moi car, d'habitude, je tiens les artistes à distance », déclara Orbit de son côté.

Durant sa phase « Veronica Electronica », la philosophie qui a présidé à la naissance de Maverick, former et aider de nouveaux talents, devient plus flagrante. Elle choisit des œuvres parce qu'elles lui parlent de sa propre vie autant que pour leur valeur intrinsèque. C'est le cas du premier roman de Jennifer Belle qu'elle a tiré de l'obscurité[1]. Le livre raconte l'histoire d'une jeune fille qui fait des passes et travaille dans un salon de thé new-yorkais pour payer ses études. Comme par hasard, elle a un père distant et une relation difficile avec sa belle-mère. Madonna, qui a travaillé avec l'auteur pour en faire un scénario, s'est révélée une partenaire imaginative, traitant la romancière en égale : « Elle me demandait toujours mon avis », se souvient Jennifer Belle. Madonna contacte également Kristin McCloy pour adapter au cinéma son roman *L'Été électrique*. Le livre raconte le parcours d'une jeune femme dont la mère meurt et qui essaie de reconstruire une relation rompue avec son père. « C'est ma vie, observe Madonna. En pleine tragédie, la jeune femme tombe amoureuse de la personne qu'il ne faut pas. Je peux m'identifier à ce personnage. » Malheureusement, le projet est pour l'instant, suite à un litige, en stand-by. Pendant quelque temps, elle envisage également d'adapter la comédie musicale *Chicago*, avec Goldie Hawn, se flattant de pouvoir en danser les pas les yeux fermés. Finalement, elle s'arrête sur le scénario d'un jeune écrivain. *Un couple presque parfait* met en scène une femme qui, à l'approche de la quarantaine, tombe enceinte par accident de son meilleur ami homosexuel. Le couple improbable décide d'élever l'enfant ensemble. Outre la possibilité de travailler avec l'acteur britannique Rupert Everett, qui a le vent en poupe depuis *Le Mariage de ma meilleure amie* avec Julia Roberts, ce film lui offre un rôle qui lui ressemble. Par

---

1. *Descente en enfer*, Jennifer Belle, L'Archipel, 1999.

ailleurs, il explore un sujet central pour elle : les relations entre les sexes dans le monde d'aujourd'hui.

Un couple presque parfait s'annonce sous d'heureux auspices cependant, comme dans *Shanghai Surprise,* les déconvenues s'accumulent peu après le début du tournage, en 1999. A l'instar de Sean Penn, Everett se montre détendu et à l'aise devant la caméra. Tellement à l'aise qu'il entreprend de récrire l'essentiel du scénario et finira par entamer une action en justice pour que sa participation figure au générique. Si l'on excepte la comédie musicale *Evita,* Madonna n'a pas tourné depuis *Snake Eyes,* sept ans plus tôt. Malgré son manque d'expérience récente, elle ne doute pas un instant d'elle-même. En revanche, elle remet sans cesse en question le jugement et la direction de John Schlesinger, un réalisateur pourtant confirmé. Leurs algarades deviennent bientôt célèbres au-delà des limites du plateau. En fin de compte, l'obstination de Madonna a raison de l'opinion de Schlesinger. Elle remodèle son personnage, à l'origine une femme maître nageur, pour en faire une monitrice de yoga californienne férue d'orientalisme qui affecte un accent britannique aussi déroutant que peu convaincant. Elle s'entraîne auprès de son propre professeur de yoga, s'improvisant assistante pendant ses cours pour se mettre dans la peau de son personnage. C'est précisément ce que le réalisateur de *Macadam Cow-Boy* souhaitait éviter. A propos de son actrice principale, il observe : « Madonna aime créer des personnages dotés d'une image très forte, et je voulais l'adoucir dans ce film. Je voulais que les gens oublient Madonna. » Sourde à l'avis de Schlesinger qui, comble de malchance, tombe gravement malade à la fin du tournage, Madonna joue à être elle-même. Une fois de plus, sa confiance en elle et sa volonté inflexible – les qualités qui l'ont hissée au sommet – sapent son jeu d'actrice. A sa sortie aux États-Unis, en 2000, *Un couple presque parfait* ne remporte qu'un succès modeste. « Elle est raide, dépourvue de naturel. C'est pénible à regarder, car il semble évident qu'elle fait de son mieux », clame la critique de cinéma Stephanie Zacharek, pourtant l'une des moins dures envers le film.

Madonna accueille les reproches avec stoïcisme mais, en privé, elle s'avoue profondément blessée, d'autant que le film peut se targuer d'une distribution solide, d'un réalisateur expérimenté et d'un sujet fort. Paradoxalement, les critiques confirment une croyance solidement ancrée en elle : collaborer avec un metteur en scène est une idée séduisante mais contraignante. Elle ne pourra s'exprimer pleinement devant une caméra que si elle contrôle tout. Au cours des deux années suivantes, Madonna réfléchit, hésitant entre un film qui raconterait la vie d'un de ses peintres préférés, la féministe mexicaine Frida Kahlo, morte en 1954 à l'âge de quarante-sept ans, et une adaptation du best-seller d'Arthur Golden, *Geisha*. Elle parle également de réaliser un film elle-même. Être productrice, réalisatrice et actrice lui permettrait de maîtriser tous les aspects d'une œuvre, mais reste à savoir si cela suffirait à faire d'elle une meilleure actrice ou, tout au moins, une actrice mieux considérée.

Nulle part la tension entre travail d'équipe et dictature, collaboration et autorité, ou encore entre « Veronica » et « Dita », n'apparaît plus flagrante que dans l'empire Maverick. La conjonction de son sens des affaires aigu et de son esprit créatif a valu à Madonna deux de ses plus gros contrats au milieu des années 90 : la chanteuse canadienne Alanis Morissette et le groupe britannique Prodigy. Guidée par son instinct maternel, elle les a accueillis en personne à l'aéroport de New York avant de leur faire découvrir les discothèques et les bars de la ville. Elle se sentait particulièrement proche de la jeune chanteuse canadienne, dont l'esprit rebelle l'a séduite. « On a passé quelques soirées entre filles », se souvient Alanis Morissette avec chaleur, mais sans donner de détails. De leur côté, les cadres de la maison de disques du groupe Prodigy s'avouent impressionnés. « Elle a assisté à une réunion, raconte Richard Russel. Elle a été parfaite. Bien sûr, elle s'intéressait à Prodigy parce qu'elle voulait le presser pour en tirer le maximum, mais elle nous a aussi interrogés sur les motivations artistiques du groupe. Elle posait des questions intelligentes, différentes de celles que posent habituellement les responsables des autres labels. » A la suite de ces contrats, Madonna étendra son empire avec éclectisme, investissant dans un studio d'enregistrement asiatique, lançant un label latino, signant un chanteur suédois et un groupe mexicain. Le charme de Madonna n'opère cependant pas sur tout le monde. Ainsi, elle laisse échapper l'Islandaise Björk et Courtney Love.

Pendant quelque temps, l'incroyable succès du premier album d'Alanis Morissette, *Jagged Little Pill*, sorti en 1995 et vendu à vingt-cinq millions d'exemplaires dans le monde, masque les tensions sous-jacentes au sein de la compagnie. En privé, Madonna se plaint de plus en plus de son manager Freddy DeMann qui, selon elle, se soucie moins de son bien-être que de l'envoyer en tournée pour un maximum de bénéfices. Son mécontentement s'est manifesté pour la première fois en 1992, avant la parution de *Sex*, lorsque DeMann lui a demandé de faire une tournée après l'album *Erotica*. Suite à cet incident, les accrochages se sont multipliés. Peut-être d'autres forces sont-elles à l'œuvre. C'est une histoire veille comme le rock'n roll : la chanteuse persuadée de pouvoir se passer de son agent se dit qu'elle ferait mieux de garder pour elle le pourcentage qu'elle lui verse.

En 1998, après des années de collaboration, elle se sépare de DeMann, qui selon la rumeur serait parti avec un pactole de 25 millions de dollars. Ces ruptures sont courantes dans l'industrie du disque. Les Beatles comme les Rolling Stones ont fini par gérer leurs affaires eux-mêmes, avec un succès mitigé. « Les artistes ne sont personne lorsqu'ils commencent, puis ils deviennent quelqu'un et ils pensent pouvoir tout faire seuls », commente Bert Padell, qui a subi le même sort que DeMann un an plus tôt, après avoir géré les affaires de Madonna pendant quatorze ans. Ainsi, le 1er juillet 1997, il reçut un coup de fil de la secrétaire – et futur manager – de Madonna, Caresse Henry-Norman, qui lui a annoncé que la chanteuse se passerait désormais de ses services. Cette dernière refusant de prendre ses appels, Padell a pleuré sa perte dans un poème intitulé *Time for a Change* – « Le temps du changement ». Mais, pour Madonna, les affaires sont les affaires. Le grand patron de Maverick renforce sa mainmise sur la société. Coïncidence ou conséquence, peu de temps après que le capitaine a jeté les timoniers à la mer, son bateau commence à prendre l'eau. Il demeure indéniable qu'après une dizaine d'années d'existence Madonna reste la principale instigatrice du succès de Maverick, phénomène que soulignera le succès du Drowned World Tour, en 2001. Mais la société a enregistré des pertes de plus de 60 millions de dollars au cours des deux années précédentes. Aussi, les têtes tombent. Le dirigeant de la maison de disques et plusieurs autres cadres quittent la société.

Après le départ de la vieille garde, Madonna se retrouve entourée de béni-oui-oui disposés à exécuter ses quatre volontés et incapables de remettre en question son autorité. Au moment de la ruée sur Internet, tandis que chanteurs et sportifs empochent des millions, Madonna tergiverse devant ce nouveau médium. « Britney Spears et les autres ont envahi Internet, alors que Madonna a mis du temps à se décider », observe Bert Padell. En fin de compte, elle se rattrapera largement en signant un contrat historique avec le géant du software Microsoft pour diffuser en direct sur le Net son concert au Brixton Academy de Londres, en 2000.

En octobre 1999, Jim Albright, qui travaille désormais sur Internet, lui rend visite dans son appartement new-yorkais pour le troisième anniversaire de Lola. Il désire également lui présenter un projet. Outre Madonna, assistent à l'entrevue son nouveau manager, Caresse Henry-Norman, et quelques conseillers. Mais l'intérêt de cette rencontre ne réside pas tant dans la proposition d'Albright que dans la présence de deux autres invités : Carlos Leon et un réalisateur anglais du nom de Guy Ritchie. Rétrospectivement, ce tableau pourrait former le sujet d'une version contemporaine d'une peinture de la Renaissance : la Madone, l'enfant et un triumvirat de pères, celui qui a failli l'être, celui qui l'a été et celui qui le sera. La dimension symbolique de cette scène réunissant trois figures importantes de la longue quête amoureuse de Madonna échappe cependant aux protagonistes, incapables d'entrevoir l'avenir.

Pendant quelques semaines, la naissance de Lola camoufle les fissures qui sont apparues entre Madonna et son compagnon cubain. Ainsi qu'elle l'a confié à Albright, elle s'interroge sur leur relation depuis quelque temps déjà. Cependant, au cours de sa grossesse, les exigences du tournage d'*Evita*, la solitude de la vie à l'hôtel et les changements dans son corps l'affectent. Aussi, lorsque Carlos Leon et Ingrid Casares viennent la rejoindre, les accueille-t-elle avec joie. Quand il n'est pas là, Madonna, qui se sent laide et vulnérable, l'appelle sans cesse, inquiète à l'idée que son séduisant petit ami rencontre quelqu'un d'autre. Sa jalousie obsessionnelle ajoute un obstacle supplémentaire à ceux, déjà nombreux, qui guettent le futur père de l'enfant de l'une des femmes les plus célèbres du monde.

Cependant, les désagréments de sa grossesse – elle est toujours fatiguée et souvent malade, ce qui ne lui ressemble guère – s'évanouissent à la naissance de Lola. Madonna et Carlos contemplent leur petite fille avec ravissement, tandis que leur appartement de New York ne désemplit pas. Un cortège de visiteurs chargés de présents défile devant le berceau. Al Pacino lui apporte trois ours en peluche, les Versace envoient une couverture matelassée piquée à la main, les stylistes italiens Domenico Dolce et Stefano Gabbana des vêtements pour bébé, Christopher, le frère de Madonna et le parrain de l'enfant, lui offre un bracelet. A une fête organisée par Rosie O'Donnell en l'honneur de la petite fille, amis et relations font pleuvoir sur elle une cascade de vêtements et de bijoux en argent, dont une croix. De leur côté, ses fans lui envoient une telle quantité de fleurs, d'habits et de jouets que les employés de Madonna sont contraints de louer une camionnette pour les porter à une organisation caritative.

Déterminés à ne laisser aucun photographe empocher les 350 000 dollars promis par les journaux populaires pour le premier cliché de Madonna avec son bébé, la petite famille se terre dans l'appartement. Un paparazzi entreprenant se cache en vain dans une benne à ordure de chantier devant l'immeuble. Ils embauchent une nurse, mais Carlos préfère coucher l'enfant lui-même et ils placent une paire de rocking-chairs assortis dans la chambre de Lola pour la veiller.

Leur félicité familiale est cependant éphémère. Madonna doit bientôt faire face à ses obligations. En décembre 1996, à la sortie d'*Evita*, elle donne une succession d'interviews télévisées, ne s'interrompant que pour nourrir Lola. « J'ai été incroyablement gâtée par la vie cette année », déclare-t-elle en public, lorsqu'en janvier 1997 elle reçoit le Golden Globe Award de la meilleure actrice de comédie musicale. Radieuse aux côtés de Carlos, elle donne l'image d'une star et d'une mère comblées. « C'était une soirée très joyeuse », se souvient Tim Rice qui se trouvait à sa table. Néanmoins, ce bonheur ne durera guère plus que le paisible interlude domestique.

Dès que Madonna et Carlos ont le temps de souffler un peu, ils se rendent compte que, plus amis qu'amoureux, ils ne sont pas faits pour vivre ensemble. Le malaise dans leur relation est exacerbé par un différend au sujet de la carrière de Carlos. Mal à l'aise dans son rôle de énième « Mr Madonna », et blessé par les piques des médias qui insinuent que son rôle se bornerait à celui de géniteur, il estime par ailleurs qu'elle pourrait lui donner un coup de pouce pour le propulser dans le monde du cinéma et de la mode. Jusque-là, il n'a obtenu que quelques petits rôles, notamment dans *The Big Lebowski*. Madonna, elle, souhaiterait qu'il se débrouille seul, comme elle avant lui.

L'attitude du chihuahua offert par Carlos symbolise la fracture croissante au sein de leur couple. Jaloux de Lola, le chien pisse sur les tapis, déchiquète chaussures et pantoufles, s'attaquant même au couvre-lit de Madonna, et grogne après tous ceux qui portent sur eux l'odeur du bébé. Plusieurs visites chez un célèbre psychiatre pour animaux, Shelby Marlow, ne soignent pas la jalousie du chien. Inquiet pour le bébé, le couple se résout à donner l'animal. Se défaire de leur « premier enfant » est une décision douloureuse, un échec qui anticipe leur propre rupture. En mai 1997, sept mois après la naissance de Lola, Carlos et Madonna se séparent.

« C'était une relation sincère, affirme Rosie O'Donnell. Ils ont fait un gros effort pour rester ensemble. » Madonna garde l'enfant ; toutefois Carlos, en adoration devant sa fille, leur rendra visite régulièrement. La jalousie semble avoir été un élément omniprésent dans leur relation. En effet, au comportement du chien répondaient les doutes de Carlos, incertain de l'amour de Madonna. Un jour, on aurait vu l'ombrageux Cubain rôder autour d'un restaurant de New York, épiant son amie qui allait dîner avec Rosie O'Donnell. Lorsqu'un employé vint l'inviter à se joindre à elles, il déclina la proposition et rentra passer la nuit chez lui, peut-être rendu soupçonneux par un Post-it jaune collé sur le tableau de bord de la Lincoln de Madonna. On ne pouvait y lire que deux mots : « Appeler Birdy. »

Andrew F. Bird, un aspirant scénariste, succède effectivement à Carlos Leon. Ce jeune Anglais, qui se contorsionne pour adopter des positions impossibles au cours de ses séances de yoga quotidiennes, a tout pour séduire la nouvelle Madonna, maternelle et mystique. Efflanqué, les cheveux longs, il se nourrit d'études sur l'hindouisme, le bouddhisme et autres philosophies orientales. Ami d'Alek Keshishian, le réalisateur de *In Bed with Madonna*, Bird rencontre la chanteuse par l'intermédiaire d'Alek, à une époque où il cherche à vendre un scénario sur des gangsters anglais. Selon les témoins, le courant passe instantanément entre eux. En l'espace de quelques semaines, Bird, le rejeton sans le sou d'un comptable des Midlands, habitué à dormir sur le canapé de tel ou tel ami, se retrouve douillettement installé chez elle, à Los Angeles, pendant qu'elle enregistre *Ray of Light*. Son nom apparaît d'ailleurs dans la liste des remerciements, à côté de celui du rabbin Eitan Yardeni.

Tandis que Bird occupe une place croissante dans sa vie, le look de Madonna, que d'aucuns qualifieraient de hippie malgré sa préférence pour l'adjectif « préraphaélite », se calque sur la dégaine « grunge » de l'apprenti scénariste, toujours en noir, une Gitane au coin des lèvres. Si le nouveau style de Madonna déroute ses proches, son mode de vie les laisse carrément sans voix. Elle semble être revenue en arrière, à une période antérieure de sa vie. Ainsi, en 1997, lorsqu'elle se rend à Londres, elle vit modestement dans une maison louée, dans une rue bruyante de Chelsea, et suit des cours de yoga dans un centre new age du voisinage. Elle chasse souvent les fans massés devant la maison, s'énervant parce qu'ils empêchent sa fille de dormir. Lorsqu'elle sort pour travailler, Bird reste à la maison avec Lola, et se penche de temps en temps par la fenêtre ouverte pour griller une cigarette en douce, inquiet à l'idée de se faire attraper par Madonna à qui il a promis de ne pas fumer près du bébé.

Lorsque Bird la présente à ses parents, dans le Warwickshire, ceux-ci sont séduits d'emblée par la petite amie de leur fils, malgré les douze ans qui les séparent. Quant aux amis respectifs de Madonna et Andrew Bird, ils observent la situation mi-amusés mi-ébahis. Le jeune homme lui-même n'en revient pas. Cependant, pour ceux qui connaissent bien la chanteuse, les événements suivent un schéma devenu récurrent dans sa vie. Toujours désireuse de tomber amoureuse, elle a du mal à le rester. Souvent, ce monstre sacré, incarnation de la force et de la maîtrise au féminin, a été trahi par la fragilité de son cœur trop humain. La jeune femme, qui reconnaît tomber amoureuse facilement, peut-être trop, a tendance à materner, voire à étouffer l'objet de son désir. A l'instar du jeune mannequin Tony Ward, Bird stimule l'instinct maternel de Madonna. Elle lui achète une nouvelle garde-robe et le promène dans le monde entier. En août 1998, le jour où elle célèbre son anniversaire, l'écrivain au chômage se trouve à ses côtés.

En même temps, comme ce fut le cas avec de Jim Albright, elle voudrait que Bird mène une vie indépendante, aussi lui donne-t-elle de l'argent pour louer un appartement à Los Angeles. Mais sa jalousie reprend vite le dessus, et elle l'appelle sans cesse, inquiète à l'idée qu'il puisse voir une autre femme. Son attitude instaure rapidement une atmosphère de méfiance pesante au sein de leur relation, et bientôt Bird décide de retourner vivre à Londres où il accepte un modeste emploi de portier au Met Bar, un lieu branché de la capitale anglaise. Sa situation n'est certes pas reluisante mais au moins échappe-t-il à la surveillance constante de Madonna. Souvent, il refuse de prendre ses appels. On raconte même qu'un jour elle aurait téléphoné à sa salle de sports à Londres, se faisant passer pour sa mère. Mais il ne se montre pas toujours aussi distant. Lorsqu'elle vient passer quelque temps à Londres, en 1998, Bird lui rend visite à son hôtel, le Claridge's, au petit matin. A propos de sa liaison avec Madonna, il reconnaîtra plus tard qu'ils se sentaient liés par un « amour mutuel profond », et qu'il leur a fallu l'un et l'autre « souvent ravaler leur fierté ».

Alors que leur couple bat de l'aile, Madonna découvre qu'elle est enceinte. Bien qu'elle affirme vouloir d'autres enfants, elle souhaite avant tout une relation stable. Quelque temps plus tard, la presse se divisera entre ceux qui prétendront qu'elle a décidé de subir un avortement et ceux qui soutiendront qu'une fausse couche au début de sa grossesse lui a épargné de prendre une telle décision. Quelle que soit la vérité, elle avoue avec franchise à l'écrivain Alan Jackson son resentiment à l'égard de ses avortements : « On a toujours des regrets lorsque l'on prend ce genre de décision, mais j'ai dû regarder les choses en face et me demander si la vie que je menais à ce moment-là me permettrait d'être la mère attentionnée que je souhaitais être. Personne ne veut faire d'erreur dans ce rôle, et j'imagine que nous sommes nombreux à réfléchir à la manière dont nos parents nous ont élevés et à penser que nous voulons agir différemment. Il faut être prêt psychologiquement. Sinon vous rendez un mauvais service à l'enfant. »

Pendant quelque temps, Bird et Madonna continuent à se voir occasionnellement et entretiennent une relation par téléphone interposé. Elle reconnaît même qu'il lui a inspiré une chanson, « Beautiful Stranger ». Les paroles lui vaudront le Grammy Award de la meilleure chanson écrite pour un film, en l'occurrence *Austin Powers : l'espion qui m'a tirée*. Mais lorsqu'elle reçoit la récompense, en 2000, Andy Bird appartient depuis longtemps à son passé. Leur liaison a suivi un tour familier pour ceux qui connaissent bien Madonna. La blessure psychologique laissée par la mort de sa mère a créé chez elle une dynamique émotionnelle désespérée, qui allie un besoin d'amour inextinguible à un refus de s'engager, par peur d'être blessée. Consciemment et inconsciemment, son attitude repousse ceux qu'elle aime. Elle se sert ensuite de leur surprise, de leur colère et de leur frustration comme d'une excuse pour les quitter. Ses proches, qui connaissent une Madonna très différente de son image de puissante déesse du sexe, sont condamnés à observer les tourments amoureux de la chanteuse, aussi impuissants que s'ils assistaient à un accident de voiture. Il n'est donc pas impossible que Trudi Styler ait une idée derrière la tête lorsqu'en 1998 elle invite Madonna dans le Wiltshire, à Lake House, le manoir classé où elle vit avec son mari Sting. Mais si un homme occupe les pensées de Madonna ce jour-là, c'est Tony Ciccone. En plein milieu du déjeuner dominical, elle l'appelle dans le Michigan pour lui souhaiter une bonne fête des Pères. Ses hôtes ne s'en offusquent pas. Depuis son arrivée en Angleterre, Lake House est devenu la résidence secondaire de Madonna, qui n'hésite pas à faire faire le tour du propriétaire aux autres visiteurs, leur montrant les tapisseries vieilles de quatre cents ans ou l'impressionnant studio d'enregistrement de Sting. Vivant tous deux entre Londres et New York, Madonna et lui ont de nombreux amis communs. Ils partagent même leurs employés de maison par souci d'économie et divisent les frais d'avion pour faire venir leur professeur de yoga new-yorkais en Angleterre, bien que Madonna, réticente, se plaigne de le payer à ne rien faire. A New York, ils mangent souvent ensemble et visitent des galeries d'art avec leurs enfants. La chanteuse a même passé des vacances avec la famille de Sting, qui possède une résidence aux environs de Florence, en Italie. Par ailleurs, lorsqu'en 2000 Madonna décidera de s'installer définitivement à Londres, Trudi Styler jouera les introductrices, organisant des réceptions pour qu'elle rencontre le cercle artistique londonien. C'est ainsi qu'elle se liera d'amitié avec Stella McCartney, fille de Paul McCartney. De plus, Trudi Styler recommandera à Madonna plusieurs maisons en vente dans le nord de Londres et le Wiltshire, mais, effarée par les prix, elle laissera passer plusieurs propriétés magnifiques.

Cependant, au cours de ce déjeuner estival, on parle surtout affaires. Tandis que le majordome sert les invités, la conversation roule sur un long-métrage indépendant coproduit et partiellement financé par Trudi Styler. *Arnaques, crimes et botanique* est une histoire violente, avec à la clé gangsters, jeu et marijuana volée, dont le rythme trépidant rappelle celui d'un clip. Le réalisateur Guy Ritchie, assis à côté de Madonna, et son producteur Matthew Vaughn, fils de l'acteur Robert Vaughn, cherchent une maison de disques pour produire et distribuer la bande originale. Maverick serait-il intéressé ? Madonna est enthousiasmée, pas seulement par le film mais aussi par son réalisateur. Elle ressent une intuition identique à celle éprouvée sur le tournage du clip de « Material Girl », lorsqu'en apercevant Sean Penn elle avait pressenti leur mariage. « J'ai eu une prémonition, j'ai vu mon avenir se dérouler en accéléré devant moi », se souvient-elle. Le moins que l'on puisse dire, c'est que le jeune homme lui fait de l'effet : « Ma tête ne se contentait pas de tourner, elle tourbillonnait. J'étais impressionnée par sa confiance en lui. Il ne manquait pas de culot, mais savait ce qu'il faisait. »

Bien qu'il ait sept ans de moins que Sean Penn et vive sur un autre continent, Madonna a trouvé en Guy Ritchie un autre « cow-boy poète » qui lui rappelle son premier mari. De son côté, le réalisateur a gardé une image moins romantique de cette première rencontre. Dans son souvenir, le charme de la chanteuse aurait surtout opéré sur Vaughn. Pourtant, un peu plus de deux ans et un petit garçon plus tard, ils se marieront à l'église, selon le désir de Madonna.

Cependant, le seul bébé qui préoccupe Ritchie ce jour-là est son film enfin réalisé, après des années passées à l'écrire et à réunir les fonds nécessaires. Désireux de se faire un nom, il met tous ses espoirs sur ce long-métrage. La rencontre avec Madonna s'annonce fructueuse sur le plan des affaires, puisqu'elle propose au jeune homme et à son producteur de venir à Los Angeles pour discuter d'un éventuel contrat avec les responsables de Maverick Records, même si, finalement, ils signeront chez Island Records. Sur le plan amoureux, il faudra attendre – mais pas très longtemps. Pour l'instant, ils ont tous les deux quelqu'un d'autre dans leur vie : Madonna voit encore Andy Bird ; quant à Guy Ritchie, il sort avec Rebecca Green – fille d'un ponte de la télévision –, puis nouera une relation avec la présentatrice Tania Strecker. A l'époque, il se sent d'autant plus lié à Rebecca Green qu'elle l'a aidé à produire son premier film, un court métrage intitulé *Hard Case*, et a persuadé sa mère et son beau-père d'investir dans *Arnaques, crimes et botanique*.

Au premier abord, rien ne prédisposait Ritchie à devenir réalisateur : né à Hatfield, dans le Herfordshire, en 1968, il grandit dans une famille bourgeoise appartenant à la *gentry* écossaise depuis le XIIᵉ siècle et dotée d'une fière tradition militaire. Fasciné depuis son plus jeune âge par les armes, les histoires d'aventure, les jeux au grand air et par tout ce qui touche à l'armée, on s'attendait à ce qu'il choisisse la carrière militaire et rejoigne les Seaforth Highlanders, le régiment dans lequel sa famille servait depuis plusieurs générations. Son arrière-grand-père, sir William Ritchie, était général de division dans l'artillerie, en Inde. Son grand-père, « Jack » Ritchie Stewart, chef de bataillon dans les Seaforths, fut décoré à titre posthume, après avoir été tué en défendant les troupes britanniques lors de l'évacuation de Dunkerque en 1940. Son père, John, reprend le flambeau, il est nommé officier le même jour et dans le même régiment que James Murray Grant, le père de l'acteur Hugh Grant. Lorsqu'il a fait son temps, et après avoir courtisé nombre de séduisantes jeunes femmes, John Ritchie épouse un mannequin, Amber, et se lance dans la publicité, se chargeant notamment de la campagne pour les cigares Hamlet, célèbre outre-Manche. Lorsque ses parents divorcent, Guy a cinq ans. Sa mère épouse en secondes noces sir Michael Leighton, treizième baronet d'une famille titrée depuis trois siècles.

Sa mère s'installe à Loton Park, le domaine de la famille Leighton. Cependant, Guy n'y passe que quelques mois avant d'être envoyé dans une succession d'écoles privées. « Il est allé à l'école publique pendant quelques semaines, mais il n'a pas été éduqué là-bas, certainement pas », affirme sir Michael, qui a divorcé de la mère de Guy en 1980. Il se souvient que son beau-fils, un as du tir au pigeon, fasciné par la nature, se montrait également doué pour les arts. Pour sa part, John Ritchie se rappelle que son fils désirait être garde-chasse ou faire carrière dans l'armée, à l'image de ses ancêtres.

En tout cas, les études ne sont pas son fort, en particulier à cause de sa dyslexie. A quinze ans, il quitte la dernière de la dizaine d'écoles privées qu'il aura fréquentées, un GCSE[1] mention cinéma en poche. « J'ai perdu mon temps à l'école, dit-il. On aurait aussi bien pu m'envoyer traire les vaches pendant dix ans. » Il clame également avoir été renvoyé à cause d'une histoire de drogue survenue à Standbridge Earls School, dans le Hampshire, un pensionnat à plus de 4 000 livres sterling le semestre. D'après son père, on lui reprochait seulement de sécher les cours et d'avoir reçu une jeune fille dans sa chambre.

---

1. Diplôme équivalent au brevet des collèges.

A sa sortie de l'école, une succession de petits boulots attend le jeune Guy, qui sera tour à tour ouvrier agricole, barman, chauffeur et coursier. Il part vivre à Londres, où il affecte un accent cockney et traîne avec d'anciens camarades d'école un peu louches et des petits escrocs des milieux populaires dans les pubs de l'East End[1], Soho et Notting Hill. « Son accent populaire doit être une pose, car il a toujours eu une prononciation très convenable », observe son oncle Gavin Doyle.

Guy Ritchie a sur le visage une cicatrice, souvenir de la caresse d'un couteau lors d'une rixe à propos d'une dette de jeu. « J'ai vécu dans l'East End pendant trente ans. Disons que je me suis souvent mis dans le pétrin et que les cartes m'ont fait perdre beaucoup d'argent », explique Guy Ritchie. Se méfiant de sa tendance à mêler réalité et fiction, les cyniques susurrent qu'il se serait plutôt blessé en tombant sur sa cuillère en argent après une chute de cheval... Une chose est sûre, s'il avait réellement passé trente ans dans l'East End, il faudrait qu'il s'y soit installé avant l'âge de cinq ans !

A Londres, son père, qui connaît les réalisateurs David Puttman et Alan Parker, lui trouve un emploi dans une société de production de Soho, où il s'aguerrit en travaillant à des clips et des films promotionnels. Il découvre que le monde du cinéma a bien des points communs avec la vie militaire : la camaraderie, les plaisanteries, les longues périodes d'oisiveté ponctuées de phases d'activité frénétique, les plans rigoureux soudain délaissés pour une improvisation rapide. Obéissant à la première règle des auteurs débutants – écris sur ce que tu connais –, le scénario d'*Arnaques, crimes et botanique* est constellé d'anecdotes sur les bas-fonds londoniens, récoltées au cours de ses virées.

Lorsque l'on connaît les valeurs de sa future épouse, on ne peut s'empêcher de sourire devant ce paradoxe : son

---

1. Contrairement à Soho et Notting Hill, l'East End est un quartier populaire de Londres.

film, dont les femmes sont absentes, est un hymne à l'homophobie, à la violence, et se déroule dans un univers fermé, amoral, peuplé de machos. Une version populaire des clubs britanniques exclusivement masculins. D'ailleurs, au cours du Drowned World Tour, en 2001, Madonna ne se privera pas d'une pique destinée au milieu décrit dans les films de son mari, lorsqu'elle lancera : « Sortez vos nichons pour les mecs[1]. » Néanmoins, son sens de l'autodérision bravache sauve le film. S'il ne se prend jamais au sérieux, il ne manque pas d'érudition, notamment lorsqu'il fait référence à un classique du cinéma, *L'or se barre*. Le style « soirée entre potes » du film de Guy Ritchie restitue une atmosphère typique de l'Angleterre moderne. Ses compatriotes ne s'y trompent pas, qui l'élèvent au rang de film culte, tandis qu'il passe inaperçu aux États-Unis.

Toutefois, le jeune réalisateur impressionne au moins une Américaine, Madonna, qui retrouve en lui nombre de qualités de son ex-époux. Comme Sean Penn, Guy Ritchie est issu d'une famille aisée et cultive une image de mauvais garçon intrigante, mais pas réellement dangereuse. Bien que le jeune homme ne professe pas de haine envers les médias, il peut se montrer aussi agressif que l'acteur californien. Preuve en est son altercation avec Andy Bird, l'ancien ami de Madonna, au Met Bar. Il recevra également un avertissement de la police pour avoir jeté dehors avec pertes et fracas un fan qui se trouvait dans leur maison de Notting Hill. Par ailleurs, au cours du Drowned World Tour, elle dédiera une chanson à son nouvel époux, le « mec le plus cool de l'univers », qualificatif dont elle avait déjà paré Sean Penn.

Artiste, auteur et surtout réalisateur prometteur, Guy Ritchie a tout pour plaire à Madonna. Elle voit également en lui des qualités qu'on lui attribue souvent : « Il prend des risques et il a un esprit curieux », remarque-t-elle. En outre, le travail ne l'effraie pas. Les Ritchie, comme les Fortin et

---

1. Formule populaire, notamment chez les supporters de foot.

les Ciccone, appartiennent à une race qui place au premier rang l'effort et le désir de progresser. « Guy vient d'une famille appartenant à une classe désireuse de s'élever, qui a produit les universitaires, les ingénieurs et les militaires qui se sont répandus à la surface du globe pour former la colonne vertébrale de l'empire britannique », explique le colonel William MacNair, historien de la famille Ritchie.

A la différence d'un certain nombre des compagnons précédents de Madonna, Ritchie ne l'a pas attendue pour réussir et ne doit son succès qu'à lui-même. « Guy travaille presque aussi dur que Madonna, constate son ami Rupert Everett. C'est bien pour elle, c'est un vrai changement, car il n'a rien d'un gigolo. Il a une carrière sérieuse devant lui, il a donc ses propres préoccupations professionnelles. » Si l'indépendance du réalisateur et le peu de cas qu'il fait de la célébrité de Madonna attirent la chanteuse, l'importance obsessionnelle qu'il accorde à sa propre carrière entrave l'épanouissement de leur amour naissant. Les débuts de leur relation sont chaotiques, car ils campent tous deux sur leur terrain respectif. Madonna, la première, décrète qu'elle ne peut quitter les États-Unis sans priver Carlos Leon de sa fille.

« Il y a des fois où j'avais envie de lui arracher la tête », dira-t-elle de Ritchie, à propos de cette première année frustrante où ils en sont réduits à se téléphoner ou à s'écrire. Ainsi, pendant le tournage d'*Un couple presque parfait*, il s'occupe de la promotion de son premier film et travaille à un autre long-métrage, *Snatch, tu braques ou tu raques*, avec Brad Pitt. Mais, surtout, il entretient depuis un an une relation avec la présentatrice télé Tania Strecker, qu'il connaît depuis quatorze ans. « Il a été mon plus grand amour », affirme l'ancien mannequin, une blonde tout en jambes d'un mètre quatre-vingts qui rend la chanteuse responsable de leur rupture. Bien qu'il fréquente encore Tania, il accompagne Madonna dans ses expéditions immobilières et l'emmène au restaurant à chacune de ses visites londoniennes. Lorsqu'ils sont loin l'un de l'autre, elle retombe dans son vieux travers. Elle le harcèle de coups de téléphone pour savoir où il se trouve et avec qui. Au cours d'un dîner à New York avec Trudi Styler, Sting et quelques autres, des amis l'empêchent d'appeler Ritchie, arguant que son attitude va finir par le rebuter. Il est vrai qu'à l'instar de tant de ses amoureux son insistance l'exaspère, au point qu'il refuse parfois de la rappeler, en particulier pendant le montage de son film. Par ailleurs, Tania Strecker se serait parfois trouvée avec lui lorsque la chanteuse téléphonait.

Madonna finit par céder la première. Fin 1999, elle accepte de s'installer avec lui à Londres. « J'ai pris ma fille sous le bras, ma vie et tout ce que j'avais, j'ai loué une maison à Londres et je m'y suis installée, dit-elle à son amie, l'écrivain Ingrid Sischy. A partir de là, notre relation a pu s'enclencher réellement. Mais cela m'a demandé un sacrifice énorme. »

A peine installée, elle décide d'enregistrer à Londres son album *Music*, avec Mirwais, ex-Taxi Girl et producteur français qu'elle a repéré. Elle inscrit sa fille au lycée français de South Kensington[1] – « parce que je suis à moitié française » – et envisage de l'envoyer après le primaire au très chic Cheltenham Ladies' College. Dans la frénésie médiatique qui entoure sa décision de s'installer en Grande-Bretagne, on oublie la tiédeur de ses précédents commentaires sur son pays d'adoption : « Je suis sûre que l'Angleterre n'est pas dépourvue de beauté, mais je ne l'ai pas encore trouvée. »

« Lady Madonna » est immédiatement couronnée reine de la vie mondaine britannique. Aucun gala de charité, aucune remise de prix, aucune manifestation culturelle n'est totalement réussie sans elle. Bientôt, elle discute des affres du décalage horaire au cours d'un repas avec le prince Charles, dans sa résidence de campagne de Highgrove, dans le Gloucestershire. « Je suis anglophile », clame-t-elle maintenant, professant son admiration pour d'éminents Britanniques, citant côte à côte William Shakespeare et Sid Vicious, apparemment sans la moindre ironie. Son vieil ami Ed Steinberg,

---

1. Le lycée français assure le cursus scolaire à partir de la maternelle.

le producteur du clip de son premier *single*, a l'impression qu'elle souhaite gravir un nouvel échelon social : « Maintenant, elle vise l'aristocratie anglaise, elle veut renouveler son image. Elle souhaite devenir une *lady* et oublier le passé. »

A peine remise de ce bouleversement, elle apprend qu'elle est à nouveau enceinte au cours de l'hiver 2000. Cette fois, elle est décidée à garder l'enfant, bien que sa relation avec Guy Ritchie ne soit pas un modèle de stabilité. Quelques semaines plus tard, pour la Saint-Valentin, elle découvre avec dépit que ce n'est pas son amoureux, mais une relation d'affaires, qui lui a envoyé une magnifique gerbe de lis tigrés et il lui faut rappeler à Ritchie la signification de cette journée pour qu'il se décide à lui acheter un modeste bouquet. « On aurait dit qu'il les avait ramassées devant une station-service », se souvient un ancien employé de Madonna, présent lors de l'arrivée du réalisateur, ajoutant qu'après un échange assez sec le couple sortit dîner en silence.

Si Madonna déclare avoir enfin trouvé l'âme sœur après des années de quête, Ritchie semble plus hésitant à s'engager avec une femme de dix ans son aînée, d'autant que Tania Strecker n'a pas totalement disparu du paysage. « Je ne parlerai pas de la dernière fois que nous *[Tania et Ritchie]* nous sommes vus, car ce serait douloureux, pas pour moi, mais pour elle. Elle a peur de moi », dit la présentatrice télé, suggérant que Ritchie la voyait encore alors qu'il était avec Madonna.

Cependant, en février 2000 les rencontres entre Guy et Tania s'espacent, tandis qu'il s'affiche de plus en plus avec la chanteuse. Ils assistent aux Evening Standard Film Awards ensemble, se font remarquer dans divers restaurants à la mode, et emmènent Lola voir *Toy Story 2*. De son côté, lorsqu'elle se rend à Los Angeles pour préparer son accouchement, Madonna révèle que sa nouvelle passion pour l'Angleterre ne s'étend pas à son système de santé, ironisant sur les « vieux hôpitaux victoriens » de son pays d'adoption. Il faut dire qu'elle a de bonnes raisons d'être prudente. Si, lors de son précédent accouchement, elle plaisantait avant sa césarienne, prétendant qu'elle allait se faire remodeler le nez, cette seconde naissance ne prête pas à rire. Quelques mois plus tôt, on lui a diagnostiqué un *placenta prævia*, un cas où le placenta couvre le col de l'utérus, ce qui augmente les risques d'hémorragie pour la mère. Elle s'attend donc à subir une seconde césarienne.

A un mois de l'accouchement, tout semble se dérouler pour le mieux mais, le 10 août, Madonna se sent mal et se fait conduire au Cedars-Sinai Hospital de Los Angeles. En chemin, elle appelle Guy Ritchie, qui assiste à une projection privée de son film *Snatch, tu braques ou tu raques* dans la même ville. Lorsqu'il arrive à l'hôpital, il apprend qu'étant donné la gravité de l'état de Madonna il faut l'opérer immédiatement. La chanteuse perd beaucoup de sang et, selon une source, serait même proche de l'état de choc. Tandis que Guy Ritchie lui tient la main et lui murmure des paroles de réconfort, on lui administre un sédatif avant de l'emmener en salle d'opération, où à 1 heure du matin, le 11 août 2000, elle donne naissance à un petit garçon de deux kilos et demi, Rocco John Ritchie. Le bébé, qui a la jaunisse, phénomène courant chez les nouveau-nés prématurés, est placé en couveuse pendant cinq jours. Madonna l'emmène chez elle à Los Feliz le jour de son quarante-deuxième anniversaire. Le nouveau père comblé décide que le moment de faire d'elle une « honnête femme » est venu. A son retour chez elle, Madonna trouve un sac en papier froissé à côté de son lit. Sur le point de le jeter, elle découvre une petite boîte à l'intérieur : « J'ai vu une carte, se souvient-elle. C'était une lettre adorable à propos de ce que nous avions vécu ensemble, de mon anniversaire, du bébé et de la joie qu'il ressentait. »

Le producteur Erin Berg, un ami de Ritchie, aurait déclaré un peu plus tard que le couple désirait se marier avant Noël : « Guy veut fonder une famille. Il ne se tient plus de joie depuis la naissance de son fils. Il exulte. » Une fois son mariage annoncé, Madonna se lance dans les préparatifs avec son énergie et son obstination légendaires. Toujours aussi serviable, Trudi Styler lui offre ses conseils lorsqu'elle s'interroge sur l'aspect religieux de ses noces. Elle lui suggère d'en discuter avec le chanoine John Reynolds, qui a béni en 1992 son union avec Sting. Le domaine du chanteur dans le Wiltshire dépend de sa paroisse. Le chanoine reçoit donc un coup de téléphone de Madonna, qui l'appelle de Los Angeles peu après la naissance de Rocco. « Elle voulait discuter des options religieuses, explique-t-il. Elle s'est montrée très amicale et a posé des questions aussi intelligentes que pertinentes. »

Il n'est pas le seul à exprimer son admiration. Une fois de plus, le monde s'extasie devant la future Mme Ritchie. Quelques semaines après son accouchement, Madonna jongle entre les obligations de la maternité, la gestion de Maverick, l'organisation de la sortie mondiale de son dernier album, *Music*, et les préparatifs de son mariage. Elle se débrouille également pour être présente à la cérémonie des Music Awards de MTV, où elle reçoit deux récompenses, et planifie deux concerts, l'un à New York, l'autre à Londres en novembre 2000, tandis que, peu de temps après son accouchement, elle se glisse dans un pantalon taille basse. Elle représente un modèle d'énergie pour toutes les femmes de plus de quarante ans. Ses deux concerts – sur invitation seulement – donnent l'occasion aux heureux élus de rendre hommage à cette madone très contemporaine : mythe vivant, mère, femme d'affaires, superstar et, accessoirement, chanteuse. Tandis qu'à New York on salue le retour au pays d'une reine – « ça fait plaisir de rentrer chez soi », lance-t-elle à ses fans –, les Britanniques la traitent en citoyenne d'honneur, aussi anglaise que le *fish and chips*, la bière tiède et le cricket. La scène conçue par ses amis Domenico Dolce et Stefano Gabbana peut ressembler au décor d'un bal populaire texan moderne, les six chansons du concert ont beau être plus américaines que l'oncle Sam : tout le monde s'en moque.

Le baptême de Rocco et le mariage célébré le lendemain, qui se dérouleront tous deux dans le Nord de l'Écosse, juste avant Noël, ne font que confirmer son ascension sociale. Cette fois, bien que des millions de personnes attendent cet événement qui aura lieu le jour du trente-deuxième anniversaire de Guy, le couple parvient à préserver son intimité. Le souvenir du fiasco de Malibu hante encore Madonna. Le couple choisit donc d'accueillir ses invités, loin du glamour d'Hollywood, à Skibo Castle, à la sortie de Dornoch, une petite ville paisible où l'achat d'une nouvelle voiture fait figure d'événement. Ce choix revêt bien sûr une signification importante pour Guy, de par ses ancêtres écossais et leurs liens avec les Seaforth Highlanders, mais il a également une dimension symbolique pour Madonna. En Pennsylvanie, ses aïeux immigrants s'étaient éreintés dans les aciéries du magnat d'origine écossaise Andrew Carnegie, l'homme qui en 1897 a restauré Skibo Castle. Ainsi, juste retour des choses, une descendante des hommes qui ont aidé Carnegie à faire fortune s'apprête-t-elle à régner sur son ancien domaine, l'espace de quelques jours. Ce clin d'œil n'échappe certainement pas à Tony Ciccone qui, comme ses frères et son père, a travaillé quelque temps à l'aciérie, pour payer ses études.

Bien que le château ait été recommandé par des amis – Sting et Trudi Styler possèdent une résidence à proximité, tandis que l'actrice Catherine Zeta-Jones a décrété que c'était l'endroit « le plus romantique du monde » –, le couple se rend sur place une quinzaine de jours avant le mariage. Pendant la visite de la cathédrale de Dornoch, où Rocco sera baptisé, Madonna se met soudain à chanter. Cette fois, elle ne fredonne pas « Good Golly Miss Golly », le tube dont, adolescente, elle a, dans une église d'Ann Arbor, régalé ses camarades d'école mais l'Ave Maria. Les paroles résonnent dans la cathédrale presque vide, pour le seul bénéfice de quelques touristes et d'un journaliste local.

Le 21 décembre, c'est au tour de Sting, l'un des parrains de Rocco, de chanter devant les parents émus, Tony Ciccone, la famille Ritchie et un petit groupe d'amis. Sont présents : Guy Roseary – un autre parrain du petit Rocco –, Donatella Versace, créatrice de la robe de baptême en soie crème qui aurait coûté la bagatelle de 10 000 livres sterling, Trudi Styler – la marraine –, Mélanie, la sœur de Madonna, Ingrid Casares, les actrices Gwyneth Paltrow et Debi Mazar, ainsi que Rupert Everett, retardé par le brouillard comme quelques autres invités. Ce contretemps ne gêne pas Madonna, loin s'en faut : « Nous voulions trouver un endroit difficile d'accès car, lorsque les gens peinent pour arriver quelque part, on peut être sûr qu'ils veulent vraiment être là. » Après la cérémonie d'une durée de trente minutes, le couple pose brièvement pour les photographes. Madonna, qui porte voile et chignon, est un mélange entre Evita et un membre mineur de la famille royale. Après cette séance, les seules miettes jetées aux médias avides qui ont envahi Dornoch, le couple se retire dans sa forteresse. Cette fois, point d'hélicoptère vrombissant pour gâcher la journée. On n'entend que les protestations des paparazzi, chassés des fourrés du domaine de trois mille hectares par l'équipe de sécurité engagée par Ritchie.

Le lendemain, seul le son d'une cornemuse rompt le silence dans le château éclairé aux chandelles, tandis que Lourdes mène le cortège des invités, jetant des pétales de roses sur son passage. Là encore, le second mariage de Madonna se démarque nettement du premier. Lors de ses noces avec Sean Penn, elle souhaitait une tenue dans le « style » Grace Kelly, cette fois, son front est ceint du diadème de chez Cartier que portait la princesse au mariage de sa fille Caroline. Guy Ritchie en kilt et Madonna dans une robe bustier conçue par sa demoiselle d'honneur, Stella McCartney, prononcent leurs vœux devant la révérende Susan Brown. A côté se tiennent Tony Ciccone et les garçons d'honneur de Ritchie, Matthew Vaughn et Piers Adam, le propriétaire d'une boîte de nuit. Les commentateurs qui se demandent si la mariée oubliera ses valeurs féministes pour promettre d'aimer, d'honorer son mari et de lui obéir, en sont pour leurs frais. Les époux, qui ont écrit eux-mêmes une partie de leurs vœux, jurent simplement de se chérir, de s'honorer et de se réjouir en famille.

Ensuite, ils procèdent au traditionnel échange des anneaux, puis reçoivent des mains de la révérende un paquet de deux rouleaux de papier toilette, cadeau qu'elle offre traditionnellement aux mariés, car « ces deux rouleaux rappellent que leur union doit être forte et longue ». Le lendemain, le couple quitte le château pour une brève lune de miel à Lake House, le lieu de leur rencontre, où Madonna médite sur cette « expérience religieuse vraiment magique ».

Maintenant qu'elle est officiellement Mrs Ritchie, Madonna, qui ne se lasse pas de son nouveau statut, modifie sa signature et change ses cartes de crédit. Si elle ne s'est pas muée en ménagère accomplie – « Je n'ai pas les gènes de la cuisine », plaisante-t-elle –, elle semble heureuse de s'occuper de son foyer et de sa famille. D'ailleurs, son beau-père remarque à son propos : « C'est une femme délicieuse, talentueuse et aux goûts plutôt simples. »

Est-ce réellement la même personne qui a été le catalyseur de tant de changements en l'espace de deux décennies, la chanteuse qui a vendu plus de cent millions d'albums, celle qui a eu plus de titres classés numéro 1 que les Beatles et Elvis Presley, la femme qui a dynamisé, enthousiasmé et fait enrager toute une génération ? En dépit des apparences, et en un mot : oui. Depuis des années, à travers ses actes et ses chansons, Madonna explore la dualité de la féminité : tantôt mère, tantôt meurtrière, victime passive ou prédatrice glacée, femme créatrice ou ogresse, proie des hommes qui se transforme soudain en mante religieuse.

Les paroles de son *single* « What it Feels Like for A Girl » rendent parfaitement la tension inhérente à la condition de la femme moderne, tiraillée entre force et faiblesse. La violence du clip réalisé par son mari reflète la colère de la chanteuse, pas seulement à l'égard du rapport de forces entre les sexes, mais également devant la sujétion des femmes à leurs hormones. Il n'est guère surprenant qu'elle ait écrit la chanson pendant qu'elle attendait Rocco, à un moment où son avenir avec Guy Ritchie était encore flou.

Le clip, dit-elle, « montre mon personnage vivre un fantasme et faire des choses interdites aux filles. Il y a de la colère dans cette chanson ». Il y en a tant que MTV l'a censuré. Dans ce clip de trois minutes, Madonna part en virée au volant d'un puissant bolide avec une vieille femme sénile. Elle dépouille un homme devant un distributeur de billets, traverse en voiture un match de hockey, pointe une arme sur deux policiers, puis met le feu à une station-service après avoir volé une voiture et renversé un homme. Dans la scène finale, Madonna fonce sur un lampadaire, laissant supposer qu'elle se tue, et sa passagère avec elle.

Pour une femme qui a toujours tenu la violence à distance, ce clip révèle un changement de direction radical. Les critiques soulignent d'un air condescendant la fascination de Ritchie pour la violence et accusent Madonna de vouloir concurrencer les excès d'Eminem. Pourtant, ce clip, tout comme l'iconographie du Drowned World Tour, explore les thèmes qui sont les siens depuis vingt ans : les relations entre les sexes, l'ambiguïté et le conflit imposés à toutes celles qui désirent s'épanouir en tant que femme dans une société patriarcale, sans pour autant renoncer à demeurer maîtresses de leur vie. D'un point de vue artistique, c'est le pendant logique du clip de « Substitute for Love », réalisé en 1998, qui provoqua une controverse parce qu'il montrait la princesse Diana pourchassée par une meute de journalistes à prédominance masculine. La femme, victime hier, vengeresse aujourd'hui.

Ce thème de la vengeance apparaît plus nettement dans le Drowned World Tour en 2001, lorsque Madonna « tire » sur son persécuteur masculin, ou encore quand, déguisée en geisha, elle sort une épée contre son agresseur tandis que, sur des écrans, des images de femmes battues assaillent le public. Ainsi Mrs Ritchie, la mère nourricière, l'épouse assagie et la prophétesse spirituelle se métamorphose-t-elle en une version pop contemporaine de Turandot, l'héroïne de Puccini, qui prend sa revanche sur le monde des hommes. Son nouvel avatar se révèle en fin de compte aussi trompeur que les autres. Son mariage et son désir de s'investir dans sa vie privée lui ont donné la stabilité et l'impulsion pour relever de nouveaux défis artistiques et réitérer ses assauts contre les points encore sensibles de la société.

D'ailleurs, ce n'est sans doute pas un hasard si elle a décidé de tourner sous la direction de son époux un remake de *Vers un destin insolite sur les flots,* un film de 1974 de la cinéaste italienne Lina Wertmüller. Tandis que Guy Ritchie projetait une épopée historique dans le style du *Gladiator* de Ridley Scott, Madonna s'est intéressée à la réalisatrice italienne dont les thèmes rejoignent les siens. Malgré les critiques des Italiens qui la trouvent trop féministe et des Américains qui lui reprochent son sexisme, Lina Wertmüller a poursuivi la voie qu'elle s'était tracée, brisant les tabous pour examiner les rapports entre les sexes, le renversement des rôles et l'assujettissement des femmes. Si les objectifs de Lina Wertmüller nous semblent familiers, on peut en dire autant du rôle de Madonna qui interprète une riche Italienne en vacances dont le bateau échoue sur une île isolée. Seule face à un marin marxiste, elle devient son esclave, pas tant parce qu'elle est la moins forte, mais parce qu'il sait comment survivre. Le message sous-jacent est que les femmes peuvent se retrouver victimes du sexisme, même en dehors des rôles établis. La richesse et l'indépendance de Rafaella, qui ne correspondent pas à la vision stéréotypée qu'un homme peut avoir d'une femme, ne font qu'ajouter à sa souffrance.

Le tournage risque de mettre à l'épreuve les qualités de directeur d'acteurs de Ritchie – sans parler de son mariage. Sera-t-il capable de réussir là où tant de ses prédécesseurs ont échoué ? Saura-t-il freiner l'inclination naturelle de Madonna qui ne peut s'empêcher de rendre ses personnages plus aimables et plus prestigieux, pour apparaître à son public sous un meilleur jour ?

Il reste également à voir si la maternité, le mariage et la séparation qu'elle a tracée entre sa vie privée et sa vie professionnelle pourront remplacer son besoin presque viscéral d'adulation et sa soif d'amour. Cette femme qui maîtrise si parfaitement sa carrière et si imparfaitement sa vie amoureuse est prisonnière de sa condition biologique et de son éducation, thèmes qu'elle ne cesse d'explorer. Indomptable en public, inquiète en privé, sa personnalité et ses paradoxes l'ont hissée au sommet. Au cours des vingt dernières années, nous avons suivi son odyssée artistique et son pèlerinage intime, tandis qu'elle revêtait un masque puis un autre, hier « Dita Parlo », « Veronica Electronica » ou « Lady Madonna », aujourd'hui « Mrs Ritchie ». Elle s'est chaque fois dévoilée un peu plus, mais demeure pourtant toujours aussi mystérieuse.

Alors, que va-t-elle faire maintenant? La banalité d'une telle question mérite une réponse tout aussi banale : allez savoir ! Elle poursuit son chemin comme nous tous, toujours en quête de ce qui est nouveau et crédible. Et cela fait partie de son charme, de la fascination qu'elle exerce sur nous : à la fois Américaine typique, PDG intraitable, amie loyale, amoureuse soupçonneuse et, surtout, infatigable force de la nature, elle ne se lasse jamais de relever des défis, de nous choquer et de nous ravir.

Comme elle le dit elle-même : « J'ai l'impression de révéler peu à peu ma vraie nature. Je pense que je commence seulement à me rapprocher de mon moi véritable. »

Son voyage ne fait que débuter.

Discographie, clips,
films, vidéos, pièces de théâtre, tournées

DISCOGRAPHIE

ALBUMS

1983 *MADONNA :* LUCKY STAR ; BORDERLINE ; BURNING UP ; I KNOW IT ; HOLIDAY ; THINK OF ME ; PHYSICAL ATTRACTION ; EVERYBODY

1984 *LIKE A VIRGIN :* MATERIAL GIRL ; ANGEL ; LIKE A VIRGIN ; OVER AND OVER ; LOVE DON'T LIVE HERE ANYMORE ; DRESS YOU UP ; SHOO-BEE-DOO ; PRETENDER ; STAY ; LA VERSION BRITANNIQUE COMPRENAIT 'INTO THE GROOVE')

1984 *REVENGE OF THE KILLER B'S :* AIN'T NO BIG DEAL (WARNER BROS : UNE SEULE CHANSON DE MADONNA)

1985 *VISION QUEST* (BANDE ORIGINALE) : CRAZY FOR YOU, GAMBLER (GEFFEN : SEULEMENT DEUX CHANSONS DE MADONNA)

1986 *TRUE BLUE :* PAPA DON'T PREACH ; OPEN YOUR HEART ; WHITE HEAT ; LIVE TO TELL ; WHERE'S THE PARTY ; TRUE BLUE ; LA ISLA BONITA ; JIMMY, JIMMY ; LOVE MAKES THE WORLD GO ROUND

1987 *WHO'S THAT GIRL* (BANDE ORIGINALE) : WHO'S THAT GIRL ; CAUSING A COMMOTION ; THE LOOK OF LOVE ; 24 HOURS (DUNCAN FAURE) ; STEP BY STEP (CLUB NOUVEAU) ; TURN IT UP (MICHAEL DAVIDSON) ; BEST THING EVER (SCRITTI POLITTI) ; CAN'T STOP ; EL COCO LOCO (COATI MUNDI). (MADONNA A FAIT LE CHOIX DE LA BANDE ORIGINALE MAIS N'INTERPRÈTE QUE QUATRE CHANSONS)

1987 *YOU CAN DANCE :* SPOTLIGHT ; HOLIDAY ; EVERYBODY ; PHYSICAL ATTRACTION ; OVER AND OVER ; INTO THE GROOVE ; WHERE'S THE PARTY (SPOTLIGHT ÉTAIT LA SEULE CHANSON ORIGINALE ; INCLUAIT DES VERSIONS BONUS DUBS DE 'SPOTLIGHT', 'HOLIDAY', 'OVER AND OVER' ET 'INTO THE GROOVE'. LA VERSION BONUS DE 'SPOTLIGHT' N'ÉTAIT PAS SUR LE CD, QUI INCLUAIT LES TROIS AUTRES PLUS 'WHERE'S THE PARTY')

1987 *A VERY SPECIAL CHRISTMAS :* SANTA BABY (A & M : UNE SEULE CHANSON DE MADONNA)

1989 *LIKE A PRAYER :* LIKE A PRAYER ; EXPRESS YOURSELF ; LOVE SONG ; TILL DEATH DO US PART ; PROMISE TO TRY ; CHERISH ; DEAR JESSIE ; OH FATHER ; KEEP IT TOGETHER ; SPANISH EYES ; ACT OF CONTRITION

1989 *THE EARLY YEARS :* WILD DANCING (EXT.) ; TIME TO DANCE (EXT.) ; ON THE STREET ; WE ARE THE GODS ; COSMIC CLIMB ; TIME TO DANCE ; COSMIC CLIMB (EXT.) ; ON THE STREET (EXT.) ; WILD DANCING ; TIME TO DANCE (INSTR.) (ÉDITION BRITANNIQUE)

1989 *BEST OF & REST OF MADONNA VOL. 1* (UK CD ; 5 CHANSONS DE *THE EARLY YEARS* & INTERVIEW)

1989 *BEST OF & REST OF MADONNA VOL. 2* (UK CD ; 10 CHANSONS DE *THE EARLY YEARS*)

1990 *THE IMMACULATE COLLECTION :* HOLIDAY ; LUCKY STAR ; BORDERLINE ; LIKE A VIRGIN ; MATERIAL GIRL ; CRAZY FOR YOU ; INTO THE GROOVE ; LIVE TO TELL ; PAPA DON'T PREACH ; OPEN YOUR HEART ; LA ISLA BONITA ; LIKE A PRAYER ; EXPRESS YOURSELF ; CHERISH ; VOGUE ;

301

JUSTIFY MY LOVE ; RESCUE ME. (ÉGALE-
MENT SORTI EN *THE ROYAL BOX* AVEC AU
CHOIX LA CASSETTE OU LE CD DE L'ALBUM,
PLUS LES VIDÉOS *THE IMMACULATE COLLEC-
TION*, HUIT CARTES POSTALES & UN POSTER)

1990 *I'M BREATHLESS :* CHANSONS DU FILM ET INS-
PIRÉES DU FILM *DICK TRACY* : HE'S A MAN ;
SOONER OR LATER ; HANKY PANKY ; I'M
GOING BANANAS ; CRY BABY ; SOMETHING
TO REMEMBER ; BACK IN BUSINESS ; MORE ;
WHAT CAN YOU LOSE ; NOW I'M FOLLO-
WING YOU, PART I ; NOW I'M FOLLOWING
YOU, PART II ; VOGUE

1991 *THE IMMACULATE CONVERSATION :* INTERVIEW
BRITANNIQUE (CASSETTE SEULEMENT)

1991 MICHAEL JACKSON : *DANGEROUS :* IN THE
CLOSET (UNE CHANSON ; MADONNA EN
TANT QUE MYSTERY GIRL)

1992 *EROTICA :* EROTICA ; FEVER ; BYE BYE
BABY ; DEEPER AND DEEPER ; WHERE LIFE
BEGINS ; BAD GIRL ; WAITING ; THIEF OF
HEARTS ; WORDS ; RAIN ; WHY'S IT SO
HARD ; IN THIS LIFE ; DID YOU DO IT? ;
SECRET GARDEN (DEUX VERSIONS DE L'AL-
BUM. LA *CLEAN VERSION* NE COMPORTAIT
PAS DID YOU DO IT?)

1992 *BARCELONA GOLD :* THIS USED TO BE MY
PLAYGROUND (UNE SEULE CHANSON DE
MADONNA)

1994 *WITH HONORS* (BANDE ORIGINALE) : I'LL
REMEMBER (MAVERICK : UNE SEULE CHAN-
SON DE MADONNA)

1994 *JUST SAY ROE :* GOODBYE TO INNOCENCE
(SIRE : UNE SEULE CHANSON DE MADONNA)

1995 *BEDTIME STORIES :* SURVIVAL ; SECRET ; I'D
RATHER BE YOUR LOVER ; DON'T STOP ;
INSIDE OF ME ; HUMAN NATURE ; FORBID-
DEN LOVE ; LOVE TRIED TO WELCOME ME ;
SANCTUARY ; BEDTIME STORY ; TAKE A
BOW

1995 *SOMETHING TO REMEMBER :* I WANT YOU ;
I'LL REMEMBER ; TAKE A BOW ; YOU'LL
SEE ; CRAZY FOR YOU ; THIS USED TO BE
MY PLAYGROUND ; LIVE TO TELL ; LOVE
DON'T LIVE HERE ANYMORE ; SOMETHING
TO REMEMBER ; FORBIDDEN LOVE ; ONE
MORE CHANCE ; RAIN ; OH FATHER ; I
WANT YOU (ORCHESTRAL)

1995 *INNER CITY BLUES : THE MUSIC OF MARVIN
GAYE :* I WANT YOU (MOTOWN : UNE
SEULE CHANSON DE MADONNA)

1996 *EVITA – HIGHLIGHTS* : REQUIEM FOR EVITA ;
OH ! WHAT A CIRCUS ; ON THIS NIGHT
OF A THOUSAND STARS ; EVA AND

MAGALDI/EVA BEWARE OF THE CITY ;
BUENOS AIRES ; ANOTHER SUITCASE IN
ANOTHER HALL ; GOODNIGHT AND THANK
YOU ; I'D BE SURPRISINGLY GOOD FOR
YOU ; PERON'S LATEST FLAME ; A NEW
ARGENTINA ; DON'T CRY FOR ME ARGEN-
TINA ; HIGH FLYING, ADORED ; RAINBOW
HIGH ; AND THE MONEY KEPT ROLLING
(IN AND OUT) ; SHE IS A DIAMOND ;
WALTZ FOR EVA AND CHE ; YOU MUST
LOVE ME ; EVA'S FINAL BROADCAST ;
LAMENT

1997 *CARNIVAL (RAINFOREST FOUNDATION
CONCERT) :* FREEDOM (VICTOR : UNE SEULE
CHANSON DE MADONNA)

1998 *RAY OF LIGHT :* DROWNED WORLD/SUBSTI-
TUTE FOR LOVE ; SWIM ; RAY OF LIGHT ;
CANDY PERFUME GIRL ; SKIN ; NOTHING
REALLY MATTERS ; SKY FITS HEAVEN ;
SHANTI/ASHTANGI ; FROZEN ; POWER OF
GOODBYE, THE TO HAVE AND NOT TO
HOLD ; LITTLE STAR ; MER GIRL (RÉCOM-
PENSÉ EN 1999 PAR LE GRAMMY AWARD
POUR LE MEILLEUR ALBUM POP. LE CD JAPO-
NAIS COMPORTAIT DEUX PISTES BONUS)

1999 *AUSTIN POWERS 2 : THE SPY WHO SHAGGED
ME :* BEAUTIFUL STRANGER (BANDE ORIGI-
NALE ; UNE SEULE CHANSON DE MADONNA)

2000 *MUSIC :* MUSIC ; IMPRESSIVE INSTANT ;
RUNAWAY LOVER ; I DESERVE IT ;
AMAZING ; NOBODY'S PERFECT ; DON'T
TELL ME ; WHAT IT FEELS LIKE FOR A
GIRL ; PARADISE (NOT FOR ME) ; GONE
(RÉCOMPENSÉ EN 2001 PAR LE GRAMMY
AWARD DU BEST RECORDING PACKAGE.
PISTE BONUS SUR LE CD : 'AMERICAN PIE')

2001 *IN THE SPOTLIGHT WITH MADONNA :* INTER-
VIEW 1 ; INTERVIEW 2 (CD AUDIO AVEC
PISTES AUDIO ET MULTIMEDIAS. INTERVIEWS
NON AUTORISÉES DE MADONNA. CONTIENT
ÉGALEMENT UN LIVRET DE 100 PAGES)

2001 *MADONNA* (REMASTER) : LUCKY STAR ; BOR-
DERLINE ; BURNING UP ; I KNOW IT ;
HOLIDAY ; THINK OF ME ; PHYSICAL
ATTRACTION ; EVERYBODY ; EVERYBODY ;
BURNING UP (12-INCH) ; LUCKY STAR
(NEW MIX) (SORTIE ORIGINALE : 1983.
INCLUT EN BONUS 'BURNING UP' ET
'LUCKY STAR' [EXT. DANCE REMIXES] PRÉ-
CÉDEMMENT NON DISPONIBLES SUR CD)

2001 *LIKE A VIRGIN* (REMASTER) : MATERIAL
GIRL ; ANGEL ; LIKE A VIRGIN ; OVER AND
OVER ; LOVE DON'T LIVE HERE ANYMORE ;
DRESS YOU UP ; SHOO-BEE-DOO ;

PRETENDER ; STAY (SORTIE ORIGINALE : 1984. INCLUT EN BONUS 'LIKE A VIRGIN' ET 'MATERIAL GIRL' [EXT. DANCE REMIXES] PRÉCÉDEMMENT NON DISPONIBLES SUR CD)

2001 TRUE BLUE (REMASTER) : PAPA DON'T PREACH ; OPEN YOUR HEART ; WHITE HEAT ; LIVE TO TELL ; WHERE'S THE PARTY ; TRUE BLUE ; LA ISLA BONITA ; JIMMY, JIMMY ; LOVE MAKES THE WORLD GO AROUND ; TRUE BLUE (THE COLOR MIX) ; LA ISLA BONITA (EXTENDED REMIX) (SORTIE ORIGINALE : 1986. INCLUT EN BONUS 'TRUE BLUE' ET 'LA ISLA BONITA' [EXT. DANCE REMIXES] PRÉCÉDEMMENT NON DISPONIBLES SUR CD)

2001 COMPLETE MADONNA INTERVIEWS (INTERVIEWS SEULEMENT, PAS DE MUSIQUE)

2001 THE COMPLETE AUDIO BIOGRAPHY (COFFRET DE 3 CD) (TEXTE DE MARTIN HARPER LU PAR SIAN JONES SUR LES 2 PREMIERS CD. LE 3ᴱ CD COMPORTE UNE INTERVIEW DE MADONNA)

2001 THE EARLY YEARS : GIVE IT TO ME : GIVE IT TO ME ; SHAKE ; GET DOWN ; TIME TO DANCE ; WILD DANCING ; LET'S GO DANCING ; WE ARE THE GODS ; COSMIC CLIMB ; ON THE STREET ; OH MY !

MAXI-SINGLES : VINYLES 30 CM, CASSETTES ET CD

1982 EVERYBODY ; EVERYBODY (INSTR.) (UK 12-INS)

1982 EVERYBODY (DUB) (UK 12-INS)

1983 BURNING UP ; PHYSICAL ATTRACTION (UK 12-INS)

1983 LUCKY STAR (FULL LENGTH) ; I KNOW IT (UK 12-INS)

1983 HOLIDAY (FULL LENGTH) ; THINK OF ME (UK 12-INS, ÉGALEMENT ÉDITION LIMITÉE AVEC POSTER)

1984 BORDERLINE (NEW MIX) ; LUCKY STAR (NEW MIX)

1984 BORDERLINE (US REMIX) ; (DUB REMIX) ; PHYSICAL ATTRACTION (UK 12-INS)

1984 LIKE A VIRGIN (EXT. DANCE REMIX) ; STAY (ÉDITION EXTRA-LIMITÉE AVEC POSTER AU ROYAUME-UNI)

1984 MATERIAL GIRL (EXT. DANCE REMIX) ; PRETENDER (LP)

1985 ANGEL (EXT. DANCE MIX) ; INTO THE GROOVE (SINGLE)

1985 ANGEL (EXT. DANCE MIX) ; BURNING UP (MIX) (UK 12-INS, ÉGALEMENT SORTI AVEC POCHETTE POSTER)

1985 DRESS YOU UP (12-INS FORMAL MIX) ; (CASUAL INSTR. MIX) ; SHOO-BEE-DOO (LP)

1985 DRESS YOU UP (12-INS FORMAL MIX) ; (CASUAL INSTR. MIX) ; I KNOW IT (UK 12-INS, ÉGALEMENT ÉDITION LIMITÉE AVEC POCHETTE POSTER)

1985 GAMBLER (EXT. DANCE MIX) ; (INSTR.) ; NATURE OF THE BEACH (UK 12-INS, 'NATURE' INTERPRÉTÉ PAR BLACK'N'BLUE)

1985 CRAZY FOR YOU (ROYAUME-UNI, MAXI-45 T)

1985 INTO THE GROOVE ; EVERYBODY ; SHOO-BEE-DOO (UK 12-INS, ÉGALEMENT ÉDITION LIMITÉE AVEC POSTER)

1986 COSMIC CLIMB (EXT. DANCE MIX) ; (EXT.) ; WE ARE THE GODS (SOUS-TITRÉ « THE EARLY YEARS »)

1986 LIVE TO TELL (LP) ; (EDIT) ; (INSTR.)

1986 OPEN YOUR HEART (EXT.) ; (DUB) ; WHITE HEAT

1986 OPEN YOUR HEART (EXT.) ; (DUB) ; LUCKY STAR (UK 12-INS)

1986 PAPA DON'T PREACH (EXT. REMIX) ; PRETENDER

1986 PAPA DON'T PREACH (EXT. REMIX) ; AIN'T NO BIG DEAL ; PAPA DON'T PREACH (LP) (UK 12-INS, ÉGALEMENT ÉDITION LIMITÉE AVEC POSTER)

1986 TRUE BLUE (COLOR MIX) ; (INSTR.) ; AIN'T NO BIG DEAL ; TRUE BLUE (REMIX/EDIT)

1986 TRUE BLUE (EXT. DANCE) ; HOLIDAY (FULL LENGTH) (UK 12-INS)

1987 LA ISLA BONITA (EXT. REMIX) ; (EXT. INSTR.)

1987 CAUSING A COMMOTION (SILVER SCREEN MIX) ; (DUB) ; (MOVIE HOUSE MIX) ; JIMMY, JIMMY

1987 CAUSING A COMMOTION (SILVER SCREEN MIX) ; (DUB) ; (MOVIE HOUSE MIX) ; JIMMY, JIMMY (US CASSETTE)

1987 CAUSING A COMMOTION (SILVER SCREEN MIX) ; (MOVIE HOUSE MIX) ; JIMMY, JIMMY (FADE) (UK 12-INS)

1987 THE LOOK OF LOVE ; LOVE DON'T LIVE HERE ANYMORE ; I KNOW IT (UK 12-INS, ÉGALEMENT ÉDITION LIMITÉE AVEC POSTER)

1987 WHO'S THAT GIRL (EXT.) ; (DUB) ; WHITE HEAT (LP) (CD & CASSETTE)

1987 WHO'S THAT GIRL (EXT.) ; WHITE HEAT (LP) (UK 12-INS, ÉGALEMENT CASSETTE MAXI)

1988 COSMIC CLIMB ; WE ARE THE GODS ; WILD DANCING (WILD DANCE MIX) (SOUS-TITRÉ « THE EARLY YEARS » ; SORTI AUX USA EN PICTURE DISK & POCHETTE POSTER)

1989 CHERISH (EXT.) ; (7-INS) ; SUPERNATURAL (UK 12-INS)

1989 DEAR JESSIE (LP) ; TILL DEATH DO US PART (LP) ; HOLIDAY (12-INS) (UK 12-INS, CASSETTE MAXI & PICTURE DISK, ÉGALEMENT ÉDITION LIMITÉE AVEC POCHETTE POSTER. NOUVELLE ÉDITION DU CD EN 1989)

1989 EXPRESS YOURSELF (NON-STOP EXPRESS MIX) ; (STOP & GO DUBS) (UK 12-INS, ÉGALEMENT SORTI EN PICTURE DISK OÙ L'ON VOIT MADONNA NUE)

1989 EXPRESS YOURSELF (NON-STOP EXPRESS MIX) ; (STOP & GO DUBS) ; (LOCAL MIX) ; THE LOOK OF LOVE (LP) (CD & CASSETTE)

1989 KEEP IT TOGETHER (12-INS REMIX) ; (DUB) ; (12-INS EXT. MIX) ; (12-INS MIX) ; (BONUS BEATS) ; (INSTR.) (A PARTIR DE LÀ, TOUS LES MAXI-SINGLES SONT AUSSI SORTIS SUR CD. LE CD MAXI-SINGLE COMPREND KEEP IT TOGETHER [SINGLE REMIX], MAIS PAS LES VERSIONS [DUB] ET [BONUS BEATS])

1989 LIKE A PRAYER (12-INS DANCE MIX) ; (12-INS EXT. REMIX) ; (CHURCHAPELLA) ; (12-INS CLUB) ; (7-INS REMIX/EDIT) ; ACT OF CONTRITION

1989 LIKE A PRAYER 1 (12-INS EXT. REMIX) ; (12-INS CLUB) ; ACT OF CONTRITION (UK 12-INS, ÉGALEMENT SORTI AVEC POCHETTE POSTER)

1989 LIKE A PRAYER 2 (12-INS DANCE MIX) ; (CHURCHAPELLA) ; (7-INS REMIX/EDIT) (UK 12-INS)

1990 HANKY PANKY (BARE BOTTOM 12-INS MIX) ; (BARE BONES SINGLE MIX) ; MORE (LP)

1990 *THE HOLIDAY COLLECTION* : HOLIDAY (LP) ; TRUE BLUE (LP) ; WHO'S THAT GIRL (LP) ; CAUSING A COMMOTION (SILVER SCREEN SINGLE MIX) (UK CD/MINI LP)

1990 JUSTIFY MY LOVE (ORBIT 12-INS MIX) ; (HIP HOP MIX) ; (THE BEAST WITHIN MIX) ; EXPRESS YOURSELF (1990 REMIX – LONG) (MAXI-SINGLE CD ET CASSETTE INCLUANT « JUSTIFY MY LOVE » [Q-SOUND MIX])

1990 JUSTIFY MY LOVE (ORBIT 12-INS MIX) ; (LP) ; EXPRESS YOURSELF (1990 EDIT) (UK 12-INS, ÉGALEMENT ÉDITION LIMITÉE SUR VINYLE BLEU PÂLE)

1990 JUSTIFY MY LOVE 1 (ORBIT 12-INS MIX) ; (HIP HOP MIX) ; (THE BEAST WITHIN MIX) ; EXPRESS YOURSELF (1990 REMIX, LONG) (UK CD MAXI-SINGLE)

1990 JUSTIFY MY LOVE 2 (HIP HOP MIX) ; (Q-SOUND MIX) ; (THE BEAST WITHIN MIX) (UK CD MAXI-SINGLE)

1990 VOGUE (12-INS) ; (BETTE DAVIS DUB) ; (STRIKE-A-POSE DUB) (A PARTIR DE LÀ, TOUS LES MAXI-SINGLES SONT AUSSI DISPONIBLES EN CASSETTE. LES MAXI-SINGLES EN CASSETTE ET CD INCLUENT VOGUE [SINGLE])

1990 VOGUE (12-INS) ; KEEP IT TOGETHER (12-INS REMIX) (UK 12-INS, CD & CASSETTE MAXI-SINGLE)

1990 VOGUE (12-INS) ; (STRIKE-A-POSE DUB) (UK 12-INS, ÉGALEMENT ÉDITION LIMITÉE AVEC POSTER)

1991 RESCUE ME (TITANIC VOCAL) ; (LIFEBOAT VOCAL) ; (HOUSEBOAT VOCAL) ; (S.O.S.MIX) (LE CD MAXI-SINGLE INCLUT 'RESCUE ME' [SINGLE MIX])

1991 RESCUE ME (TITANIC VOCAL) ; (LIFEBOAT VOCAL) ; (HOUSEBOAT VOCAL) (UK 12-INS)

1991 RESCUE ME 1 (7-INS MIX) ; (TITANIC VOCAL) ; (DEMANDING DUB) (UK CD & CASSETTE)

1991 RESCUE ME 2 (LIFEBOAT VOCAL) ; (HOUSEBOAT VOCAL) (UK CD & CASSETTE)

1991 CRAZY FOR YOU (REMIX) ; KEEP IT TOGETHER (SPECIAL REMIX) ; INTO THE GROOVE (SHEP PETTIBONE REMIX) (REMIX FOR UK)

1991 GET DOWN ; GET DOWN (EXT. MIX) (SOUS-TITRÉ « THE EARLY YEARS » ; SORTI AU ROYAUME-UNI EN PICTURE DISK)

1992 EROTICA (KENLOU B-BOY MIX) ; (JEEP BEATS) ; (MADONNA'S IN MY JEEP MIX) ; (WO 12-INS) ; (UNDERGROUND CLUB MIX) ; (BASS HIT DUB) (A PARTIR DE LÀ, TOUS LES MAXI-SINGLES SONT SORTIS SOUS LE LABEL MAVERICK/SIRE. LE MAXI-SINGLE EN CD INCLUT EROTICA [LP EDIT] ET [MASTERS AT WORK DUB], MAIS NE COMPREND PAS [BASS HIT DUB]. UN

304

CD, TITRÉ *EROTIC*, ÉTAIT INCLUS DANS LE LIVRE *SEX* ET CONTENAIT DES VERSIONS DE « EROTICA ».)

1992 EROTICA (LP) ; (INSTR.) ; (RADIO EDIT) (UK 12-INS, ÉGALEMENT ÉDITION LIMITÉE AVEC POSTER)

1992 EROTICA (ORBIT MAX) ; (KENLOU B-BOY MIX) ; (UNDERGROUND CLUB MIX) ; (ORBIT DUB) ; (MADONNA'S IN MY JEEP MIX) (UK CD & CASSETTE MAXI)

1992 DEEPER AND DEEPER (SHEP'S CLASSIC 12-INS) ; (SHEP'S DEEP MAKEOVER MIX) ; (SHEP'S DEEP BEATS) ; (DAVID'S KLUB MIX) ; (DAVID'S DEEPER DUB) ; (SHEP'S DEEPER DUB) (MAXI-SINGLE EN CD INCLUANT DEEPER AND DEEPER [LP EDIT], [SHEP'S FIERCE DEEPER DUB], ET [DAVID'S LOVE DUB], MAIS NE COMPREND PAS [DAVID'S AND SHEP'S DEEPER DUBS])

1992 DEEPER AND DEEPER (SHEP'S CLASSIC 12-INS) ; (SHEP'S DEEP MAKEOVER MIX) ; (DAVID'S KLUB MIX) ; (DAVID'S LOVE DUB) ; (SHEP'S DEEPER DUB) (UK 12-INS)

1992 DEEPER AND DEEPER (LP) ; (SHEP'S DEEP MAKEOVER MIX) ; (DAVID'S KLUB MIX) ; (SHEP'S CLASSIC 12-INS) ; (SHEP'S FIERCE DEEPER DUB) ; (DAVID'S LOVE DUB) ; (SHEP'S DEEP BEATS) (UK CD & CASSETTE MAXI-SINGLE)

1992 MICHAEL JACKSON : IN THE CLOSET : (CM) (TUM) (TMD) (K 12-INS) (MIXES BEHIND DOOR 1, MADONNA EN TANT QUE MYSTERY GIRL)

1992 MICHAEL JACKSON : IN THE CLOSET : (TM) (FSM) (TMOF) (TUD) (MIXES BEHIND DOOR 2, MADONNA EN TANT QUE MYSTERY GIRL)

1993 BAD GIRL (EXT. MIX) ; FEVER (EXT. 12-INS MIX) ; (SHEP'S REMEDY DUB) ; (MURK BOYS' MIAMI MIX) ; (MURK BOYS' DEEP SOUTH MIX) ; (OSCAR G'S DOPE DUB) (LE MAXI-SINGLE EN CD INCLUT 'BAD GIRL' [EDIT] AND 'FEVER' [HOT SWEAT 12-INS], MAIS NE COMPREND PAS 'FEVER' [SHEP'S REMEDY DUB] & [OSCAR G'S DOPE DUB])

1993 BAD GIRL (LP) ; EROTICA (WILLIAM ORBIT 12-INS) ; (WILLIAM ORBIT DUB) ; (MADONNA'S IN MY JEEP MIX) (UK 12-INS, ÉGALEMENT ÉDITION LIMITÉE AVEC POSTER)

1993 *EROTICA* : BAD GIRL (EXTENDED MIX) ; EROTICA (KENLOU B-BOY INSTR.) ; ERO-

TICA (UNDERGROUND TRIBUTE) ; EROTICA (WO DUB) ; EROTICA (HOUSE INSTR.) ; EROTICA (BASS HIT DUB)

1993 *KEEP IT TOGETHER* (REMIXES) : CHERISH (EXT.) ; KEEP IT TOGETHER DUB ; KEEP IT TOGETHER (BONUS BEATS) ; KEEP IT TOGETHER (INSTR.) (INCLUT 7 MIXES : 12-INS REMIX, DUB, 12-INS EXTENDED MIX, 12-INS MIX, BONUS BEATS, INSTRUMENTAL, & ORIGINAL VERSION)

1993 RAIN (RADIO REMIX) ; (LP) ; UP DOWN SUITE (NON-LP TRACK) ; WAITING (REMIX) (ÉGALEMENT CD MAXI-SINGLE)

1993 RAIN (RADIO REMIX) ; UP DOWN SUITE (NON-LP TRACK) ; WAITING (REMIX) (UK CD MAXI-SINGLE)

1993 REMIXED *PRAYER* EP : LIKE A PRAYER (12-INS DANCE MIX) ; (12-INS EXTENDED MIX) ; (CHURCHAPELLA) ; (12-INS CLUB) ; (7-INS REMIX) ; EXPRESS YOURSELF (NON-STOP EXPRESS MIX) ; (STOP & GO) ; (LOCAL MIX)

1993 THIS USED TO BE MY PLAYGROUND (SINGLE) ; (INSTR.) ; (LONG) (UK 12-INS)

1993 FEVER (HOT SWEAT 12-INS MIX) ; (EXT. 12-INS MIX) ; (SHEP'S REMEDY DUB) ; (MURK BOYS' MIAMI MIX) ; (MURK BOYS'DEEP SOUTH MIX) ; (OSCAR G'S DOPE DUB) (UK 12-INS, CD INCLUT [LP] MAIS NE COMPREND PAS [OSCAR G'S DOPE DUB])

1994 I'LL REMEMBER (GUERILLA BEACH MIX) ; (LP) ; (GUERILLA GROOVE MIX) ; (ORBIT ALTERNATIVE MIX) (US 12-INS)

1994 I'LL REMEMBER (LP) ; (GUERILLA BEACH MIX) ; (ORBIT MIX) ; WHY IT'S SO HARD (LIVE DU GIRLIE SHOW) (CD MAXI-SINGLE)

1994 SECRET (JUNIOR'S SOUND FACTORY MIX) ; (JUNIOR'S SOUND FACTORY DUB) ; (JUNIOR'S LUSCIOUS CLUB MIX) ; (JUNIOR'S LUSCIOUS CLUB DUB) ; (ALL-STAR MIX) (CD MAXI-SINGLE INCLUT 'SECRET' [EDIT], [JUNIOR'S LUSCIOUS SINGLE MIX] ET [SOME BIZARRE MIX], MAIS NE COMPREND PAS [JUNIOR'S SOUND FACTORY & LUSCIOUS CLUB DUBS])

1994 SECRET (JUNIOR'S LUSCIOUS SINGLE MIX) ; (JUNIOR'S EXTENDED LUSCIOUS CLUB MIX) ; (JUNIOR'S LUSCIOUS DUB) ; (JUNIOR'S SOUND FACTORY MIX) ; (JUNIOR'S SOUND FACTORY DUB) (UK CD MAXI-SINGLE)

1994 SECRET (LP EDIT); LET DOWN YOUR GUARD (ROUGH MIX EDIT); SECRET (INSTR.); (LP) (UK CD MAXI-SINGLE)

1994 TAKE A BOW (INDASOUL MIX); (LP); (SILKY SOUL MIX); (INDASOUL INSTR.); (INSTR.) (ÉGALEMENT CD MAXI-SINGLE)

1994 TAKE A BOW (EDIT); (LP); (INSTR.) (UK CD MAXI-SINGLE)

1994 BEDTIME STORY (JUNIOR'S SOUND FACTORY MIX); (JUNIOR'S SOUND FACTORY DUB); (ORBITAL MIX); (JUNIOR'S WET DREAM MIX) (JUNIOR'S WET DREAM DUB)

1994 BEDTIME STORY (LP EDIT); (JUNIOR'S WET DREAM MIX); (JUNIOR'S DREAMY DRUM DUB); (JUNIOR'S SOUND FACTORY MIX); (JUNIOR'S SINGLE MIX) (ÉGALEMENT CD MAXI-SINGLE)

1995 OH FATHER; LIVE TO TELL (LIVE EDIT DU CIAO ITALIA TOUR); WHY'S IT SO HARD (LIVE DU GIRLIE SHOW) (UK CD MAXI-SINGLE, ÉGALEMENT ÉDITION LIMITÉE AVEC 4 CARTES POSTALES)

1995 BEDTIME STORY (JUNIOR'S SOUND FACTORY MIX); (JUNIOR'S SOUND FACTORY DUB); (ORBITAL MIX); (JUNIOR'S WET DREAM MIX) (UK 12-INS, ÉGALEMENT ÉDITION LIMITÉE AVEC POCHETTE HOLOGRAPHIQUE)

1995 BEDTIME STORY: (1) BEDTIME STORY (JUNIOR'S SINGLE MIX); SECRET (SOME BIZARRE MIX); (ALLSTAR MIX); (SOME BIZARRE SINGLE MIX) (2) BEDTIME STORY (LP); (JUNIOR'S WET DREAM MIX); (JUNIOR'S DREAMY DRUM DUB); (ORBITAL MIX); (JUNIOR'S SOUND FACTORY MIX) (UK DOUBLE CD EN ÉDITION LIMITÉE EN COFFRET AVEC LIVRET)

1995 *INTO THE GROOVE*: INTO THE GROOVE; EVERYBODY; SHOO-BEE-DOO

1995 LIKE A VIRGIN (EXT. DUB); STAY

1995 LIVE TO TELL (LP); (EDIT); (INSTR.)

1995 LUCKY STAR (US REMIX); I KNOW IT

1995 MATERIAL GIRL (JELLYBEAN); PRETENDER

1995 *OPEN YOUR HEART*: OPEN YOUR HEART (EXT.); OPEN YOUR HEART (DUB); WHITE HEART (LP)

1995 *PAPA DON'T PREACH*: PAPA DON'T PREACH; AIN'T NO BIG DEAL; PAPA DON'T PREACH (LP)

1995 WHO'S THAT GIRL (EXT.); WHITE HEAT (LP) (US CASSETTE SINGLE. UK CD & CASSETTE ONT UN BONUS TRACK: 'WHO'S THAT GIRL' [DUB])

1995 YOU'LL SEE (LP); (INSTR.); (SPANISH); LIVE TO TELL (LIVE FROM WHO'S THAT GIRL TOUR) (ÉGALEMENT CD MAXI-SINGLE)

1995 YOU'LL SEE (EDIT); RAIN (LP); YOU'LL SEE (INSTR.) (UK CD MAXI-SINGLE)

1995 HUMAN NATURE (RUNWAY CLUB MIX); (I'M NOT YOUR BITCH MIX); (RUNWAY CLUB MIX RADIO EDIT); (BOTTOM HEAVY DUB); (HOWIE TEE REMIX); (HOWIE TEE CLEAN REMIX); (RADIO); (LOVE IS THE NATURE MIX) (ÉGALEMENT CD MAXI-SINGLE)

1995 HUMAN NATURE (HUMAN CLUB MIX); (RUNWAY CLUB MIX); (MASTER WITH NINE SAMPLE); (I'M NOT YOUR BITCH MIX) (UK 12-INS)

1995 HUMAN NATURE 1 (LP); BEDTIME STORY (JUNIOR'S SOUND FACTORY MIX); (ORBITAL MIX) (UK CD MAXI-SINGLE)

1995 HUMAN NATURE 2 (RADIO EDIT); (HUMAN CLUB MIX); (CHORUS DOOR SLAM WITH NINE SAMPLE); (I'M NOT YOUR BITCH MIX) (UK CD MAXI-SINGLE)

1996 ONE MORE CHANCE (LP); YOU'LL SEE (SPANISH); (SPANGLISH) (ÉDITION LIMITÉE UK AVEC POCHETTE POSTER)

1996 *WILD DANCING*: WILD DANCING (ORIGINAL); (DANCE MIX) (MADONNA CHANTE LES CHOEURS SEULEMENT)

1996 YOU'LL SEE (LP); (INSTR.); (SPANISH); LIVE TO TELL (LIVE FROM WTG TOUR) (ÉGALEMENT CD MAXI-SINGLE)

1996 LOVE DON'T LIVE HERE ANYMORE (SOULPOWER RADIO REMIX EDIT); (LP REMIX EDIT); (SOULPOWER RADIO REMIX); (LP REMIX) (UK CD MAXI-SINGLE)

1996 ANOTHER SUITCASE IN ANOTHER HALL; DON'T CRY FOR ME ARGENTINA (MIAMI MIX EDIT); YOU MUST LOVE ME; HELLO AND GOODBYE (UK CD MAXI-SINGLE, ÉDITION LIMITÉE)

1996 YOU MUST LOVE ME (VIDEO); RAINBOW HIGH (LP); YOU MUST LOVE ME/I'D BE SURPRISINGLY GOOD FOR YOU (ORCHESTRA) (WARNER BROS UK CD MAXI-SINGLE)

1996 DON'T CRY FOR ME ARGENTINA (MIAMI MIX, ALT ENDING); (MIAMI SPANGLISH MIX); (MIAMI MIX EDIT); (MIAMI DUB MIX); (MIAMI MIX INSTR.); (MIAMI SPANGLISH MIX EDIT) (US CD MAXI-SINGLE)

1996 DON'T CRY FOR ME ARGENTINA ; SANTA EVITA ; LATIN CHANT (WARNER BROS. UK CD SINGLE)

1997 DON'T CRY FOR ME ARGENTINA (MIAMI MIX EDIT) ; (MIAMI SPANGLISH EDIT) ; (MIAMI MIX) ; (LP) (WARNER BROS. UK CD SINGLE)

1997 *RESCUE ME* (ALTERNATE MIX) : JUSTIFY MY LOVE (Q-SOUND MIX) ; (ORBIT 12-INS MIX) ; (HIP HOP MIX) ; EXPRESS YOURSELF ; JUSTIFY MY LOVE (THE BEAST WITHIN MIX) ; RESCUE ME (SINGLE MIX) ; (TITANIC MIX) ; (HOUSE-BOAT VOCAL) ; (LIFEBOAT VOCAL) ; (S.O.S. MIX)

1998 RAY OF LIGHT (LP) ; (SASHA ULTRAVIO-LET MIX) ; (WILLIAM ORBIT LIQUID MIX) ; (VICTOR CALDERONE CLUB MIX) (CD MAXI-SINGLE)

1998 RAY OF LIGHT (12-INS SINGLE) (UK 12-INS)

1998 THE POWER OF GOODBYE ; MER GIRL

1998 *POWER OF GOODBYE* (REMIX EP) : (LP) ; (DALLAS'S LOW END MIX) ; (LUKE SLA-TER'S SUPER LUPER MIX) ; (LUKE SLA-TER'S FILTERED MIX) ; (FABIAN'S GOOD GOD MIX)

1999 FROZEN (LP) ; (STEREO MC'S MIX) ; (EXTENDED CLUB MIX) ; (MELTDOWN MIX – LONG) (ÉGALEMENT CD MAXI-SINGLE)

1998 FROZEN (EXTENDED CLUB MIX) ; (STEREO MC'S MIX) ; (MELTDOWN MIX – LONG) (UK 12-INS, LE CD MAXI-SINGLE CONTENAIT EN BONUS TRACKS [LP] & [WIDESCREEN MIX])

1998 RAY OF LIGHT (LP) ; (SASHA ULTRA VIOLET MIX) ; (WILLIAM ORBIT LIQUID MIX) ; (VICTOR CALDERONE CLUB MIX) (US CD MAXI-SINGLE)

1999 NOTHING REALLY MATTERS (LP) ; (CLUB 69 VOCAL CLUB MIX) ; (CLUB 69 FUTURE MIX) ; (CLUB 69 PHUNK MIX) ; (CLUB 69 SPEED MIX) ; (KRUDER & DORFMEISTER MIX) ; (VIKRAM RADIO MIX) ; (CLUB 69 FUTURE MIX) ; (CLUB 69 RADIO MIX) (US CD MAXI-SINGLE)

1999 NOTHING REALLY MATTERS (LP) ; (CLUB 69 RADIO MIX) ; (CLUB 69 VOCAL CLUB MIX) ; (CLUB 69 PHUNK MIX) ; (VIKRAM RADIO DUB) ; (KRUDER & DORFMEISTER MIX) (ÉDITION LIMITÉE US, DOUBLE 12-INS SINGLE)

1999 BEAUTIFUL STRANGER (LP) ; (CC MIX) ; (CR MIX) (TIRÉ DE LA BANDE ORIGINALE DU FILM *AUSTIN POWERS 2 : THE SPY WHO SHAGGED ME [L'ESPION QUI M'A TIRÉE]*)

2000 MUSIC (HQ2 CLUB MIX) ; (GROOVE ARMADA 12-INS MIX) ; (CALDERONE ANTHEM MIX) ; (LP) ; (DEEP DISH DOT COM MIX) ; (YOUNG COLLECTIVE CLUB REMIX) (US DOUBLE 12-INS)

2000 MUSIC (HQ2 CLUB MIX) ; (CALDERONE ANTHEM MIX) ; (DEEP DISH DOT COM MIX) ; (GROOVE ARMADA CLUB MIX) ; (YOUNG COLLECTIVE CLUB REMIX) ; (HQ2 RADIO MIX) ; (CALDERONE RADIO EDIT) ; (DEEP DISH DOT COM RADIO EDIT) ; (GROOVE ARMADA 12-INS MIX) (US CD MAXI-SINGLE)

2000 MUSIC (DEEP DISH DOT COM RADIO EDIT) ; (LP) ; (GROOVE ARMADA CLUB MIX) ; (GAB12-INS MIX) (UK, ÉGALE-MENT SORTI EN PICTURE DISK)

2000 AMERICAN PIE (LP) ; (VISSION RADIO MIX) ; (CALDERONE FILTER DUB MIX) ; (VISSION VISITS MADONNA) (UNE DES DEUX CONTRIBUTIONS MUSICALES DE MADONNA POUR LA BANDE ORIGINALE DU FILM *THE NEXT BEST THING [UN COUPLE PRESQUE PARFAIT]*. REPRISE DE LA CHAN-SON DE DON MCLEAN)

2000 AMERICAN PIE PT.1 (LP) ; (CALDERONE FILTER DUB MIX) ; (CALDERONE VOCAL DUB MIX) (UK CD MAXI-SINGLE, INCLUT UN VOCAL DUB MIX EXCLUSIF DE VICTOR CALDERONE)

2000 AMERICAN PIE PT.2 (LP) ; (RICHARD VISSION RADIO MIX) ; (VISSION VISITS MADONNA) (UK CD MAXI-SINGLE)

2000 AMERICAN PIE PT.3 (CALDERONE VOCAL CLUB MIX) ; (CALDERONE EXTENDED VOCAL) ; (VISSION VISITS MADONNA) ; (VISSION RADIO MIX) ; (LP) (UK CD MAXI-SINGLE)

2000 AMERICAN PIE REMIXES (RICHARD HAMPTY VERSION) ; (RICHARD HAMPTY VERSION RADIO MIX) ; (VICTOR CALDE-RONE VOCAL CLUB) ; (VICTOR CALDE-RONE EXTENDED VOCAL CLUB MIX) ; (LP) (CD MAXI-SINGLE JAPONAIS)

2001 DON'T TELL ME (TIMO MAAS MIX) ; (TRACY YOUNG CLUB MIX) ; (VISSION REMIX) ; (THUNDERPUSS' 2001 HANDS IN THE AIR ANTHEM) ; (VICTOR CALDERONE SENSORY MIX) ; (VISSION RADIO MIX) ; (THUNDERPUSS' 2001 HANDS IN THE AIR RADIO) (DOUBLE 12-INS SET & CD MAXI-SINGLE)

2001 DON'T TELL ME (THUNDERPUSS' 2001 HANDS-IN-THE-AIR ANTHEM) ; (TIMO MAAS MIX) ; (VICTOR CALDERONE SENSORY MIX) ; (TRACY YOUNG CLUB MIX) ; (THUNDERPUSS' 2001 TRIBE-A-PELLA) (UK CD MAXI-SINGLE)

2000 DON'T TELL ME PT.1 (RADIO EDIT) ; (CYBER-RAGA) ; (THUNDERPUSS CLUB MIX) (LE CD MAXI-SINGLE BRITANNIQUE CONTIENT UN [THUNDERPUSS CLUB MIX] EXCLUSIF NON SORTI AUX USA)

2000 DON'T TELL ME PT.2 (LP) ; (VISSION REMIX) ; (THUNDERPUSS RADIO MIX) (UK CD MAXI-SINGLE)

2000 DON'T TELL ME PT.3 (RADIO EDIT) ; (CYBER-RAGA) ; (THUNDERPUSS CLUB MIX) ; (VISSION REMIX) (UK CD MAXI-SINGLE)

2001 DON'T TELL ME (REMIXES) (TIMO MAAS REMIX) ; (THUNDERPUSS MIX) ; (VICTOR CALDERONE MIX) ; (RICHARD HUMPTY VISSION MIX (UK CD MAXI-SINGLE)

2001 WHAT IT FEELS LIKE FOR A GIRL (PAUL OAKENFOLD PERFECTO MIX) ; (RICHARD VISSION VELVET MASTA MIX) ; (CALDERONE & QUAYLE DARK SIDE MIX) ; (TRACY YOUNG CLUB MIX) ; (ABOVE & BEYOND 12-INS CLUB MIX) ; (TRACY YOUNG COOL OUT RADIO MIX) ; (RICHARD VISSION VELVET MASTA EDIT) ; (ABOVE & BEYOND CLUB RADIO EDIT) ; (ESPAGNOL) (US CD MAXI-SINGLE)

2001 WHAT IT FEELS LIKE FOR A GIRL (LP) ; (CALDERONE & QUAYLE DARK SIDE MIX) ; (ABOVE & BEYOND CLUB MIX) ; (PAUL OAKENFOLD PERFECTO MIX) ; (RICHARD VISSION VELVET MASTA MIX) (L'ÉDITION LIMITÉE SPÉCIALE BRITANNIQUE CONTIENT UN POSTER ET UNE JAQUETTE CARTONNÉE)

SINGLES : VINYLES 17 CM, CASSETTES ET CD (USA ET ROYAUME-UNI)

1982 EVERYBODY (3.19 REMIX)/(4.42 DUB) (UK SINGLE)

1983 HOLIDAY (EDIT)/I KNOW IT

1983 HOLIDAY/THINK OF ME (UK SINGLE)

1984 BORDERLINE/THINK OF ME (ÉGALEMENT SORTI AVEC POCHETTE POSTER AUX USA)

1984 BORDERLINE/HOLIDAY (USA : BACK-TO-BACK HITS)

1984 BORDERLINE (EDIT)/PHYSICAL ATTRACTION (UK SINGLE)

1984 LUCKY STAR (EDIT)/I KNOW IT (LP)

1984 (1) BORDERLINE (EDIT)/PHYSICAL ATTRACTION (2) HOLIDAY (EDIT)/THINK OF ME (UN LOT SPÉCIAL DE DEUX VINYLES SOUS FILM PLASTIQUE AVEC AUTOCOLLANT EST SORTI AU ROYAUME-UNI)

1984 LIKE A VIRGIN/STAY (ÉGALEMENT SORTI AVEC POCHETTE ARGENTÉE AUX USA)

1984 LIKE A VIRGIN/LUCKY STAR (USA : BACK-TO-BACK HITS)

1985 MATERIAL GIRL/PRETENDER (UK SINGLE, ÉGALEMENT ÉDITION LIMITÉE AVEC POCHETTE POSTER)

1985 CRAZY FOR YOU/NO MORE WORDS (SORTI SOUS LE LABEL GEFFEN ; FACE B INTERPRÉTÉE PAR BERLIN)

1985 CRAZY FOR YOU/GAMBLERS (USA : BACK-TO-BACK HITS)

1985 CRAZY FOR YOU/I'LL FALL IN LOVE AGAIN (UK SINGLE, PICTURE SLEEVE ; FACE B INTERPRÉTÉE PAR SAMMY HAGEN)

1985 ANGEL (REMIX)/(EDIT)

1985 ANGEL/MATERIAL GIRL (USA : BACK-TO-BACK HITS)

1985 ANGEL (FADE)/BURNING UP (REMIX) (UK SINGLE)

1985 DRESS YOU UP/SHOO-BEE-DOO

1985 DRESS YOU UP/I KNOW IT (UK SINGLE)

1985 INTO THE GROOVE/DRESS YOU UP (USA : BACK-TO-BACK HITS ; PLUS TARD, NOUVELLE ÉDITION 'BACKTRAX' EN MINI-CD)

1985 INTO THE GROOVE/SHOO-BEE-DOO (UK SINGLE, ÉGALEMENT SORTI EN PICTURE DISC EN FORME DE CŒUR AVEC 2 AUTOCOLLANTS)

1985 GAMBLER/NATURE OF THE BEACH (UK SINGLE ; FACE B PAR BLACK'N'BLUE ; ÉGALEMENT SORTI AVEC POCHETTE POSTER)

1986 PAPA DON'T PREACH (LP)/PRETENDER

1986 EVERYBODY/PAPA DON'T PREACH (USA : BACK-TO-BACK HITS)

1986 PAPA DON'T PREACH (LP)/AIN'T NO BIG DEAL (UK SINGLE)

1986 TRUE BLUE/AIN'T NO BIG DEAL (ÉGALEMENT ÉDITION LIMITÉE AMÉRICAINE SUR VINYLE BLEU)

1986 TRUE BLUE (REMIX)/HOLIDAY (EDIT) (UK SINGLE)

1986 OPEN YOUR HEART/WHITE HEAT

1986 OPEN YOUR HEART/LUCKY STAR (UK SINGLE)

1986 HOLIDAY/TRUE BLUE

1986 LIVE TO TELL (EDIT)/(INSTR.)

1986 LIVE TO TELL/TRUE BLUE (USA : BACK-TO-BACK HITS)

1987 LA ISLA BONITA (LP)/(INSTR. REMIX)

1987 LA ISLA BONITA/OPEN YOUR HEART (USA : BACK-TO-BACK HITS)

1987 WHO'S THAT GIRL/WHITE HEAT (A PARTIR DE LÀ, TOUS LES SINGLES SONT AUSSI SORTIS EN CASSETTE)

1987 CAUSING A COMMOTION/JIMMY, JIMMY (UK SINGLE, ÉGALEMENT ÉDITION LIMITÉE)

1987 CAUSING A COMMOTION/WHO'S THAT GIRL (USA : BACK-TO-BACK HITS)

1987 THE LOOK OF LOVE/I KNOW IT (UK SINGLE)

1989 LIKE A PRAYER (7-INS)/ACT OF CONTRITION (ÉGALEMENT EN MINI-CD)

1989 LIKE A PRAYER (7-INS)/OH FATHER (EDIT) (USA : BACK-TO-BACK HITS)

1989 EXPRESS YOURSELF (7-INS REMIX)/THE LOOK OF LOVE (LP) (ÉGALEMENT SORTI EN MINI-CD. AU ROYAUME-UNI, ÉGALEMENT EN ÉDITION LIMITÉE)

1989 CHERISH (7-INS)/SUPERNATURAL

1989 CHERISH (FADE)/EXPRESS YOURSELF (7-INS REMIX) (USA : BACK-TO-BACK HITS)

1989 OH FATHER/PRAY FOR SPANISH EYES (LP)

1989 DEAR JESSIE/TILL DEATH DO US APART (UK SINGLE, ÉGALEMENT EN PICTURE DISK)

1989 LIKE A PRAYER (7-INS)/(7-INS FADE)

1990 KEEP IT TOGETHER (SINGLE REMIX)/(INSTR.)

1990 VOGUE (SINGLE)/(BETTE DAVIS DUB)

1990 VOGUE (SINGLE)/KEEP IT TOGETHER (SINGLE REMIX) (UK SINGLE)

1990 VOGUE/KEEP IT TOGETHER (USA : BACK-TO-BACK HITS ; PLUS TARD, RÉÉDITION 'BACKTRAX' EN CD SINGLE 3-INS)

1990 HANKY PANKY (LP)/MORE (LP)

1990 JUSTIFY MY LOVE/EXPRESS YOURSELF (SHEP'S' SPRESSIN' HIMSELF RE-REMIX)

1990 JUSTIFY MY LOVE/RESCUE ME (USA : BACK-TO-BACK HITS ; PLUS TARD, RÉÉDITION 'BACKTRAX' EN CD SINGLE 3-INS)

1991 RESCUE ME (SINGLE)/(ALT. SINGLE MIX)

1991 RESCUE ME (7-INS MIX)/SPOTLIGHT (LP) (UK SINGLE)

1991 CRAZY FOR YOU (REMIX)/KEEP IT TOGETHER (7-INS REMIX)

1992 THIS USED TO BE MY PLAYGROUND (SINGLE)/(LONG)

1992 THIS USED TO BE MY PLAYGROUND (SINGLE)/HANKY PANKY (USA : BACK-TO-BACK HITS ; PLUS TARD, RÉÉDITION 'BACKTRAX' EN CD SINGLE 3-INS)

1992 EROTICA (LP)/(INSTR.) (A PARTIR DE LÀ, TOUS LES SINGLES SONT SORTIS SOUS LE LABEL MAVERICK/SIRE)

1992 DEEPER AND DEEPER (LP) ; (INSTR.) (3-INS CD SINGLE)

1992 I'LL REMEMBER (LP)/SECRET GARDEN (LP) (UK ISSUE)

1993 BAD GIRL (EDIT)/FEVER (ÉGALEMENT CD SINGLE 3-INS)

1993 BAD GIRL (EDIT)/EROTICA (WILLIAM ORBIT DUB) (UK SINGLE)

1993 RAIN (RADIO REMIX)/WAITING (LP) (ÉGALEMENT CD SINGLE 3-INS)

1993 RAIN (REMIX)/OPEN YOUR HEART (LP) (UK SINGLE)

1993 FEVER (LP)/(REMIX) (UK SINGLE, ÉGALEMENT PICTURE DISK EN ÉDITION LIMITÉE NUMÉROTÉE)

1994 I'LL REMEMBER (LP)/SECRET GARDEN (LP) (ÉGALEMENT CD SINGLE 3-INS)

1994 SECRET (LP)/(INSTR.) (ÉGALEMENT CD SINGLE 3-INS)

1994 SECRET/LET DOWN YOUR GUARD (ROUGH MIX EDIT) (UK SINGLE)

1994 TAKE A BOW (LP)/(IN DA SOUL MIX)

1994 TAKE A BOW (LP)/(INSTR.) (US 3-INS CD SINGLE ET UK SINGLE)

1994 BEDTIME STORY (ALBUM EDIT)/(JUNIOR'S SINGLE MIX) (UK SINGLE)

1995 BEDTIME STORY (LP)/SURVIVAL (LP) (ÉGALEMENT CD SINGLE 3-INS)

1995 HUMAN NATURE (RADIO)/SANCTUARY (LP) (ÉGALEMENT CD SINGLE 3-INS)

1995 YOU'LL SEE (LP)/(INSTR.)

1995 YOU'LL SEE (LP) ; LIVE TO TELL (LIVE DU WHO'S THAT GIRL TOUR) (US 3-INS CD SINGLE)

1996 LOVE DON'T LIVE HERE ANYMORE (SOULPOWER RADIO REMIX)/(ALBUM REMIX)

1996 ONE MORE CHANCE/VÈRAS (VERSION ESPAGNOLE DE 'YOU'LL SEE') (UK SINGLE)

1996 YOU MUST LOVE ME (LP)/RAINBOW HIGH (LP) (ÉGALEMENT CD SINGLE 3-INS)

1996 DON'T CRY FOR ME ARGENTINA/SANTA EVITA (UK SINGLE)

1998 FROZEN (LP)/SHANTI/ASHTANGI (LP) (ÉGALEMENT CD SINGLE 3-INS)

1998 RAY OF LIGHT (LP)/HAS TO BE (NON-ALBUM TRACK) (RÉCOMPENSÉ EN 1999 PAR LE GRAMMY DU MEILLEUR ENREGISTREMENT DANCE, NOMINÉ POUR LE DISQUE DE L'ANNÉE ; ÉGALEMENT CD SINGLE 3-INS)

1998 THE POWER OF GOODBYE/MER GIRL (ÉGALEMENT CD SINGLE 3-INS)

1998 THE POWER OF GOODBYE/LITTLE STAR (UK SINGLE)

1999 NOTHING REALLY MATTERS (LP)/TO HAVE & NOT TO HOLD (LP) (ÉGALEMENT CD SINGLE 3-INS)

2000 MUSIC (LP)/CYBER-RAGA (NON-ALBUM TRACK) (ÉGALEMENT CD SINGLE 3-INS)

2000 DROWNED WORLD/SUBSTITUTE FOR LOVE (UK SINGLE)

2001 DON'T TELL ME (LP)/(THUNDERPUSS 2001 HANDS IN THE AIR RADIO EDIT)

CLIPS

1982 EVERYBODY (RÉALISATEUR : ED STEINBERG. DE L'ALBUM : MADONNA)

1983 BURNING UP (RÉALISATEUR : STEVE BARRON. DE L'ALBUM : MADONNA)

1984 BORDERLINE (RÉALISATEUR : MARY LAMBERT. DE L'ALBUM : MADONNA)

1984 HOLIDAY #1 (RÉALISATEUR : INCONNU. DE L'ALBUM : MADONNA. PETIT BUDGET, NON SORTI)

1984 LUCKY STAR #1 (RÉALISATEUR : ARTHUR PIERSON. DE L'ALBUM MADONNA)

1984 LIKE A VIRGIN (RÉALISATEUR : MARY LAMBERT. DE L'ALBUM : LIKE A VIRGIN)

1984 LIKE A VIRGIN (RÉALISATEUR : MARY LAMBERT. MTV VIDEO MUSIC AWARDS)

1984 LUCKY STAR #2 (RÉALISATEUR : ARTHUR PIERSON. DE L'ALBUM : MADONNA – EXTENDED VERSION)

1985 MATERIAL GIRL (RÉALISATEUR : MARY LAMBERT. DE L'ALBUM : LIKE A VIRGIN)

1985 CRAZY FOR YOU (RÉALISATEUR : HAROLD BECKER. DE L'ALBUM : VISION QUEST – BANDE ORIGINALE DU FILM)

1985 INTO THE GROOVE (RÉALISATEUR : SUSAN SEIDELMAN. DE L'ALBUM : YOU CAN DANCE – A PARTIR DES IMAGES DU FILM RECHERCHE SUSAN DÉSESPÉRÉMENT)

1985 DRESS YOU UP #1 (RÉALISATEUR : DANNY KLEINMAN. DE L'ALBUM : LIKE A VIRGIN)

1985 DRESS YOU UP #2 (RÉALISATEUR : DANNY KLEINMAN. DE L'ALBUM : LIKE A VIRGIN –

VERSION LONGUE AVEC INTRODUCTION ET DES PLANS DIFFERENTS)

1985 GAMBLER #1 (RÉALISATEUR : HAROLD BECKER. DE L'ALBUM : VISION QUEST – BANDE ORIGINALE DU FILM)

1985 GAMBLER (THE VIRGIN TOUR LIVE)

1985 LIKE A VIRGIN (THE VIRGIN TOUR LIVE)

1985 OVER AND OVER (THE VIRGIN TOUR LIVE)

1986 LIVE TO TELL (RÉALISATEUR : JAMES FOLEY. INCLUT DES IMAGES DU FILM COMME UN CHIEN ENRAGÉ)

1986 PAPA DON'T PREACH (RÉALISATEUR : JAMES FOLEY. DE L'ALBUM : TRUE BLUE)

1986 TRUE BLUE (GAGNANT DU CONCOURS « MAKE MY VIDEO CONTEST » ; MADONNA N'APPARAÎT PAS)

1986 TRUE BLUE (RÉALISATEUR : JAMES FOLEY. DE L'ALBUM TRUE BLUE – VERSION EUROPÉENNE)

1986 OPEN YOUR HEART (RÉALISATEUR : JEAN-BAPTISTE MONDINO. DE L'ALBUM : TRUE BLUE)

1987 LA ISLA BONITA (RÉALISATEUR : MARY LAMBERT. DE L'ALBUM : TRUE BLUE)

1987 THE LOOK OF LOVE (RÉALISATEUR : JAMES FOLEY. DE L'ALBUM : WHO'S THAT GIRL ?, AVEC DES IMAGES DU FILM)

1987 CAUSING A COMMOTION (MTV VIDEO MUSIC AWARDS)

1988 INTO THE GROOVE (CIAO ITALIA – LIVE) (POUR LA PROMOTION DU VIDÉO-CLIP COMMERCIAL)

1989 LIKE A PRAYER (RÉALISATEUR : MARY LAMBERT. DE L'ALBUM : LIKE A PRAYER)

1989 MAKE A WISH (PUBLICITÉ DE DEUX MINUTES POUR PEPSI, DIFFUSÉE LE 2 MARS DANS LE MONDE ENTIER)

1989 EXPRESS YOURSELF (MTV VIDEO MUSIC AWARDS)

1989 CHERISH (RÉALISATEUR : HERB RITTS. DE L'ALBUM : LIKE A PRAYER)

1989 EXPRESS YOURSELF (RÉALISATEUR : DAVID FINCHER. DE L'ALBUM : LIKE A PRAYER)

1989 OH FATHER (RÉALISATEUR : DAVID FINCHER. DE L'ALBUM : LIKE A PRAYER)

1989 DEAR JESSIE (RÉALISATEUR : INCONNU. DE L'ALBUM : LIKE A PRAYER. NON SORTI AUX USA ; ANIMATIONS SEULEMENT, MADONNA N'APPARAÎT PAS)

1989 PAPA DON'T PREACH (WARNER, LASER DISC SEULEMENT)

1990 VOGUE (RÉALISATEUR : DAVID FINCHER. DE L'ALBUM : I'M BREATHLESS)

1990 VOGUE (MTV VIDEO MUSIC AWARDS)

1990 *Vote!* (Pour la campagne 'Rock the Vote'; diffusé du 22 octobre au 6 novembre)

1990 *Justify My Love* (Réalisateur: Jean-Baptiste Mondino. De l'album: *The Immaculate Collection*)

1991 *Like a Virgin* (Réalisateur: Alek Keshishian. De l'album: *Like a Virgin* – réalisé à partir d'images de *In Bed With Madonna*)

1991 *Holiday #2* (Réalisateur: Alek Keshishian. De l'album: *Like a Virgin* – réalisé à partir d'images de *In Bed With Madonna*)

1992 *This Used To Be My Playground* (Réalisateur: Alek Keshishian. De l'album: *Barcelona Gold*; inclut des images du film *Une équipe hors du commun*)

1992 *Erotica* (Réalisateur: Fabien Baron. De l'album: *Erotica*)

1992 *Deeper And Deeper* (Réalisateur: Bobby Woods. De l'album: *Erotica*)

1993 *Bad Girl* (Réalisateur: David Fincher. De l'album: *Erotica*)

1993 *Fever* (Réalisateur: Stephan Sednaopi. De l'album: *Erotica*)

1993 *Rain* (Réalisateur: Mark Romanek. De l'album: *Erotica*)

1993 *Bye Bye Baby (Live du The Girlie Show)* (Utilisé en Australie pour la promotion du single, qui n'est pas sorti aux USA ni en Grande-Bretagne)

1994 *I'll Remember* (Réalisateur: Alek Keshishian. Inclut des images du film *With Honors*)

1994 *Secret* (Réalisateur: Melodie McDaniel. De l'album: *Bedtime Stories*)

1994 *Take A Bow* (Réalisateur: Michael Haussman. De l'album: *Bedtime Stories*)

1995 *Bedtime Story* (Réalisateur: Mark Romariek. De l'album: *Bedtime Stories*)

1995 *Human Nature* (Réalisateur: Jean-Baptiste Mondino. De l'album: *Bedtime Stories*)

1995 *I Want You* (sorti brièvement pour les besoins de la promotion de *Inner City Blues: the Music of Marvin Gaye*)

1995 *You'll See* (Réalisateur: Michael Haussman. De l'album: *Something to Remember*)

1996 *Love Don't Live Here Anymore* (Réalisateur: Jean-Baptiste Mondino. De l'album: *Something To Remember*)

1996 *You Must Love Me* (Réalisateur: Alan Parker. De l'album: *Evita: the complete motion picture soundtrack*; inclut des images du film)

1996 *Don't Cry For Me Argentina* (Réalisateur: Alan Parker. De l'album: *Evita* – à partir d'images du film)

1997 *Another Suitcase In Another Hall* (Réalisateur: Alan Parker. De l'album: *Evita* – à partir d'images du film. Non sorti aux USA)

1997 *Buenos Aires* (Réalisateur: Alan Parker. De l'album: *Evita* – à partir d'images du film. Non sorti aux USA)

1998 *Frozen*

1998 *Ray Of Light* (Récompensé en 1999 par le Grammy Award du meilleur video-clip)

1998 *Drowned World/Substitute For Love* (non sorti aux USA)

1998 *The Power Of Goodbye*

1999 *Nothing Really Matters*

1999 *Beautiful Stranger.* (De la bande originale du film: *Austin Powers 2: L'Espion qui m'a tirée*)

2000 *American Pie* (De la bande originale du film *Un couple presque parfait*)

2000 *Music* (également sorti en DVD)

2000 *Don't Tell Me*

Films, vidéos et programmes télévisés

1972 [sans titre] Projet de film super-8 dans lequel Madonna se fait cuire un œuf sur le ventre (réalisateur: inconnu; durée: inconnue)

1980 *A Certain Sacrifice* (Réalisateur: Stephen Jon Lewicki; 60 min. Nom d'actrice: Madonna Ciccone; rôle: Bruna)

1983 *Vision Quest* alias *Crazy For You* (Réalisateur: Harold Becker; 105 min; rôle: cameo)

1984 *Madonna* (réalisateurs: Steve Baron; Mary Lambert; vidéo; 17 min)

1984 *American Bandstand* (Animateur: Dick Clark; TV; 60 min)

1985 *RECHERCHE SUSAN DÉSESPÉRÉMENT* (RÉALISATEUR : SUSAN SEIDELMAN ; 104 MIN ; RÔLE : SUSAN)

1985 *LIVE AID* (TV ; 96 MIN. LIEU : JFK STADIUM)

1985 *THE VIRGIN TOUR – LIVE :* DRESS YOU UP ; HOLIDAY ; INTO THE GROOVE ; EVERYBODY ; GAMBLER ; LUCKY STAR ; CRAZY FOR YOU ; OVER AND OVER ; LIKE A VIRGIN ; MATERIAL GIRL (RÉALISATEUR : DANNY KLEINMAN ; VIDEO ; 50 MIN)

1986 *SHANGHAI SURPRISE* (RÉALISATEUR : JIM GODDARD ; 90 MIN ; RÔLE : GLORIA TATLOCK)

1987 *WHO'S THAT GIRL – LIVE IN JAPAN :* OPEN YOUR HEART ; LUCKY STAR ; TRUE BLUE ; PAPA DON'T PREACH ; WHITE HEAT ; CAUSING A COMMOTION ; THE LOOK OF LOVE ; MEDLEY : DRESS YOU UP/MATERIAL GIRL/LIKE A VIRGIN ; WHERE'S THE PARTY ; LIVE TO TELL ; INTO THE GROOVE ; LA ISLA BONITA ; WHO'S THAT GIRL ; HOLIDAY (RÉALISATEUR : MITCHELL SINOWAY ; VIDÉO ; 92 MIN)

1987 *ROLLING STONE PRESENTS TWENTY YEARS OF ROCK & ROLL* ALIAS *ROLLING STONE : THE FIRST TWENTY YEARS* (RÉALISATEUR : MALCOLM LEO ; 97 MIN)

1987 *WHO'S THAT GIRL* (RÉALISATEUR : JAMES FOLEY ; 92 MIN ; RÔLE : NIKKI FINN)

1988 *GOSSES DES BAS-FONDS* (RÉALISATEUR : HOWARD BROOKNER ; 93 MIN, RÔLE : HORTENSE HATHAWAY)

1988 *CIAO ITALIA – LIVE FROM ITALY* (RÉALISATEUR : EGBERT VAN HEES ; VIDÉO ; 100 MIN)

1990 *BLONDE AMBITION WORLD TOUR LIVE :* EXPRESS YOURSELF ; OPEN YOUR HEART ; CAUSING A COMMOTION ; WHERE'S THE PARTY ; LIKE A VIRGIN ; LIKE A PRAYER ; LIVE TO TELL/OH FATHER ; PAPA DON'T PREACH ; SOONER OR LATER ; HANKY PANKY ; NOW I'M FOLLOWING YOU (PARTS I & II) ; MATERIAL GIRL ; CHERISH ; INTO THE GROOVE ; VOGUE ; HOLIDAY ; KEEP IT TOGETHER (RÉALISATEUR : DAVID MALLET ; VIDEO ; 112 MIN)

1990 *BLONDE AMBITION JAPAN TOUR 90 :* MÊMES PISTES QUE CI-DESSUS (RÉALISATEUR : MARK ALDO MICELI ; VIDÉO ; 105 MIN)

1990 *DICK TRACY* (RÉALISATEUR : WARREN BEATTY ; 103 MIN ; RÔLE : BREATHLESS MAHONEY)

1990 *DICK TRACY : BEHIND THE BADGE, BEHIND THE SCENES* (TV)

1990 *THE IMMACULATE COLLECTION :* LUCKY STAR ; BORDERLINE ; LIKE A VIRGIN ; MATERIAL GIRL ; PAPA DON'T PREACH ; OPEN YOUR HEART ; LA ISLA BONITA ; LIKE A PRAYER ; EXPRESS YOURSELF ; CHERISH ; OH FATHER ; VOGUE ; AND VOGUE (DE LA CÉRÉMONIE DES MTV AWARDS, 1990) (PLUSIEURS RÉALISATEURS ; VIDÉO ; 60 MIN)

1991 *TRUTH OR DARE (IN BED WITH MADONNA)* (RÉALISATEUR : ALEK KESHISHIAN ; 114 – 120 MIN)

1991 *NATIONAL ENQUIRER : THE UNTOLD STORY OF MADONNA* (GOOD TIMES)

1991 *WOMEN IN ROCK* (ATLANTIC VIDEO)

1991 *JUSTIFY MY LOVE* (WARNER MUSIC VIDEO ; 13 MIN)

1992 *UNE ÉQUIPE HORS DU COMMUN* (RÉALISATEUR : PENNY MARSHALL ; 117 – 128 MIN ; RÔLE : MAE)

1992 *BLAST'EM* (RÉALISATEUR : JOSEPH BLASIOLI ; APPROX. 90 MIN ; DOCUMENTAIRE SUR LES PAPARAZZI INCLUANT MADONNA)

1992 *OSCAR'S GREATEST MOMENTS : 1971 TO 1991* (RÉALISATEUR : JEFF MARGOLIS ; VIDEO)

1992 *OMBRES ET BROUILLARD* (RÉALISATEUR : WOODY ALLEN ; PG-13 ; 86 MIN ; RÔLE : MARIE)

1993 *BODY* (RÉALISATEUR : ULRICH EDEL ; 101 MIN ; RÔLE : REBECCA CARLSON)

1993 *SNAKES EYES* (RÉALISATEUR : ABEL FERRARA ; 108 MIN ; RÔLE : SARAH JENNINGS)

1993 *THE GIRLIE SHOW – LIVE DOWN UNDER :* EROTICA ; FEVER ; VOGUE ; RAIN ; EXPRESS YOURSELF ; DEEPER AND DEEPER ; WHY'S IT SO HARD ; IN THIS LIFE ; THE BEAST WITHIN ; LIKE A VIRGIN ; BYE BYE BABY ; I'M GOING BANANAS ; LA ISLA BONITA ; HOLIDAY ; JUSTIFY MY LOVE ; EVERYBODY IS A STAR/EVERYBODY (VIDEO)

1993 *MADONNA EXPOSED* (GOOD TIMES)

1995 *BROOKLYN BOOGIE* (RÉALISATEURS : PAUL AUSTER ; WAYNE WANG ; 83 – 95 MIN ; RÔLE : SINGING TELEGRAM)

1995 *FOUR ROOMS* (DIRECTOR : ALLISON ANDERS ; ALEXANDRE ROCKWELL ; 98 MIN ; RÔLE : ELSPETH DANS *THE MISSING INGREDIENT*)

1995 *THE HISTORY OF ROCK'N ROLL ; VOL. 10* ALIAS *UP FROM THE UNDERGROUND* (VIDÉO ; 60 MIN)

1996 *EVITA* : A CINEMA IN BUENOS AIRES ;
26 JULY 1952 ; REQUIEM FOR EVITA ; OH
WHAT A CIRCUS ; ON THIS NIGHT OF A
THOUSAND STARS ; EVA AND
MAGALDI/EVA BEWARE OF THE CITY ;
BUENOS ARIES ; ANOTHER SUITCASE IN
ANOTHER HALL ; GOODNIGHT AND
THANK YOU ; THE LADY'S GOT POTEN-
TIAL ; CHARITY CONCERT/THE ART OF THE
POSSIBLE ; I'D BE SURPRISINGLY GOOD
FOR YOU ; HELLO AND GOODBYE ; PER-
ON'S LATEST FLAME ; A NEW ARGENTINA ;
ON THE BALCONY OF THE CASA ROSADA
1 ; DON'T CRY FOR ME ARGENTINA ; ON
THE BALCONY OF THE CASA ROSADA 2 ;
HIGH FLYING ; ADORED ; RAINBOW HIGH ;
RAINBOW TOUR ; THE ACTRESS HASN'T
LEARNED THE LINES (YOU'D LIKE TO
HEAR) ; AND THE MONEY KEPT ROLLING
IN (AND OUT) ; PARTIDO FEMINISTA ; SHE
IS A DIAMOND ; SANTA EVITA ; WALTZ
FOR EVA AND CHE ; YOUR LITTLE BODY'S
SLOWLY BREAKING DOWN ; YOU MUST
LOVE ME ; EVA'S FINAL BROADCAST ;
LATIN CHANT ; LAMENT (RÉALISATEUR :
ALAN PARKER ; 134 MIN ; RÔLE : EVA
PERÓN)

1996 *GIRL 6* (RÉALISATEUR : SPIKE LEE ;
108 MIN ; RÔLE : BOSS #3)

1997 *HAPPY BIRTHDAY ELIZABETH : A CELE-
BRATION OF LIFE* (RÉALISATEUR : JEFF
MARGOLIS ; TV)

1998 *OPRAH WINFREY SHOW* (RÉALISATEUR :
JOSEPH C. TERRY ; TV ; 60 MIN)

1998 *BEHIND THE MUSIC* ALIAS *VH1'S BEHIND
THE MUSIC* (RÉALISATEUR : DAVID
GREENE ; TV)

1998 *RAY OF LIGHT* (VIDÉO EN ÉDITION LIMI-
TÉE DU GAGNANT DU GRAMMY AWARD)

1999 *MADONNA : THE VIDEO COLLECTION 93-
99* : BAD GIRL ; FEVER ; RAIN ; SECRET ;
TAKE A BOW ; BEDTIME STORY ; HUMAN
NATURE ; LOVE DON'T LIVE HERE ANY-
MORE ; FROZEN ; RAY OF LIGHT ; DROW-
NED WORLD/SUBSTITUTE FOR LOVE ; THE
POWER OF GOODBYE ; NOTHING REALLY
MATTERS ; BEAUTIFUL STRANGER (PLU-
SIEURS RÉALISATEURS ; 67 MIN. PROMU
COMME SES 14 VIDÉO-CLIPS PRÉFÉRÉS ;
DROWNED WORLD/SUBSTITUTE FOR LOVE
N'ÉTAIT JAMAIS ENCORE SORTI AUX USA)

2000 *MUSIC* (RÉALISATEUR : JONAS ÅKERLUND ;
VIDEO ; 10 MIN)

2000 *UN COUPLE PRESQUE PARFAIT* (RÉALISATEUR :
JOHN SCHLESINGER ; 108 MIN ; RÔLE :
ABBIE REYNOLDS)

2000 *IN THE LIFE* (TV ; ÉPISODE # 7.4 ; MAI)

2000 *MUSIC* (DVD VIDÉO SINGLE AVEC DEUX
VERSIONS LÉGÈREMENT DIFFÉRENTES)

2001 *DON'T TELL ME* (CD-ROM MAXI-SINGLE ;
POUR PC ET MAC)

2001 *DROWNED WORLD TOUR 2001* (RÉALISA-
TEUR : HAMISH HAMILTON ; TV)

2001 *STAR* (RÉALISATEUR : GUY RITCHIE ;
7 MIN ; RÔLE : STAR)

2001 *THE 43ʳᵈ ANNUAL GRAMMY AWARDS* (TV)

2001 *WHAT IT FEELS LIKE FOR A GIRL* (RÉALISA-
TEUR : GUY RITCHIE ; VIDÉO ; 5 MIN)

PIÈCES DE THÉÂTRE

1987 *GOOSE AND TOM-TOM* DE DAVID RABE.
THÉÂTRE DU LINCOLN CENTER. RÔLE :
LORRAINE.

1988 *SPEED-THE-PLOW* DE DAVID MAMET.
PRODUIT PAR LE LINCOLN CENTER AU
ROYAL THEATER, BROADWAY. RÔLE :
KAREN.

TOURNÉES

1985 THE VIRGIN TOUR

1987 WHO'S THAT GIRL ? TOUR (TOURNÉE
MONDIALE)

1990 BLOND AMBITION TOUR (TOURNÉE MON-
DIALE)

1993 THE GIRLIE SHOW (TOURNÉE MONDIALE)

2001 DROWNED WORLD TOUR (TOURNÉE
MONDIALE)

Crédits photo

Plus de la moitié des photographies de ce livre ont été fournies par des personnes qui connaissent ou ont connu Madonna. La plupart d'entre elles sont inédites. L'auteur et l'éditeur leur en sont très reconnaissants, ainsi qu'à Zooid Pictures Limited et aux agences citées ci-dessous.

Premier cahier

Page 1 : Arlett Vereecke/MOV/London Features International ; page 4 : Splash News and Picture Agency ; page 5 : L. Alaniz ; pages 6 et 7, photos de Peter Kentes ; page 8 (haut et bas) : L. Alaniz ; pages 9, 10 (haut et bas) et 11 © Mark D. ; pages 12-13, 14 et 15 (haut et bas), photos de Dan Gilroy ; page 16 (haut et bas) : photos de Curtis Zale. Autres photos : dr.

Second cahier

Pages 1 et 2 : L. Alaniz ; page 3 (haut et bas) : photos de Gary Burke ; page 4 (haut et bas), 5 (haut et bas), 6 (haut et bas), 7 et 8 : avec l'aimable autorisation de Camille M. Barbone, photos de sa collection privée ; page 9 (haut et bas) : © Stephen Torton, avec l'aimable autorisation de PictureShow Gallery, Berlin ; pages 10 à 16 : avec l'aimable autorisation de Camille M. Barbone, photos de sa collection privée ; page 17 : Rex Features ; page 18 : Big Pictures ; page 19 (haut) : John Bellissimo/Corbis UK Ltd ; page 19 (bas) : Corbis UK Ltd ; page 20 (haut) : P. Ramey/Corbis Sygma ; page 20 (bas) : London Features International ; page 21 (haut) : Ken Friedman/Retna Pictures ; page 21 (bas) : Rex Features ; page 22 (haut) : SIPA/Rex Features ; page 22 (bas) : Nick Elgar/London Features International ; page 23 (haut) : R. Galella/Corbis Sygma ; page 23 (bas) : Corbis/Sygma ; page 24 (haut) : R. Galella/Corbis Sygma ; page 24 (bas) : Charles Sykes/Rex Features ; page 25 (haut) : Rex Features ; page 25 (bas) :

Splash News and Picture Agency; page 26 (haut): SIPA/Rex Features; page 26 (bas): Faroux/SIPA/Rex Features; page 27 et 28: Rex Features; page 29 (haut): London Features International; page 29 (bas): Richard Young/Rex Features; page 30: SIPA/Rex Features; page 31 (haut): Marion Curtis/Rex Features; page 31 (bas): SIPA/Rex Features; page 32 (haut): ACT/Rex Features; page 32 (bas): Rex Features.

Remerciements

Ce livre étant consacré à une femme 100 % américaine, il est pour le moins étrange que mes recherches aient commencé et se soient conclues dans une ambiance typiquement anglaise : autour d'une tasse de thé et d'un cake maison. Elles ont débuté par une discussion sur la famille de son mari, Guy Ritchie, chez un parent de ce dernier, Gavin Doyle, qui réside au nord de Londres. Elles se sont terminées, quelques mois plus tard, dans l'étude londonienne de sir Tim Rice. Même à New York, la ville du fast-food et du café filtre, il a été difficile d'échapper au thé anglais. Mais cette fois, accompagné de lait et de biscuits casher dans un appartement de Greenwich Village, en écoutant un rabbin méditer sur l'intérêt de Madonna pour les enseignements mystiques de la kabbale.

La plupart du temps, étant donné le style de vie nocturne de la chanteuse, l'heure du thé était largement passée quand je commençais mes recherches. Mark Kamins, son ancien petit ami, m'a fait tout un cours sur les différentes tequilas dans un bar cubain de Tribeca ; des amis écossais m'ont expliqué autour d'un ou deux verres de pur malt les traditions de Dornoch, où Madonna s'est mariée ; et, de retour à Soho, le réalisateur Abel Ferrara s'est laissé emporter par son lyrisme en évoquant la Budweiser, une bière fabriquée dans le New Jersey. Alors qu'il me parlait d'une des plus grandes stars du showbiz, on entendait dans la rue un évangéliste dénoncer le culte moderne de la célébrité…

Toutes les interviews que l'on m'a accordées le montrent clairement : Madonna est bien plus qu'une « banale » vedette. A force de volonté, d'esprit créatif et de dynamisme – les valeurs qui ont construit l'Amérique –, elle s'est fait un nom pas seulement dans le monde du show business, mais au sein de la culture moderne. Tous mes remerciements vont à ceux qui m'ont aidé, par leurs témoignages et leurs analyses, à retracer son parcours et à me faire une idée plus

317

précise sur une personnalité qui, malgré les milliers d'articles qui lui ont été consacrés, demeurait insaisissable et énigmatique.

Je remercie tout particulièrement : Jim Albright ; Lucinda Axler ; Arthur Baker ; Camille Barbone ; Erika Belle ; Fred Brathwaite alias Fab Five Freddie ; Vito Bruno ; Gary Burke ; Norris Burroughs ; Nick Ciotola et Kerin Shellenbarger du Senator John Heinz Regional History Center (Pittsburgh) ; Mary Anne Dailey ; le Pr Gay Delanghe, de l'Université du Michigan ; Mark et Lori Dolengowski ; Gavin Doyle ; Abel et Nancy Ferrara ; Katherine Fortin ; Vince Gerasole ; Dan et Ed Gilroy ; Stuart Graber ; Linda Alaniz-Hornsby ; Virginia Humes ; le Geneva College de Beaver Falls (Pennsylvanie) ; Mark Kamins ; Peter Kentes ; John Kohn ; Celeste LaBate ; Jimi LaLumia ; Pearl Lang ; Jeff Lass ; Robert Leacock ; sir Michael Leighton ; Andrew Lownie ; Jock McGregor ; le colonel William McNair ; Patrick McPharlin ; Curt Miner ; Coati Mundi ; Michael Musto ; Claire Narbonne-Fortin ; Sioux Nesi ; le rabbin Julia Neuberger ; Bert Padell ; Andy Paley ; Tommy Quon ; sir Tim Rice ; Mira Rostova ; Whitley Setrakian ; Bobby Shaw ; Peter Sibilia ; Ed Steinberg ; Carol Steir ; Steve Torton ; le Dr Nick Twomey ; Robert Van Winckle alias Vanilla Ice ; Bonnie Winston ; Ruth Dupack Young ; Curtis Zale ; Fred Zarr.

Je souhaite que mes lecteurs éprouvent autant de plaisir à lire ce livre que j'en ai eu à le construire, au fil de mes recherches, et à l'écrire.

Andrew Morton

Index

Table

CHEZ LE MÊME ÉDITEUR

Frank Zappa

ZAPPA PAR ZAPPA

Issu d'une famille pauvre d'origine italienne, Zappa fut un enfant souvent malade, qui s'intéressa aux explosifs avant de se passionner pour la composition, la batterie puis la guitare. Dans ce livre, il évoque avec humour son enfance et son adolescence, entre Maryland et Floride, rhythm'n blues et rock'n roll, prison et explosions.

Il y dévoile les circonstances de la naissance des Mothers of Invention, du rock *freak* et d'albums mythiques tels *Freak Out ! Absolutely Free, Bongo Fury, 200 Motels* ou *LSO.*

Quand il ne téléphone pas à Edgar Varese à l'âge de quinze ans ou qu'il ne se retrouve pas accusé d'obscénité par un tribunal britannique, Zappa se paie la tête de John Wayne et le pantalon de Jimi Hendrix, ou observe avec écœurement Pierre Boulez déguster une tête de veau. Le tout sans jamais recourir à d'autres substances hallucinogènes que le tabac, la musique et les saucisses carbonisées.

Il fait aussi des rencontres inoubliables : sa femme Gail, Simon & Garfunkel, Captain Beefheart, mais aussi Jésus et sa cohorte de télévangélistes, qui rejoignent dans son enfer personnel les politiciens véreux, les producteurs de bière, les syndicats de musiciens et de techniciens, les hydres symphoniques, les saintes ligues morales, les médias complices...

Quelques années après sa disparition, Frank Zappa (1940-1993), fondateur d'Inter-Continental Absurdities (ICA) et de l'Église américaine de l'humanisme laïque (CASH), revient pourfendre la bêtise, l'hypocrisie et l'arrogance de ses contemporains. « Car Dieu, qui est le plus malin, ne supporte pas la concurrence... »

« Plus qu'une autobiographie du célèbre musicien : un journal intime, une tribune libre, un fourre-tout impétueux. » *L'Écho*

ISBN 2-84187226-2 / H 50-2421-1 / 400 p. / 21,50 €

Pierre Merle

JOHN LENNON,
LA BALLADE INACHEVÉE

John et Yoko… Ensemble, ils ont formé l'un des couples les plus médiatiques de la fin des années 60 et du début des années 70, symbole de tous les espoirs, de toutes les utopies et de tous les excès. Leur histoire d'amour restera l'une des plus singulières de l'histoire du rock.

Mais qui était vraiment John Lennon? « Héros de la classe ouvrière » devenu mythe vivant, rocker de génie reconverti dans l'avant-garde, ex-Beatles passé sous la coupe de Yoko, éternel adolescent et père attentif, l'auteur de *Strawberry Fields*, *Imagine* ou *Woman* n'était pas à une contradiction près.

Et qui était vraiment Yoko Ono, fille d'un banquier japonais, artiste idéaliste recyclée en femme d'affaires, muse métamorphosée en femme à poigne?

Le 8 décembre 1980, un psychopathe, Mark Chapman, abattait Lennon de cinq balles de revolver, brisant du même coup les derniers rêves d'une génération aussi turbulente que généreuse. Aujourd'hui, que serait devenu John Lennon? Quels chemins aurait-il empruntés, lui, l'âme des Beatles, à qui le destin avait fait un cadeau à double tranchant : la gloire?

Né en 1946, Pierre Merle, journaliste, écrivain, a publié une vingtaine de livres, dont L'Assassinat de John Lennon *(Fleuve Noir, 1993) et* Révolution… Les Beatles, *en collaboration avec Jacques Volcouve (Fayard, 1998). Au cours de son enquête, il a rencontré nombre des proches de Lennon, dont Bill Harry, son ami d'adolescence, Pete Best, batteur des Beatles avant Ringo Starr, et Hunter Davies, premier biographe du groupe.*

ISBN 2-84187-260-2 / H 50-2471-6 / 24 photos N & B / 286 p. / 18,50 €

Spotlight Magazine est le premier magazine français entièrement
consacré à l'actualité et à la carrière de Madonna.

Ce magazine luxueux de 32 pages couleurs paraît tous les deux mois avec, au sommaire,
toute l'actualité de Madonna : tournées, livres, revues de presse, discographie, collectors,
cinéma, théâtre… On y retrouve des articles d'analyse de l'œuvre de la Star, des interviews
de ses collaborateurs, des photos rares et des récapitulatifs de sa très grande carrière…

Retrouvez *Spotlight Magazine* sur Internet à l'adresse
www.spotlight-theangel.com
Pour tout renseignement, écrire à **spotlight@noos.fr.**

Spotlight Magazine est édité par **The Angel**
(Association loi 1901).

L'abonnement pour 6 numéros (port compris) est de :
41 € pour la France
55 € pour l'Europe
70 € pour les autres pays.

Une carte postale ou une photo est offerte pour chaque abonnement.

Bon d'abonnement à renvoyer avec votre règlement*
à l'ordre de *The Angel* à
**The Angel – Spotlight, service abonnements,
9, rue du Temple 75004 Paris – France**

Je m'abonne pour 6 numéros à partir du numéro ....

Nom : _____Prénom : _____

Adresse : _____

Code Postal : _____Ville : _____

Pays : _____

* Pour la France, chèque ou mandat.
  Pour les autres pays, mandat international uniquement.
* For others countries, we only accept international moyen order.

Ouvrage composé
par Atlant' Communication
à Sainte-Cécile (Vendée)

Impression réalisée sur CAMERON par

BRODARD & TAUPIN

GROUPE CPI

La Flèche
en mars 2002
pour le compte des Éditions de l'Archipel
département éditorial
de la S.A.R.L. Écriture-Communication

Imprimé en France
N° d'édition : 458 – N° d'impression : 12038
Dépôt légal : mars 2002